Kritische Studien zur Geschichtswissenschaft 19

KRITISCHE STUDIEN ZUR GESCHICHTSWISSENSCHAFT

Herausgegeben von
Helmut Berding, Jürgen Kocka,
Hans-Christoph Schröder, Hans-Ulrich Wehler

Band 19

Hans H. Gerth
Bürgerliche Intelligenz um 1800

GÖTTINGEN · VANDENHOECK & RUPRECHT · 1976

Bürgerliche Intelligenz um 1800

Zur Soziologie des deutschen Frühliberalismus

VON

HANS H. GERTH

Mit einem Vorwort und einer ergänzenden Bibliographie
herausgegeben von

Ulrich Herrmann

GÖTTINGEN · VANDENHOECK & RUPRECHT · 1976

CIP-Kurztitelaufnahme der Deutschen Bibliothek

Gerth, Hans H.
Bürgerliche Intelligenz um 1800 [achtzehnhundert] zur Soziologie d. dt. Frühliberalismus / mit e. Vorw. u. e. erg. Bibliogr. hrsg. von Ulrich Herrmann. – Göttingen: Vandenhoeck und Ruprecht, 1976.
(Kritische Studien zur Geschichtswissenschaft; Bd. 19)

ISBN 3-525-35970-5

Umschlag: Peter Kohlhase

 – Satz und Druck: Gulde-Druck, Tübingen. –
Bindearbeit: Hubert & Co., Göttingen

Inhalt

Vorwort

von Ulrich Herrmann

I. Mehr als vierzig Jahre nach ihrer Ausarbeitung erscheint mit der vorliegenden Ausgabe die Dissertation von Hans Heinrich Gerth „Die sozialgeschichtliche Lage der bürgerlichen Intelligenz um die Wende des 18. Jahrhunderts – Ein Beitrag zur Soziologie des deutschen Frühliberalismus" (Frankfurt 1935) zum ersten Mal im Druck und wird damit der wissenschaftlichen Öffentlichkeit allgemein zugänglich. Völlig vergessen war diese Arbeit zwar nicht – in den vergangenen Jahren wurde sie gelegentlich in bildungshistorischen Untersuchungen und in Arbeiten zur Sozialgeschichte des politischen Denkens in Deutschland zitiert. Bezeichnenderweise wurde die (1935 als VDI-Druck in Berlin) vervielfältigte Fassung auch zweimal als „Raubdruck" an den Büchertischen des studentischen „Verlags"systems ausgelegt, aber auf diesem Wege kam sie auch nicht in die Bibliotheken und Seminare. Sie blieb der allgemeinen Diskussion entzogen und drohte, in jenem Zwischenreich fast vergessener Arbeiten, die vom Nationalsozialismus unterdrückt wurden oder deren Autoren ins Exil gehen mußten, und der „grauen Literatur" des „Untergrunds" an den Hochschulen dem völligen Vergessen anheimzufallen. Damit aber würde letztlich vollzogen, was die Nazis intendierten: das kritische Bewußtsein der historischen Sozialforschung zum Verstummen zu bringen, wie es sich in den Auseinandersetzungen der zwanziger und dreißiger Jahre entwickelt hatte und in die Diskussionen über ideologische Bewußtseinsformen in der bürgerlich-kapitalistischen Gesellschaft, über Marxismus und Totalitarismus, über den heraufziehenden Ungeist des Faschismus und die brennenden Gegenwartsfragen zunehmender Orientierungslosigkeit und des Scheiterns der ersten deutschen Demokratie eingriff. Die kritische Sozialforschung der Gegenwart hätte damit zugleich ein Stück ihrer eigenen Vorgeschichte vergessen. So soll diese Ausgabe auch verstanden werden als „ein Beitrag zur Wiedergutmachung an uns selbst", wie Kurt H. Wolff in seiner Vorrede zur Sammlung von Karl Mannheims wissenssoziologischen Abhandlungen schreibt[1].

II. Hans Gerth studierte von 1927 bis 1929 an der Universität Heidelberg, seine Lehrer waren dort in Philosophie vor allem Karl Jaspers, in Soziologie Alfred Weber und Karl Mannheim, bei dem er nach einem Studienaufenthalt 1929/30 an der London School of Economics von 1930 bis 1933 in Frankfurt seine Studien fortsetzte.

Hier kann nicht im einzelnen nachgezeichnet werden, in welchem geistigen Klima und in welchen intellektuellen Horizonten der Frankfurter Universität – nach Paul Tillichs Urteils die modernste und liberalste in Deutschland in jenen Jahren vor 1933[2] – die Arbeit von Hans Gerth entstand; ein Blick in die Personal- und Vorlesungsverzeichnisse von 1928 bis 1933 möge lediglich einige Hinweise vermitteln.

In Philosophie lehrten neben dem schon emeritierten Erkenntnistheoretiker Hans Cornelius vor allem dessen Schüler Max Horkheimer, dann Fritz Heinemann[3], seit 1931/32 Theodor Wiesengrund (Adorno), schließlich eine der faszinierendsten Gestalten dieser Frankfurter Zeit: Paul Tillich, Ordinarius für Philosophie, Soziologie und Sozialpädagogik seit 1929, der streitbare Vertreter der „Religiösen Sozialismus"[4]. Er las über Philosophie der Religion, moderne katholische Sozialethik, philosophische Grundlagen der politischen Richtungen, Hegel, Schelling; Philosophie der Aufklärung, der deutschen Klassik, des Idealismus usf. Horkheimer bot von den großen Themen der Philosophie u. a.: Hegel, Kant, englische und französische Aufklärung, Gesellschafts- und Staatsphilosophie, Sozialphilosophie. Adorno führte sich mit „Problemen der Ästhetik" und erkenntnistheoretischen Übungen über Husserl ein, wandte sich Kierkegaard, der Kunstphilosophie, Bacon, Descartes und Hobbes zu und veranstaltete zusammen mit Tillich Übungen über Hegels Geschichtsphilosophie, Lessings „Erziehung des Menschengeschlechts", über Locke und Simmel.

In der Volkswirtschaftslehre ragen die theorieorientierten Veranstaltungen des Ordinarius für Wirtschaftliche Staatswissenschaften Adolf Löwe[5] heraus, bemerkenswert ist das Lehrangebot von Mitarbeitern des von Horkheimer geleiteten Instituts für Sozialforschung, von Heinrich Großmann und Friedrich Pollock[6]. Großmann z. B. kündigte zum Wintersemester 1932/33 an: Das ökonomische System von Karl Marx und seine Fortentwicklung 1883–1933; Theorie und Politik des Monopolkapitalismus; Pollock las über Planwirtschaft in der Sowjetunion, Geschichte des Sozialismus, Die Lage der Angestellten in Deutschland, Freizeitgestaltung von Arbeitern usw.

In der Wirtschafts- und staatswissenschaftlichen Fakulät finden wir im Bereich der Soziologie zunächst Franz Oppenheimer[7] (für Soziologie und Theoretische Nationalökonomie), dann seinen (und Simmels) Schüler Gottfried Salomon(-Delatour), Walter Sulzbach, vor allem aber die die Frankfurter Soziologie seit dem Sommersemester 1930 bis zum Übergang an die London School of Economics (Frühjahr 1933) prägende Gestalt: Karl Mannheim. Er lehrte Soziologische Geschichte der politischen Theorien, Kultursoziologie, Ideengeschichte des 19. Jahrhunderts in soziologischer Betrachtung, Grundlagen der Soziologie (Theorie und Geschichte der Klassenbildung, Probleme des sozialen Aufstiegs und der Intelligenz), Das Werden der neuzeitlichen Gesellschaft und des modernen Menschentyps. Heinz Marr, Direktor der Sozialen Museums und a. o. Professor für Soziologie und Sozialpolitik, veranstaltete wirtschafts- bzw. religionssoziologische Kolloquien über Kapitalismus und Protestantismus sowie über Glaubenswandlungen im protestantischen Sozialismus. Salomon-Delatour kündigte z. B. für das Sommersemester 1930 an: Karl Marx; Die französische Bourgeoisie; Übungen über Klasse und Klassenbewußtsein; Sulzbach fürs Sommersemester 1931: Liberalismus; Übungen über die Gesellschaftsordnung des

Faschismus. – Für den Bereich der Politikwissenschaft sei vor allem auf die Vorlesungen und Übungen von Ludwig Bergsträsser zur Parteiengeschichte, über Parteiprogramme, über Revolutionen, das Pressewesen usw. verwiesen.

Karl Mannheim veranstaltete vom Wintersemester 1931/32 an in mehreren Fortsetzungen zusammen mit Adolf Löwe, Ludwig Bergsträsser und dem Privatdozenten für Neuere Geschichte Ulrich Noack[8] eine „Arbeitsgemeinschaft Sozialgeschichte und Ideengeschichte: Frühliberalismus in Deutschland", an der als Gast gelegentlich Paul Tillich teilnahm und die für einen Kreis angehender Gelehrter große Anziehungskraft und prägenden Eindruck ausübte: Unter ihnen finden wir Norbert Elias, damals Assistent am Soziologischen Seminar[9], Hannah Arendt[10] und ihren Mann Günther Stern (heute Günther Anders), Hans Weil[11] und eben auch Hans Gerth. Gerth erarbeitete im Rahmen dieser Arbeitsgemeinschaft eine Untersuchung „Benzenberg und Buchholz – Zwei Vertreter des deutschen Frühliberalismus", die aufgrund eines Gutachtens von Mannheim und Löwe mit einem Teilpreis der Fakultät ausgezeichnet wurde. Die Ereignisse seit dem Januar 1933 bedingten, daß die Arbeit liegenblieb, erst 1954 erschien im 110. Band der „Zeitschrift für die gesamte Staatswissenschaft" die Abhandlung „Friedrich Buchholz – Auch ein Anfang der Soziologie". Die weiterführende Dissertation zur umfassenderen Problematik der sozialgeschichtlichen Lage der bürgerlichen Intelligenz im Frühliberalismus konnte mühsam fertiggestellt werden, mit knapper Not gelang schließlich ihre Annahme und der Abschluß der Promotion im Jahre 1935.

Für Hans Gerth war an eine Fortsetzung akademischer Forschung nicht zu denken. Mit der Machtübernahme der Nationalsozialisten und der beginnenden Gleichschaltung der Universität war das augenblickliche Ende jener faszinierenden und fruchtbaren Konstellation der Frankfurter Philosophie, Politikwissenschaft, Soziologie, Wirtschaftswissenschaft und Politischen Ökonomie gekommen. Neben vielen anderen trugen die Namen von Tillich, Horkheimer, Wiesengrund(-Adorno) und Hans Weil, von Ludwig Bergsträsser, Pollock, Salomon-Delatour, Sulzbach, Löwe und Mannheim sogleich den Vermerk „z. Z. beurlaubt". Im Wintersemester 1933/34 finden sich unter „Soziologie" noch drei unverfängliche Themenankündigungen von Hans Marr, „Politik" ist getilgt, im Sommersemester sucht man in den Ankündigungen der Frankfurter Universität auch „Soziologie" vergeblich. Die akademischen Lehrer gingen ins Exil, Gerth mußte seine Frankfurter Habilitationspläne begraben. Nach Beendigung einer Forschungsassistentur bei Rudolf Heberle (Ökonom in Kiel) kam er am „Berliner Tageblatt" unter, für das Paul Scheffer eine neue Redaktion zusammenzustellen im Begriffe war, in der sich dann unter anderen auch Karl Korn und Margret Boveri einfanden[12]. Daneben schrieb Gerth für die „Frankfurter Zeitung", 1936/37 gehörte er zum Stab der Berliner Büros von Chicago Daily News und United Press.

Neben mehr feuilletonistischen Beiträgen konnten dort aber auch Gerths spezifische soziologische Kenntnisse und Interessen zur Geltung kommen. Ein Protokoll von Mitarbeiterbesprechungen bei Paul Scheffer vom 5. März 1935 vermerkt, daß anläßlich des zweiten Bandes von Franz Schnabels „Deutscher Geschichte im Neunzehnten Jahrhundert" „Gerth einen Artikel ‚Geschichte und Soziologie' schreiben [wird] ... Es wird sich um einen Angriff gegen die hergekommene Ideengeschichte handeln"[13]. Hinzuweisen ist auf seine „Tageblatt"-Besprechungen von Ulrich Noack, dem Mitveranstalter des Frankfurter Liberalismus-Seminars (Geschichte und Wahrheit, Frankfurt/M. 1935; im „Tageblatt" am 15. September 1935) und Robert Michels (Umschichtungen in den herrschenden Klassen nach dem Kriege, Berlin 1934; im „Tageblatt" am 1. November 1936) sowie die kleine Abhandlung „Vom geschichtlichen Sinn" (zu Friedrich Meineckes „Entstehung des Historismus", München/Berlin 1936; im „Tageblatt" ebenfalls am 1. November 1936).

Jedoch, die Unsicherheit war groß, der Zugriff der Polizei willkürlich, wie Margret Boveri, Benno Reifenberg und andere erfuhren; auch Hans Gerth wurde in die Prinz-Albrecht-Straße vorgeladen. Margret Boveri berichtet, daß man ihm vorhielt, im „Tageblatt" abgeschätzte Bemerkungen über Hitler gemacht zu haben[14]. Eine Gerichtsvorladung aus seiner Heimatstadt Kassel[15] war gewichtiger; nach Rechtsberatung in Kiel und angesichts der zu erwartenden Folgen einer Verurteilung ging er mit gefälschten Papieren über die Grenze nach Dänemark. Aarhus, London, New York waren die (üblichen) Fluchtstationen. Er war exiliert und während des Krieges zugleich „feindlicher Ausländer"; seine Gefährtin Dr. Hedwig Ide Gräfin Reventlow wurde später vom „Boston Transcript" noch vor ihrer Landung in Amerika als „Nazi-Countess" begrüßt.

Über Harvard und die Universitäten von Michigan und Illinois kam Gerth 1940 schließlich nach Madison/Wisconsin, wo er eine Professur für Social Psychology innehatte. Er übernahm Gastdozenturen an verschiedenen amerikanischen Universitäten und in Japan. Vor wenigen Jahren kehrte er nach Deutschland zurück und lehrte Soziologie bis zu seiner Emeritierung im Sommer 1975 an der Stätte seines wissenschaftlichen Beginnens, der Universität Frankfurt am Main. In Amerika trat er vor allem mit dem zusammen mit seinem damaligen Studenten C. Wrigth Mills verfaßten Buch „Character and Social Structure" und einer Max-Weber-Anthologie hervor[16].

III. Grundlegend für Gerths sozialgeschichtlichen Ansatz ist die Konzeption der Mannheimschen Soziologie, die mit den Schlagworten „Wissens-" bzw. „Erkenntnissoziologie", „Soziologie des Erkennens" usw. umschrieben wird. Worum handelt es sich genauer?

Karl Mannheims Denken wurde in den Jahren vor 1933 von zwei Fragestellungen bewegt: auf der einen Seite dem Problem einer Strukturanalyse der Erkenntnistheorie[17] und auf der anderen von der Frage nach der Historizität des Erkennens und der Erkenntnis aufgrund einer bestimmten „Seinsverbundenheit" bzw. „Bedingtheit" der erkennenden Subjekte infolge ihrer gegebenen soziokulturellen und sozio-ökonomischen „Lage" in der sich wandelnden gesellschaftlich-geschichtlich-geistigen Welt. Mannheims These ist, daß sich die Erfahrung und Deutung der eigenen geschichtlich-gesellschaftlichen Lebenswelt bis in die Kategorien des Denkens und Erkennens hinein als wirksam erweisen und nachweisen lassen. Er steht hier in der Tradition – und sei es in der Form der Opposition – verschiedener Denker und ganz unterschiedlicher (geschichts-)philosophischer Strömungen[18]; es sei insbesondere auf Diltheys Arbeiten zur Weltanschauungsanalyse bzw. ihren Typen und zum Aufbau der geschichtlichen Welt in den Geisteswissenschaften[19] und auf Alfred Webers Kultursoziologie[20] verwiesen, die Historismus-Diskussion bei Ernst Troeltsch[21], auf existenzialphilosophische, von Mannheim abgelehnte Ansätze bei Max Scheler[22] und die marxistischen Analysen von Georg Lukács[23] und von Karl Korsch[24]. Mannheim geht den Weg von der Philosophie zur Soziologie (Hegel, Marx, Dilthey, Troeltsch, Max Weber), indem er zum einen das Konzept „Wahrheit" dynamisiert (man vergleiche Diltheys „Kritik der historischen Vernunft"[25]), zum anderen die Geschichte des Denkens bzw. der philosophischen Systeme in den realgeschichtlichen Prozeß der Gesellschaftsveränderung funktional einbindet, womit er zugleich – ähnlich wie Dilthey – den Historismus nicht so sehr im Hinblick auf seine Konsequenzen für den philosophischen Relativismus betrachtet, sondern vielmehr als eine Befreiung des Denkens zur geschichtlich-konkreten Wahrheit. Und die besondere Pointe – und wohl auch der Grund für die Durchschlagskraft – von Mannheims „Ideologie und Utopie" (1929) war die damit zugleich vollzogene kritische Rezeption der materialistischen Geschichtsbetrachtung und der marxistischen Ideologiekritik[26].

In dem Kapitel „Die Soziologie des Wissens vom dynamischen Standorte" jener den angedeuteten Fragenzusammenhang explizierenden Abhandlung „Das Problem einer Soziologie des Wissens"[27] finden sich die (auch für das Verständnis der Gerthschen Arbeit) wegweisende Überlegungen: „Geht man von einer dynamischen Konzeption der Wahrheit und des Wissens aus, so konzentriert sich ... das Interesse einer Soziologie des Wissens auf das Werden, und zwar auf das *seinsverbundene Werden der Standorte,* von denen aus zu denken einem jeweiligen Zeitalter allein gegeben ist ... Diese *erste* Fragestellung einer systematischen Soziologie des Denkens knüpft an jene historische Arbeit an, die in der gegenwärtigen Ideengeschichte eine so reiche Fundgrube an Materialien und Arbeitsmethoden bietet. Die Ideengeschichte in den verschiedensten Gebieten (der politischen, philosophischen, ökonomischen, ästhetischen, moralischen usw. Ideen) verfolgt den ungeheuren Reichtum im Wandel der Denkelemente, sie kann aber ihre Krönung und volle Sinnerfüllung nur erreichen, wenn sie nicht mehr dabei stehen bleibt, nur den Wandel der Denk*inhalte* zu erforschen, sondern jene, oft latenten, systematischen Zentren heraushebt, in denen Gedanken ursprünglich auftraten und aus denen sie später herausgehoben wurden, um in neuen systematischen Zusammenhängen weiterzuleben. Also nur, wenn die Ideengeschichte durch eine *historische Strukturanalyse* der dynamisch sich ablösenden Systematisierungszentren *ergänzt* wird, kann sie dem ihr vorschwebenden Plan, die Denkgeschichte in einen systematisch überblickbaren Wandel aufzulösen, Genüge leisten."[29]

„Zur Soziologie des Wissens kann eine solche systematisch ideengeschichtliche Vorarbeit nur werden, wenn das Verankertsein dieser geistigen Standorte und der verschiedenen ‚Denkstile' in das dahinter stehende historisch-sozial determinierende Sein zur Frage wird. Aber auch hier kann man und darf man u. E. das Sein und das soziale Sein nicht als eine einheitliche Strömung auffassen. Haben wir bereits innerhalb der Ideengeschichte das epochenmäßige Denken soziologisch und undifferenziert erklärt, so gilt es uns als ein entsprechend großer Fehler, wenn das soziale Sein, das hinter dem ideologischen Geschehen steht, als eine ungebrochene Einheit betrachtet wird. Ist es doch zweifellos so, daß Vielstrahligkeit der geistigen Strömungen entsprechend eine jede höhere Form der Vergesellschaftung aus mehreren Schichten – die heute ist durch die Klassenschichtung am adäquatesten repräsentiert – zusammengesetzt ist und daß die gesamtsoziale Dynamik die Resultante der Bewegungsrichtungen dieser Komponenten ist. Es besteht also zunächst die Frage und die Aufgabe nachzuweisen, ob denn zwischen den immanent herausgearbeiteten Denkstandorten und den sozialen Strömungen (sozialen Standorten) eine Korrelation, eine Entsprechung besteht. Bei dieser In-Beziehung-Setzung der geistig-systematischen Standorte zu den sozialen Standorten entsteht erst die eigentümliche denksoziologische Aufgabe. Kann man doch die immanente Herausarbeitung des Werdens der Denkstandorte als eine nur konsequentere Ausgestaltung der ideengeschichtlichen Aufgabe betrachten, die Geschichte der sozialen Schichtungen unter dem Kapitel Sozialgeschichte unterbringen, so entsteht hier bei der Verbindung der beiden Entwicklungslinien die spezifisch soziologische Fragestellung."[28]

Davon ausgehend, führt Mannheim nun aus, daß es – im traditionell marxistischen Verstande – nicht nur zum einen um das Enthüllen von Interessen bzw. des spezifischen Interessiertseins von Subjekten oder Klassen in einer zum anderen lediglich *ökonomischen* Hinsicht[30], sondern daß die *soziologische* Fragestellung weiter reiche nach den „Denkstilen", „Weltanschauungstotalitäten", den Beziehungen zwischen geistigen und sozialen Schichten, nach den Gestaltungsentwürfen, kurz dem „Engagiertsein":

„Besteht die Methode des Vulgärmarxismus darin, auch einen ganz entlegenen sublimen geistigen Gehalt *unmittelbar* mit irgendeiner Klasse und mit ihrem wirtschaftlichen und Machtwollen durch die Kategorie des ökonomischen Interessiertseins in Verbindung zu setzen, so muß eine auf den totalen geistigen Zusammenhang gerichtete soziologische Forschung, die diese Brutalisierung der Tatbestände nicht mitmacht, aber den wahren Kern der marxistischen Geschichtsphilosophie aufrechterhalten will, jeden Denkschritt, der in dieser Methode enthalten ist, einer Überprüfung unterwerfen ... Die Verabsolutierung des Interessengedankens könnte nur zu einer Reduktion der gesamten Soziologie (die doch gerade den ‚ganzen Menschen' zu untersuchen hätte) auf das Konstruktionsgebilde des ‚homo oeconomicus' führen. Man kann also einen ‚Denkstil', ein Kunstwerk usw. nicht unmittelbar durch die Verknüpfungskategorie ‚Interesse' auf einen sozialen Träger beziehen, man kann aber sehr wohl einen bestimmten Kunststil, einen bestimmten Denkstil, einen Denkstandort als in einem Weltanschauungssystem verankert aufweisen, und dieses Weltanschauungssystem in seiner Zugehörigkeit zu einem bestimmten Wirtschafts- und Herrschaftssystem darstellen, um dann von hier aus zu fragen, welche sozialen Schichten am Werden oder an der Aufrechterhaltung dieses Wirtschafts- und sozialen Systems interessiert und zugleich an dem zugehörigen Weltbilde engagiert sind."[31]

Die Frage nach dem *immanenten und dem sozialen Bedeutungs- und Funktionswandel*[32] und der Rückkehr auf den realgeschichtlichen dynamischen Strukturzusammenhang führt bei Mannheim wie zuvor bei Dilthey auf die praktisch-politische Dimension dieser Soziologie als Sozialgeschichte bzw. als Erkenntnissoziologie: Sie versucht die Identifizierung der tragenden sozialen, politischen, ökonomischen, geistigen Kräfte und Schichten (Intelligenz, Bürokratie, Proletariat usw.) für einen jeweiligen gesellschaftlich-geschichtlichen Strukturzusammenhang (Generation, Epoche usw.); sie zielt auf die „Ortsbestimmung der Gegenwart"[33] und, aus dieser Diagnose ‚Therapie' ableitend, zielt sie auf Politik bzw. die Frage, wie Politik als praktische Wissenschaft möglich ist.

In seinen Abhandlungen „Das konservative Denken" von 1927 und „Das Problem der Generationen" von 1928[34] hat Mannheim seinen Ansatz am Beispiel des Konservativismus durchgeführt und das Problem der sozialen Lagerungsfaktoren systematisch weitergeführt. Für die Frage nach der Genese des deutschen Frühliberalismus konnte Hans Gerth hier unmittelbar anknüpfen.

IV. In der Studie über „Das konservative Denken" stellte sich Mannheim die Aufgabe, die *„spezifische Morphologie* dieses [konservativen] Denkstils zu bestimmen, seine *historischen* und *sozialen Wurzeln* zu rekonstuieren, den *Gestaltwandel* dieses Denkstils *in Verbindung* mit den sozialen Schicksalen der *tragenden Gruppen* zu verfolgen, seine Ausbreitung und seinen Ausstrahlungskreis im ganzen deutschen Geistesleben bis auf die Gegenwart hin aufzuzeigen"[35]. Die ideengeschichtliche Betrachtung wird erweitert durch die Analyse „der *sozialen Differenzierung der Denk- und Erlebnisformen,* ihr[en] Gestalt- und Funktionswandel im Gesamtgefüge der geschichtlich-sozialen Wirklichkeit" bis hin „zur *historisch-konkreten Schichtungsanalyse*"[36]. Mannheim verfolgt diese Fragen in der Zeit des Übergangs vom feudal-altständischen Weltbild zum bürokratisch-absolutistischen Rationalismus[37] und legt im Zuge einer Konstellationsanalyse – dieser Ansatz taucht ähnlich im Konzept der Strukturgeschichte bei Werner Conze wieder auf[38] – jene „Stilelemente" und die sie tragenden sozialen Kräfte und politischen Strömungen frei, an die Gerth mit der Frage nach den Lagerungsbedingungen *liberalen* Denkens anknüpft, ohne schon alle Desiderate des Mannheimschen Ansatzes einlösen zu können.

Nach einer einleitenden Skizze, in der sich Gerth der Fragestellungen und – ganz kurz – einiger wichtiger Kategorien der Beschreibung und Analyse versichert, entwickelt sein sozialgeschichtlicher Aufriß wichtige Aspekte sozio-ökonomischen Wandels um 1800. In diesem Kontext können dann die Struktursituation der Intelligenz – der Studenten, Lehrer und Hofmeister, Pfarrer und Professoren; der Erlebnishorizont einer eben dadurch ‚definierten' Generation; die ‚Institutionalisierung' von Lebenswegen usw. –, Wandel und Funktion der öffentlichen Meinung sowie der Beamtenschaft eingeordnet und der soziologischen Interpretation ihrer Interessen und ihres Engagiertseins, ihres Selbstverständnisses und ihrer Funktionen zugänglich gemacht werden. Gewiß hat die seitherige Forschung unser historischer Wissen vertiefen und differenzieren können, man denke nur an die Unterschichten- und Jakobinismus-Forschung; bei den von Gerth angeschnittenen Themen sei nur auf Haferkorns Untersuchungen über den freien Schriftsteller[39], Engelsings und Schendas Studien zur Lesergeschichte, auf Kosellecks Forschungen über die preußische Entwicklung nach 1800, auf Studien über Vereine und Klubs als neue Gesellungsformen liberalen Bürgertums, auf Habermas' Analysen zum „Strukturwandel der Öffentlichkeit", Schlumbohms Begriffs- als Sozialgeschichte von „Emanzipation" verwiesen. Aber im Hinblick auf die Theorie- und Methodendiskussion der sozialgeschichtlichen Historiographie ist ein ‚Fortschritt' kaum spürbar – Historische Anthropologie und Historische Psychologie, Mentalitätenforschung usw. bleiben noch weithin im Bereich programmatischer Forderungen –, und im Hinblick auf die Weite der Perspektiven, die Verschränkung der Ansätze und den Reichtum der ausgewerteten Quellen ist Gerths Studie wenig an die Seite zu stellen. Seine Untersuchungen sind nicht nur nach Fragestellung und Methode aktuell, sondern sie machen vor allem deutlich, daß auch und gerade in sozialgeschichtlichen Untersuchungen die sprachliche Überlieferung selber, der Rückgang auf die zeitgenössische Formulierung menschlichen Selbst- und Weltverständnisses und seine Tradition für die Interpretation von „Fakten" und „Zahlen" unersetzbar ist. In diesem Sinne bleibt Gerths Darstellung aufgrund ihres Rückgangs auf die Zeugnisse des ‚gelebten Lebens selbst' unüberholbar, wenn man auch Einzelheiten anders einschätzen und gewichten mag. Koselleck schreibt mit Recht: „So verblüffend es klingt, besonders die mit statistischen Daten hantierende Sozialhistorie ist zu Abstraktionen gezwungen, und muß mit Graden mangelhafter Schärfe rechnen, wie sie die Biographie oder selbst die politische Geschichtsschreibung nicht kennt. Keine Zahlenreihe, sosehr sie ‚für sich' spricht oder einen Text beleuchtet, ersetzt diesen selbst. Im Maß also, wie wir Texte zu überschreiten genötigt sind, werden wir wieder auf sie zurückverwiesen. Die historisch-philologische Methode kann durch keine Frage nach soziologischen Größen allgemeinerer Art überholt – wohl aber ergänzt – werden. Daher werden alle Aussagen immer wieder auf Textinterpretationen zurückgeführt, aus ihnen abgeleitet, durch sie erhärtet" werden müssen[40]. Daran gilt es anzuknüpfen: in begriffsgeschichtlichen Untersuchungen (Schlumbohm), unter bildungshistorischen Perspektiven (Vierhaus), im Lichte einer erneuerten Familien- und Historischen Sozialisationsforschung[41], mit wissenschaftsgeschichtlichen und -soziologischen Fragestellungen, wie es Gerth in seiner oben erwähnten Abhandlung über Buchholz exemplifiziert hat.

Der hier vorgelegte Text folgt, bis auf sprachliche Glättungen, unverändert der Fassung von 1935; er wurde für die „Kritischen Studien“ redaktionell eingerichtet und durch eine weiterführende Bibliographie im Anhang ergänzt. – Abschließend sei Hans Gerth für manchen Rat, den Herausgebern und dem Verlag der „Kritischen Studien“ für ihr tätiges Interesse und für ihre Geduld bei der Fertigstellung der Druckfassung herzlich gedankt.

Einleitung

Wir wollen der Ursprungssituation des liberalen Denkens in Deutschland nachgehen, wobei unter *Ursprungssituation* einmal jene Konstellation verstanden werden soll, aus der das liberale Denken, insbesondere das deutsche, entspringt, ferner aber auch jene in der damaligen Zeit vorhandenen einzelnen sozialen Milieus und Gruppen, denen jeweils verschiedene Spielarten des deutschen Liberalismus entsprechen. Diese *wissenssoziologische* Fragestellung verfolgt ein doppeltes Ziel: nachzuweisen, (a) daß es Denkstile gibt, deren Morphologie und Wandel (b) aus dem sozialen Hintergrund und seiner Differenzierung erklärbar gemacht werden können[1].

Zuvor ist jedoch der Unterschied zwischen der formal-soziologischen Kategorie *progressiv* und der historisch-soziologischen Kategorie *liberal* zu klären. So wie der *Konservatismus* als historisch-sozial bedingte und abgrenzbare Denkweise abzuheben ist von dem *Traditionalismus*[2] als einem vorbewußten, generellen psychischen Beharrungsvermögen, so ist der *Liberalismus* zu unterscheiden von einem formalen Begriff *progressiven Sich-Verhaltens.* Wir meinen damit die Bereitschaft und die Fähigkeit, in Handlungs- und Denkgewohnheiten neue Bahnen eigener Art einzuschlagen, ohne diesem Wechsel eine Richtung im Sinne eines *Fortschritts* oder dergleichen zuzusprechen, aber auch ohne ihn als ‚Wiederkehr des ewig Gleichen' zu verdecken. In dem Sinn, in dem Cäsar die Kelten *neuerungssüchtig* nannte, kann man in der Geschichte immer wieder Individuen und Gruppen finden, die sich *progressiv* verhalten, ohne daß von *Liberalismus* die Rede sein könnte. Wenn zum Beispiel Frauen die Haartracht oder die Kleidermode wechseln, so handeln sie *progressiv,* sie brauchen nicht *liberal* zu denken; umgekehrt kann ein *fortschrittlicher Liberaler* in seinen Arbeits- und Wohngewohnheiten traditional eingestellt sein. Der Liberalismus soll uns nicht als ein Beispiel progressiven Sich-Verhaltens überhaupt, sondern als ein historisch-soziologisch aufweisbarer *Denkstil* beschäftigen. Er entstand erst in einer bestimmten Entwicklungsphase des modernen bürgerlichen Denkens, als dessen erste Gestalt der Puritanismus[3] anzusehen ist.

Für die historische Abgrenzung liefert uns das Auftreten des Wortes in seiner *modernen* Bedeutung die erste Handhabe. Im 18. Jahrhundert finden wir die Bezeichnung *liberal, Liberalität* in der Bedeutung der *Freigebigkeit,* der *Güte,* der *Billigkeit,* als Charakteristikum des *milden und edlen Herrn.* Daneben bezeichnet sie die Toleranz und Unbefangenheit des *Aufgeklärten* gegenüber den Vorurteilen. Schiller spricht 1793 vom „liberalen Regiment der Vernunft“[4]; der Jenaer Philosoph Fries wendet sich 1805 gegen die „von der Tat abwendende, alle liberale Denkungsart erstickende“ Mystik[5]. Zu seiner modernen politischen Bedeutung gelangte das Wort in den Jahren nach 1810 im vorigen Jahrhundert. In den spanischen Cortes (1812) konstituierten sich die *Libe-*

rales gegenüber den *Serviles.* Dieser Wortgebrauch wurde zur Parole für die Zeitgenossen, für *Freisinn, Freimut* und *freie Denkungsart*[6].

Die letzten drei Jahrzehnte des 18. Jahrhunderts und die ersten beiden Jahrzehnte des 19. Jahrhunderts wollen wir abgrenzend aus der Geschichte des bürgerlichen Denkens als *Frühliberalismus* bezeichnen, vom *Sturm und Drang* bis zu Sands Schuß auf Kotzebue. Fries, der 1817 auf dem Wartburg-Fest der Burschenschaft redete, Wilhelm von Humboldt, dessen Schrift gegen die unbegrenzte Staatsmacht einen John Stuart Mill begeisterte[7], und ihre Zeitgenossen aus der um 1770 geborenen Generation können wir herausheben als die erste dichtere Gruppe, die den Liberalismus heraufführte. Die Brüder von Humboldt, die Hegel, von Schön, von Boyen, Gneisenau, dann Krug (der Nachfolger Kants in Königsberg), ferner Jakob Aders und Ignatz Weitzel, rheinische Liberale, Perthes und Brockhaus, sie alle kaum zwanzigjährig, begrüßten enthusiastisch den Sturm auf die Bastille und proklamierten die Befreiung des Untertans. In welcher Situation standen sie, wie wuchsen sie auf, was brachte sie dazu, all das, was zu jener Zeit herrschte, für unzeitgemäß zu halten?

Die Namen in ihrer willkürlichen Zusammenstellung des späteren Ministers, Buchhändlers, Generals, Kaufmanns, Beamten, Professors und Journalisten verweisen uns unmittelbar in verschiedene soziale Gruppen und Situationen, und anscheinend besteht zwischen ihnen kein Verbindungsglied, das als gemeinsame soziale Bedingung einer Zugehörigkeit zum gleichen *Denkstil* angesehen werden könnte. Das liberale Denken entsprang ganz verschiedenen sozialen Quellen; wir werden der Bildung des Frühliberalismus in verschiedenen Strömungen, die verschiedenen sozialen Situationen entsprechen, verfolgen müssen. Das Zusammenfließen der verschiedenen Strömungen zu einem relativ einheitlich sich bewegenden Gebilde wollen wir im Querschnitt sozialer und geistiger Integrationsprozesse untersuchen. Dort verschmelzen verschiedene Gedanken, wo in neuer Situation Individuen verschiedener Milieus sich zusammenfinden.

Mit den Mitteln der *Milieusoziologie* wird man den rheinischen Kaufmann, den ostpreußischen Beamten, den mitteldeutschen Literaten usw. in seiner besonderen Lage und Ideologie herausarbeiten können; die zahlreichen historischen Monographien, die Autobiographien, Briefwechsel, die Dissertationen über einzelne liberale Führer bieten ein reiches Material[8]. Das Haften an der Unmittelbarkeit des biographischen Ablaufs, das Aufgreifen der vielfarbig-anschaulichen sozialen Umweltgegebenheiten kann eine Reihe von Figuren in ein Panorama sozialer Milieus zusammenstellen. Aber die darstellende Anordnung des ‚Panoramas' stellt Fragen, die im Rahmen der Milieusoziologie schwer gelöst werden können. Noch schwieriger wird die Frage nach den *Ursachen* des Milieuwandels und darüber hinaus nach dem Wandel der sozialen ‚Panoramen'. Hier führt die *Milieu*soziologie nicht über die Beschreibung verschiedener ‚Zustände' hinaus.

Den Schlüssel zur Beantwortung dieser Frage liefert die *Struktursoziologie.* Sie setzt voraus, daß in dem Milieuwechsel *Strukturen* gesellschaftlicher Kräfte erkennbar sind, deren prozessualer Zusammenhang den Wandel des engen Milieugeflechts bedingt. Damit soll nicht eine *hinter* dem sozialen Ablauf stehende sich entfaltende „Substanz" verstanden werden, als deren Dokument sich die einzelnen Handlungsabläufe oder Kulturobjektivationen durch analogisierende Spekulation erweisen. Es handelt sich auch nicht darum, Fakten zu einer morphologischen Gestalt zu konstruieren, sondern wir fragen in Richtung des begreifbaren Gesamtzusammenhangs durch seine hypothetische und also korrigierbare Rekonstruktion. Die unmittelbaren Milieufakten wollen wir aufklären als Symptome eines Zusammenhangs wirkender Faktoren. Bei dem heutigen Stand der Literatur[9] kann es sich nicht darum handeln, die Geschichte der Gruppen, ihrer ökonomischen, sozialen, politischen, ideologischen und sonstigen Lebensäußerungen in ihrer Fülle darzustellen; wir halten es für das Zweckmäßigste, nur einigen bedeutsamen Situationen nachzugehen und nur soweit, als aus ihnen *Zugangschancen zu liberalem Denken* verständlich werden. Das soll nicht heißen, daß wir allen eine gemeinsame, will sagen: allgemeinste Seite von den verschiedensten Gebilden, Gruppen und Ordnungen zu abstrahieren suchen, die dann den *Zusammenhang* ausmachte, sondern wir suchen nach jenen Faktoren der verschiedenen Situationen, die – meist den Beteiligten unbewußt – in gleicher Richtung wirkten. Das Streben der preußischen Bürokratie im 18. Jahrhundert nach Systematisierung, formallogischer Ordnung und Fixierung des Rechts fiel zum Beispiel zusammen mit dem Streben des modernen gewerblichen Bürgertums nach Sicherheit und Kalkulierbarkeit des Rechts, ohne daß beide Schichten als *natürliche* Verbündete kraft gemeinsamen gleichen Interesses oder in konstellationsbedingter Koalition gegenüber einem Dritten bewußt kooperiert hätten. Bestimmte Situationsfaktoren der modernen Bürokratie und des modernen Bürgertums gelangten aus ganz verschiedenen Ursprüngen, wie Max Weber nachgewiesen hat[10], in *dieser* Richtung zur Koinzidenz; andere Lagerungsfaktoren machten dagegen Bürokratie und Bürgertum zu Gegnern. Einen derartigen Treffpunkt von Lebensäußerungen sozialer Gruppen, von Wirkrichtungen sozialer Ordnungen und Gebilde wollen wir *Koinzidenzpunkt* nennen[11]. Wir suchen nun den Zusammenhang zwischen den verschiedenen sozialen Situationen, die Chancen für die Entstehung liberalen Denkens eröffneten, indem wir nach ihren Koinzidenzpunkten fragen.

Diese Koinzidenzpunkte kommen nicht nur zwischen *Realfaktoren,* sondern ebenso zwischen *Idealfaktoren* zustande. So ergab sich im konservativen Denken in der Betonung des *Qualitativen* eine Koinzidenz zwischen dem verinnerlichten, an der unvergleichbar einmaligen Individualität orientierten Freiheitsbegriff der romantischen Intellektuellen und dem der ständischen Opposition, die mit den *Freiheiten* die jeweiligen unvergleichlichen Privilegien der Stände meinte[12]. Der Begriff des *Koinzidenzpunkts* ist ein genereller, formal-soziologischer. Die Frage nach seiner Fruchtbarkeit läßt sich konkret nur in historisch-soziologischer Forschung stellen. Ebenso ist die Frage zu beantworten, ob ein Koinzidenzpunkt der *Lagerungs*faktoren seine *Entsprechung* in den *Ideal*faktoren findet, wenn man weder eine ‚prästabilierte Harmonie' noch ein ‚wesensmäßiges' Auseinanderfallen der Betätigungsweisen, des Handelns und Denkens der vergesellschafteten Individuen voraussetzen will. Sicherlich bietet die innere Verwandtschaft der ‚Lagerung' eine Chance zur Solidarisierung, so etwa: gemeinsames Sinken oder Aufsteigen verschiedener Gruppen usw. Ob die Chance realisiert wird in einer Einverständnisgemeinschaft, zeigt der Ereignisablauf; in ihm als dem Fazit der Gesamtkonstellation letztlich in Kriegen, Revolutionen ‚von unten' oder ‚oben' wird das *Zuständliche* auf die Probe gestellt, und *im Ruinieren unangepaßter Milieus tritt der gewandelte Strukturzusammenhang zutage.*

Die vorliegende Arbeit wurde im Sommer 1933 abgeschlossen und bezieht daher die seitdem [bis 1935] erschienene Literatur wie zum Beispiel W. H. Brufords „Germany in the 18th century" (London 1935) oder Schnabels weitere Bände [seiner „Geschichte im 19. Jahrhundert"] nicht mehr mit ein. Gerade diese Werke bestätigen uns, wie sehr es an der Zeit ist, den Blick auf die behandelten Zusammenhänge zu richten und lassen uns doch das zuversichtliche Bewußtsein, daß unser Beitrag nicht überflüssig ist.

Zu besonderem Dank bin ich stets meinen Lehrern verpflichtet, ferner der Studienstiftung des deutschen Volkes für ihre großzügige Unterstützung während eines langen und vielseitigen Studiums, und schließlich den Referenten dieser Arbeit.

I. Sozialgeschichtlicher Aufriß[1]

Das alte deutsche Reich war nach dem Siebenjährigen Krieg durch die Entwicklung der Einzelstaaten endgültig ausgehöhlt. Die äußere Auflösung im Jahre 1803 besiegelte, was längst vollzogen war: Deutschland war ein kulturtopographischer oder auch geographischer, kein politischer Begriff. Die Bevölkerung (22 Millionen Menschen) um 1800 zerfiel in Sachsen, Preußen, Bayern usw., die Deutschen waren *Landeskinder* von mehr als 300 politisch selbständigen Gebilden, sie waren nicht Mitglieder einer *Nation* im modernen Sinn wie die Franzosen oder Engländer. Napoleons Fremdherrschaft verringerte die Zahl der Territorien auf etwa 40. Der stärkste Staat, Preußen, umfaßte um 1800 etwa zehn Millionen Einwohner[2], von denen etwa 26 % in den Städten wohnten. Bis zur Jahrhundertmitte blieb das Verhältnis zwischen Stadt- und Landbevölkerung im ganzen dasselbe, die städtische Bevölkerung betrug 1849 28 %; „und wenn man erwägt, daß vielleicht mehr als die Hälfte der städtischen Bevölkerung in kleinen Ortschaften als Ackerbürger lebte, so waren damals vielleicht mehr als 80 % der Einwohnerzahl mit dem Landbau beschäftigt“[3]. Wenige Großstädte lagen in dem dünnbesiedelten Gebiet; Berlin, die einzige preußische Großstadt, hatte um 1800 etwa 170 000 Einwohner (Zivilbevölkerung), während Paris zu der Zeit 600 000 hatte.

Der einzelne Staat – Preußen steht uns als bedeutendster im Vordergrund – hatte geringen inneren Zusammenhalt. Die erst in den letzten Jahrzehnten des 18. Jahrhunderts gewonnenen Gebiete wurden wesentlich durch die Zwangsgewalt von Heer und Bürokratie zusammengehalten. Binnenzölle an Wegen, Flüssen und Städten, verschiedene Münzen, Maße und Gewichte standen einer Verschmelzung zum wirtschaftlichen Gemeinwesen im Wege. Auch die Bürokratie in ihrer nicht zentralisierten Organisation, ihrer zersplitterten Kassenführung, ihrem wenig einheitlichen Bildungsgang und ihren zum Teil ständisch-patrimonialen Bindungen ließ den Staat als eine lockere Zusammenfassung disparater Landesteile mit höchst uneinheitlicher sozialer und wirtschaftlicher Struktur erscheinen. Nur die vielseitige ständische Zerklüftung, die traditionale und buntfeudale Lebensordnung, in der jeder kleine Gegensatz seine Entsprechung fand, mochte eine zentrale Spannung des gesamten Staatsbaus nicht aufkommen lassen. Die geringe Widerstandskraft des Gesamtgefüges zeigte sich jedoch nach dem Zusammenbruch Preußens im Jahre 1806.

In den letzten drei Jahrzehnten des 18. Jahrhunderts setzte eine durchgängige Bewegung im Staatsganzen ein, der wir nachgehen müssen, um den jeweiligen Ansatzpunkt liberalisierender Tendenzen aufzuspüren. Das untrennbare Ineinander von Staat und Wirtschaft im merkantilen Absolutismus, die *politische Ökonomie*, ist die allgemeinste Formel für die Gegebenheiten, von denen der Liberalismus ausging und mit der er sich auseinandersetzte.

In der Landwirtschaft östlich der Elbe herrschte die *Gutsherrschaft* vor; der Gutsherr als Marktproduzent von Getreide arbeitete auf eigene Rechnung mit unfreier Zwangsarbeit höriger Bauern, die zu Diensten und Lieferungen aller Art pflichtig waren und der Gerichts- und Polizeigewalt des Patrimonialherrn unterstanden. In Mittel- und Westdeutschland herrschte neben bäuerlichen Gebieten die *Grundherrschaft* vor. Der Grundherr arbeitete nicht selbst auf eigenem Betrieb, sondern er war lediglich Renten und Abgaben beziehender Oberherr der wirtschaftlich selbständigen Bauern. Innerhalb dieser beiden Formen gab es in den einzelnen Territorien und Landschaften mannigfache Abstufungen; die politische und soziale Kontrolle des Grundherrn konnte verschieden weit gehen. Die Abgaben, Zinsen und Dienstpflichtigkeiten der Bauern und ihre rechtliche Stellung konnten sehr variieren; vom persönlich freien Bauern bis zum verkäuflichen Leibeigenen war diese breiteste Schicht gestuft, auf der der ganze ‚Druck' der Gesellschaft lastete.

Die stetig steigenden Agrarpreise im 18. Jahrhundert spornten in Deutschland wie in den anderen Ländern Europas die Produktion an. Professoren wie Rotteck, Kameralisten, *freie Schriftsteller* wie Schubart, Ärzte wie Thaer und Beamte richteten ihr Augenmerk auf die Förderung der Landwirtschaft. Es bahnte sich allmählich eine Änderung der Produktionsweise an. Die Fruchtwechselwirtschaft, sorgfältige Düngung, Ersetzung der Holzgeräte durch Metallgeräte, der Anbau neuer bisher unbekannter Futterpflanzen wie Klee und Luzerne, Stallfütterung und bessere Viehzucht wurden von den ökonomisch überlegenen Ländern England, Frankreich und Holland übernommen. Die verschiedenen Produktionsrichtungen wurden mit wachsender Aneignung und Ausbildung einer Betriebslehre (Thaer) ineinandergreifend organisiert. Langsam tastete man vorwärts. Man trachtete danach, einen bewußt regulierten und sich reproduzierenden Kreislauf zum lückenlosen Betrieb aufzubauen, in dem Futtermittelanbau, Viehzucht, rationelle Düngerverwertung, kontinuierliche Bodennutzung und -bearbeitung zu gesteigerten Erträgen führte. Schubart und Thaer (in Hannover, später in Möglin/Preußen) waren die beiden bedeutendsten Förderer der neuen Betriebstechnik und -wissenschaft. Die Methoden der überlegenen fremden Landwirtschaft wurden studiert, diskutiert und nach Deutschland übertragen. Die Ideen von Arthur Young und Adam Smith wurden aufgenommen. Die Fürsten förderten diese Entwicklung – bekannt ist die Trockenlegung und Besiedlung der Oder- und Warthebrüche. An der Oder wurden im Jahre 1753 225 000 Morgen Land gewonnen und 43 Siedlungen mit 1200 Familien angelegt; 1785 wurden an der Warthe 95 Siedlungen gegründet. Wie bei Hereinnahme der bäuerlichen Kolonisten aus Frankreich, Böhmen, Holland und der Pfalz in früheren Zeiten, brachten die Neuankömmlinge moderne Anbauweisen mit. Die Regierung schickte Beamte und Söhne der Domänenpächter nach England zum Studium der Landwirtschaft, und man bemühte sich, Engländer in das Land zu ziehen. Durch Städtegründungen (z. B. Ludwigsburg, Mannheim und Karlshafen), Siedlung und Kolonisierung mehrte der Fürst die Grundrente, die Kaufkraft und nicht zuletzt die Steuerkraft seiner

Einwohner, auf der seine Einnahmen beruhten. Leopold von Dessau benutzte die politische Macht selbst dazu, die Grundbesitzer auszukaufen, zu enteignen und die Grundrente zu monopolisieren. „Das Land Dessau bot inmitten des Deutschen Reiches die in solcher Art einzige Erscheinung dar, eines Fürstentums ohne Adel. Aller Grund und Boden war Krongut, die Einwohner bestanden nur noch aus Beamten, aus Pächtern und Gewerbeleuten. Die Folge war, daß bei den Untertanen, für die kein Grundbesitz mehr möglich blieb, nach und nach jeder echte Wohlstand aufhörte; einigen Reichtum behaupteten nur die Juden, welche gegen ein jährliches hohes Schutzgeld in großer Zahl zu Dessau wohnen durften."[4]

Dem Prozeß der Produktionssteigerung durch technische Fortschritte, bessere Kombination der Produktionsfaktoren und systematisch bewußte Betriebsführung an Stelle traditionaler ‚Daumenregeln', dem Prozeß der Marktverdichtung durch Steigerung der Massenkaufkraft wirkten verschiedene Faktoren entgegen.

Die Stützung der ostelbischen Gutsherrschaft durch die friderizianische Hypothekenordnung führte – geradezu entgegen der sonstigen Absicht Friedrichs des Großen – bei der allgemeinen Preissteigerung für Agrarprodukte, im Gefolge davon auch der Grundrente und der Bodenpreise, zu einer spekulativen Mobilisierung des Grundbesitzes[5]. Das landschaftliche Kreditsystem des Landadels, von dem bürgerliche Gutsbesitzer wie die Cölmischen Bauern in Ostpreußen ausgeschlossen waren, diente zur Stütze beim Auskauf der Bauern. Sie kämpften vergebens einen verzweifelten Kampf um ihren alten Besitz gegen den übermächtigen Adel. Mit den Argumenten des revolutionären Naturrechts[6] forderten sie rechtliche Gleichstellung mit dem Adel[7].

Die Schwächung der Bauernschaft durch die unentgoltene Zwangsarbeit mit ihrem Ausfall an Lohnkaufkraft mußte der Entwicklung der Massenkaufkraft entgegenwirken. Ihre Entfaltung war aber mit erforderlich, um die wachsende Produktion der Verlagsindustrie, insbesondere von Textilien, in steigendem Maße abzusetzen. Sofern nun die Kaufkraft mehr in den Händen des grundbesitzenden Adels blieb, kam sie nicht so sehr den Gewerben zugute, die durch Massenproduktion die Markausweitung und -verdichtung förderten, sondern den Luxusindustrien, vor allem etatistischen Manufakturen. Feudale Ostentation in Kleidung, Geschirr und Geräten, Pferd und Wagen, Jagden, Reisen mit Hofmeister und Dienerschaft mußten bezahlt werden.

Von einer anderen Seite her setzte die Gutsherrschaft der technischen Entwicklung Schranken. Man konnte dem Leibeigenen (ebensowenig wie in der Antike dem Sklaven) keine komplizierten und teuren Gerätschaften anvertrauen. Wollte man sich die neuen Möglichkeiten zunutze machen, so mußte man zur formell freien Lohnarbeit übergehen. Von den Fragen der technischen und sozialen Betriebsorganisation aus bot sich gegen Ausgang des 18. Jahrhunderts für den Agraradel eine Zugangschance zu liberalisierenden Reformen, zur Aufhebung der persönlichen Unfreiheit, zur Bauernbefreiung. Nicht als wäre damit der Adel im ganzen liberal gewesen; es kommen andere Situationsfaktoren hinzu, die diese Tendenz abschwächen, einschränken und überkompensieren können. Inwieweit diese Chance realisiert wurde, kann nur je und je entschieden werden. Daß sie bestand, dafür sprechen die Reformbestrebungen von 1806[8], dafür sprechen Zeugnisse wie die von Kraus in Königsberg[9] und besonders die frühzeitige Agrarreform in Dänemark und Schleswig-Holstein. Die Parzellierung der Domänen setzte dort ein, als in Preußen die Gutsherrschaft durch die Hypothekenordnung gestützt wurde. Der Adel folgte dem Beispiel des dänischen Königs schnell, und in den letzten drei Jahrzehnten des Jahrhunderts wandelten die adeligen und fürstlichen Gutsbesitzer die Leibeigenschaft um. Sie verkleinerten das Hoffeld und setzten die Bauern als Zeit- und Erbpächter ein. Bei steigenden Erträgen und steigenden Preisen konnte man bei den Verkäufern vorteilhaft abschließen, zugleich wurde durch die Verkleinerung des Hoffeldes ein Teil der Frondienste von selbst gegenstandslos. In einem Brief des Landgrafen Karl von Hessen an „die Herren Kommitierte der Prälaten und der Ritterschaft wie auch der übrigen Gutsbesitzer" (Gottorf, 26. Januar 1797) heißt es: „Eine billige Einteilung des Bauernlandes an die jetzigen Bewohner; eine billige Ansetzung des verinteressierenden Kapitals für das den Bauern zum Eigentum zu überlassende Land und für die dabei folgende Wohnung, Vieh und Ackergeräte pp. scheint mir das glücklichste und beste Mittel für die Untergehörigen bei Aufhebung der Leibeigenschaft und das einträglichste und sicherste für den Gutsbesitzer. Die Hoffelder würden dann noch zum weiteren Gebrauch desselben bleiben. Ob in einigen Gegenden ein Teil von diesen nicht mit großem Gewinn zu parzellieren, in anderen aber in Meierhöfen zu verteilen, solches würde die Lokalität geben. Aber die Bauern, denen man nun die Freiheit und Eigentum gegeben, würden in einer glücklichen Lage ihre Gutsbesitzer preisen; diese würden ihre Revenuen gewiß nicht geschmälert haben, denn die Ansetzung des Zensus auf das Bauernland dependiert von ihrer Einteilung und alles würde in Wohlstand jährlich zunehmen. Diese Einrichtung habe ich hier im Lande auf einem Gut und auf einem anderen Seeland gemacht, und bei beiden habe ich beim dadurch verbesserten Zustande der Bauern und Gutsuntergehörigen gewiß nichts verloren, sondern sogar erklecklich gewonnen."[10]

Eigentum und Freiheit wurde zur Parole der Bauernbefreiung, in der Interessen der fortschrittlichen Gutswirtschaft, bäuerliches Freiheitsstreben, ideelle und materielle Interessen des städtischen Bürgertums und fiskalische Interessen zur Deckung gelangten. „*Die Natur liebt Eigentum und Freiheit*, und wo diese sich finden, da ist der Mensch tätig und der Ackerbau blühend, wie Hollands ausgedehnte Moräste zeigen."[11]

Ein weiterer Ansatzpunkt, der dem Junkertum[12] eine Zugangschance zum Liberalismus bot, war die Marktgestaltung und die merkantile Preispolitik des Fürsten. Friedrich der Große hatte durch staatliche Getreidekäufe in Polen und die Magazinwirtschaft eine gewisse Preisstabilisierung vornehmen können. Mißernten wie die in den siebziger Jahren konnten natürlich alle Reglementierung zunichte machen. Er deckte so den *politischen Bedarf* für das Militär, für die Beamtenschaft, kurzum für die schnellwachsenden städtischen Konsumentenschichten, vor allem Berlins; teils sicherte er sich dadurch gegen politische Schwierigkeiten, teils kam er dem Gewerbe entgegen, das nicht durch ein zu hohes Lohnkonto belastet werden sollte. Außenhandelskontrolle und Magazinwirtschaft erlaubten eine Preispolitik, die zwischen den Interessen der Kaufmannschaft, Landwirtschaft, den städtischen Konsumenten und dem Gewerbe lavierte. „Die Brotpreisstabilisierung bildete ... den starken Hebel der friderícianischen Sozial- und Bevölkerungspolitik. Wesentliche Stütze für das ganze System bildete die staatsegoistische Ausnutzung Polens als preußischer Kornkammer."[13]

Das ganze System mußte hinfällig werden, als durch die polnischen Teilungen und Gebietserwerbungen 1793 und 1795 der Staat die Möglichkeit verlor, die Preisspanne auszunutzen[14]. In dem Moment konnte der Fürst den agrarischen Produzenten keinen Widerstand leisten. So wie in England, Frankreich und Dänemark gab der Fürst dem Druck der Agrarinteressenten nach. Sie forderten freie Verwertung ihrer Frucht auf allen Märkten, vor allem Aufhebung der protektionistischen Ausfuhrsperre. Seit den neunziger Jahren stieg der Getreideexport von Ostpreußen nach England. Die Freihandelslehre von Adam Smith und Arthur Young diente zur Rechtfertigung der Exportinteressen. Als die Außenhandelskontrolle fiel, schnellten die Preise hoch, die Magazine wurden geräumt und konnten nicht wieder aufgefüllt werden. Die Teuerung von 1795 führte jedoch bald zur Revision der freihändlerischen Episode. Es war gefährlich, die Disziplin des Militärproletariats einer allzu hohen Belastung auszusetzen, lag doch eine Fraternisierung mit den revoltierenden Arbeitergruppen nahe. Friedrich Wilhelm III. (1797–1840) führte bald nach seinem Regierungsantritt die Naturalbrotverpflegung für die größeren Garnisonen ein. „Das ... bedeutete das Ende einer getreidehandelspolitisch nutzbar zu machenden Magazinwirtschaft. Denn mit ihrer starken Inanspruchnahme für die Garnisonen büßten die Magazine die Fähigkeit ein, Werkzeug der Preisstabilisierung zu sein."[15]

Von zwei Seiten her ergaben sich also für den getreideproduzierenden gutsherrlichen Adel Zugangschancen zu liberalem Denken: Einmal von der Seite der Produktionsgestaltung her, der Betriebsführung als rationeller marktorientierter Kombination der Produktionsfaktoren und damit im Zusammenhang der Befreiung der leibeigenen Bauernschaft. Befreiung von persönlicher Untertänigkeit hieß aber für den Bauern, Kätner und für verwandte Gruppen auch Verlust des patriarchalen Schutzes. Wie die preußische Reformgesetzgebung und ihre Durchführung in den Jahren nach 1810 zeigen sollte, ging die *Befreiung* von persönlicher Knechtschaft Hand in Hand mit einer Befreiung von Eigentum und der Nutzung der Gemeinheiten. Es entstand ein Landarbeiterproletariat, das seit der großen Agrarkrise der 1820er Jahre zur Landflucht genötigt war und auf dem städtischen Arbeitsmarkt auftrat. Andererseits forderten die Getreidehandelsinteressenten zum Zwecke der Ausnutzung der europäischen Konjunktur den Freihandel, sie opponierten gegen die Eingriffe des

Staats in den Marktmechanismus. Die gleiche Tendenz zeigte der kurhessische Landadel zu Ende der neunziger Jahre, dessen Haupteinnahmequellen die Getreide- und Branntweinproduktion bildeten. Auf dem Landtag zu Hessen-Kassel 1797/98 „legte die Ritterschaft ein Wort ein für die *freie Ausfuhr des Getreides.* Sie erklärten, daß der Staat dem Verderben preisgegeben sei, wenn die Quelle des allgemeinen Wohles", der freie Handel abgeschnitten werde. Es waren die Lehren eines „der größten Kameralisten, zu denen sie sich dergestalt bekannten, sie meinten den Schotten Adam Smith"[16]. Das Gegengewicht gegen die oppositionelle Loslösung des Adels bildete seine positive Privilegierung zu den Beamten- und Offiziersstellen und steuerliche Exemtionen; „nach Einrichtung der direkten und indirekten Besteuerung lastete der Steuerdruck ... ganz überwiegend auf den unteren und den Mittelklassen. Die Städte scheinen wohl auch dem platten Lande gegenüber stärker belastet, wenn man auch ihre größere Steuerfähigkeit und die Mittragung der Zölle und der Akzise der Zölle und der Salzsteuer im Regal durch die Landbevölkerung mitberücksichtigt"[17].

Fragen wir nach den Ansatzpunkten des Liberalismus im städtischen Leben, so müssen wir jene Tendenzen aufspüren, die den *Frühkapitalismus* im Sinne Sombarts konstituieren. Das Handwerk als breitestes und allgemeinstes Gewerbe bis etwa zur Mitte des vorigen Jahrhunderts war als zünftig organisierte und mehr oder minder ständisch geschlossene Wirtschafts- und Lebensordnung die stärkste Grundlage des Traditionalismus. Die unmittelbaren Gebrauchsgüter zum Absatz auf dem lokalen Markt wurden im Handwerksbetrieb produziert. Die monopolistischen Zunftorganisationen sollten nach außen die Sperre gegen neue Eindringlinge, die erbliche Appropriation der Marktchancen und im Inneren möglichst die Ausschaltung der Konkurrenz garantieren. Hinderung des technischen Fortschritts, Beschränkung der Gesellenzahl, Hinderung ihres Aufstiegs in die Reihen der Meister durch Meisterstück, Eintrittsgebühren und Wanderzeit charakterisieren ihre Politik. Sofern der Geselle nicht in einer Manufaktur unterkommen konnte und sofern er nicht zum Militär ging oder sich als Freimeister patentieren lassen konnte, blieb als Ausweg, heimlich das Gewerbe auszuüben und der Kontrolle der Zünfte zu entgehen. In München war „zu Ausgang des 18. Jahrhunderts die Zahl dieser heimlichen Gewerbetreibenden fast ebenso groß wie die der zünftigen Meister ... Die Schließung der Zünfte war weder imstande, die Einfuhr auswärtiger und ausländischer Gewerbeprodukte zu verhindern, noch das Anwachsen der zünftigen Handwerker aufzuhalten. In den brandenburgischen Städten machten im 18. Jahrhundert die Handwerker 40 % der Bevölkerung aus, in den Städten Württembergs sogar zwei Drittel der Gesamteinwohnerzahl"[18].

Der merkantile Fürst, der den Städten die politischen Hoheitsrechte und damit die autonome Wirtschaftspolitik abnahm und zentral Privilegien verteilte, öffnete den vordringenden Konkurrenten des Handwerks die Schleusen. Ja, in den Zunftverbänden waren Kräfte am Werke, die zu ihrer Auflösung drängten. Die Produktion einzelner Handwerkszweige für ferne Märkte gab den Fertigmachern, die das Schlußprodukt zu Markte brachten, eine Chance größere Gewinne zu machen, hin und wieder Ersparnisse zurückzulegen und zum Verlegerkapitalisten zu werden. Je wichtiger die Handelstätigkeit wurde und einen *ganzen Mann* verlangte, umso mehr trat die eigene Produktion hinter dem Handel zurück. Absatzstockungen zwangen die Handwerker, sich dem Kaufmann zuzuwenden, der bisher nur mit Rohstoffen gehandelt hatte und ihm den Absatz auch der Fertigprodukte zu übertragen. Von zwei Seiten aus wurde also der Übergang des Handwerks zum Verlagskapitalismus gespeist: einige Handwerker stiegen zum Handel auf und brachten die Handwerkmeister der arbeitsteilig vorgeordneten, der ‚früheren' Produktionsstufen in ihre Abhängigkeit; andererseits brachten Kaufleute Handwerker durch Schuldknechtschaft und Rohstoffbelieferung unter ihre Botmäßigkeit. Das Übergreifen des Händlers über die Produzenten herrschte besonders auf dem Lande, wo Bauern während des Winters im Nebenberuf gewerbliche Arbeit leisteten. Auf mageren Böden, wo der landwirtschaftliche Ertrag gering war, breitete sich die Hausindustrie aus. Im Riesengebirge, Erzgebirge, Frankenwald, Thüringer Wald und Westfälischen Bergland „entstanden jene neuen Textilgewerbe des Strickens, Wirkens und Klöppelns, jene Industrien der Holzbearbeitung und der Bearbeitung von Metallen und Erden, die noch heute für sie bezeichnend sind"[19].

Die Verleger schlossen sich zu besonderen Korporationen zusammen. Waren diese Krämergesellschaften zunächst „nur deshalb im Staate eingeführt worden, um jene Waren herbeizuführen, welche im Lande garnicht oder doch nicht hinlänglich hergestellt werden konnten", so gelang es ihnen im 18. Jahrhundert, ihre Privilegien stets weiter auszudehnen; in Trier waren sie 1789 so weit, daß „alle Waren ohne Unterschied der Regel nach Krämerartikel sein konnten, wenn sie von außen eingeführt wurden"[20]. Diese Schicht, die unbelastet von traditionalen Bräuchen, patriarchaler Fürsorge und aristokratischer Vornehmheit im Preiskampf und Markterfolg ihren Aufstieg vollzog, stellte die frühkapialistische Unternehmerschicht dar, die das vom Staat ungestörte Walten der Marktmechanik als Willen der Natur, als Harmonie von Einzelinteresse und Gesamtwohl, als *vernünftig* empfinden mußte.

In bestimmter Richtung fand das Krämertum im absoluten Fürsten einen Bundesgenossen. Beide kämpften gegen die Zunftmonopole. Die staatliche Industriepädagogik, die Förderung technischer Entwicklung, der Ausbau von Wegen, Kanälen und dergleichen kam den Bedürfnissen dieser Schicht entgegen. Zollschutz und Einfuhrverbot und andere Maßnahmen des handelspolitischen Protektionismus, Kaufzwang selbst minderwertiger Produkte zumindest für die politisch negativ privilegierten Schichten sollten Absatz garantieren. Heranziehung qualifizierter Arbeitskräfte aus dem überlegenen Ausland, Auswanderungsverbote für die heimische Arbeiterschaft, die Heranziehung von Frauen und Kindern, Soldaten und Sträflingen, kurzum: die Entwicklung des Arbeitsmarkts fiel zusammen mit den Strebungen des Krämertums. Auch die Verpachtung staatlicher Unternehmungen mochte privatkapitalistische Initiative wekken. Vor allem sind für die Entwicklung einer Produktion auf größerer Stufenleiter die Staatsaufträge für die Uniformierung des stehenden Söldnerheeres und seine Bewaffnung zu nennen. Neben dem Verlagssystem entstanden durch direkte staatliche Gründung und Subventionierung größere Betriebe, in denen der Unternehmer die kasernierte Lohnarbeiterschaft selbst leitete. Es herrschte kooperative Arbeitsteilung – man vergleiche Adam Smith's berühmte Schilderung der Nadelproduktion –, aber im Gegensatz zur Fabrik bestand noch keine nennenswerte *Maschinenanwendung*. Diese Manufakturen erwiesen sich nicht als lebensfähig; da sie zumeist der Produktion von Luxusgütern wie Seidenstoffen, Teppichen, Tapeten, Seifen, Porzellanen, Spiegeln, Kunstmöbeln und dergleichen dienten, lagen sie abseits von den Produktionsrichtungen, die auf dem Weg der Entfaltung des spezifisch modernen Kapitalismus als der rational-kapitalistischen Organisation von (formell) *freier Arbeit*[21] lagen. Die Abzweigung von Steuermitteln zur Unterhaltung unrentabler staatlicher Betriebe mußte das ohnehin knappe Geldkapital mindern. Die Verwendung der Beträge im Interesse beteiligter Höflinge, Beamter und abenteuernder Spekulanten wirkten dem privaten Kapitalismus entgegen und erregten seinen Widerstand[22].

Die Manufakturisten, die privilegierten und konzessionierten Händler und das zünftige Handwerk fanden einen Koinzidenzpunkt in dem gemeinsamen monopolistischen Interesse. Das Sich-Durchdringen ökonomischer und politischer Mittel war Grundlage ihres Bestehens. So verschieden die Positionen im einzelnen sein mochten, von ihnen her ergaben sich keine Zugangschancen zum Liberalismus.

Auch das eigentliche Handelskapital konnte sich den Schwankungen fürstlicher Gnade, der Rechtsunsicherheit und dem Wechsel politischer Konstellationen durch seine Beweglichkeit anpassen; durch Staatsanleihen war es geradezu verquickt mit dem Fürstentum. Doch hatte dieser *politische Kapitalismus* mit seiner Orientierung an politisch bedingten Konjunkturen und Kriegsgeschäften Zugangschancen zum Liberalismus. Meist lagen diese Geschäfte in Händen jüdischer Finanziers vom Schlage der Rothschilds[23]. Bei der zunehmenden Verteilung des sozialen Prestiges nach der sozialen Klassenlage – will sagen: nach der Stellung zum Markt – wurde diese Schicht mit zum Träger naturrechtlichen Denkens, durch das sie die Emanzipation aus der tausendjährigen Pariasituation zu rechtfertigen suchte. Zugleich hatten die Geldkapitalisten – das scheint seit der Renaissance typisch zu sein – eine Affinität zu intellektueller Salongeselligkeit, zum Mäzenatentum und humanistischer Bildung. Bekannt ist der Anteil des Judentums an der Berliner Salongeselligkeit um die Wende des 18. Jahrhunderts.

Die entscheidende Schicht für den Liberalismus bildete jedoch jenes oben erwähnte kapitalistische gewerbliche Unternehmertum, das das Verlagswesen zum Fabriksystem überführte. Die Notwendigkeit langfristiger Kalkulation machte die Rechtssicherheit zum dringenden Bedürfnis. Dem rheinischen Unternehmertum wurde durch die napoleonische Herrschaft seit den neunziger Jahren durch Einführung des *Code Civil* und durch Öffnung des französischen Markts eine optimale Entwicklungsmöglichkeit zuteil. Unter dem Schutz der

Kontinentalsperre entwickelten sich schnell neue Betriebe. Nach Napoleons Sturz litten diese Industrien schwer unter der überlegenen Konkurrenz englischer Waren. Der mangelnde Schutz durch Preußen, an das diese Gebiete 1815 gefallen waren, das preußische Fremdbeamtentum und der Versuch, das preußische Allgemeine Landrecht einzuführen, riefen in den Jahren nach 1810 die Vorläufer der liberalen Bewegung – Benzenberg und Ignatz Weitzel seien als die hervorragendsten genannt – zum Protest auf.

Ein erstarkendes Unternehmerbewußtsein erwachte; in Weimar gab Friedrich Justin Bertuch (1747–1822) in den neunziger Jahren gern seine Raststelle auf, um sich seinem Geschäft zu widmen[24]. Thaer schrieb 1820: „Wenn ich aufs Markt komme, so steht alles mit dem Hute in der Hand, der König fuhr gestern übers Markt und keiner bekümmerte sich darum, ich heiße daher der Wollmarkt-König und so wird mein Lebehoch heute an einer großen Tafel ausgebracht."[25] Das soziale Prestige wurde weniger von politischen und ständischen oder höfischen Instanzen verteilt, sondern verknüpfte sich mehr mit dem Markterfolg. Troeltsch beziffert einmal das Einkommen der Calwer Verleger-Kapitalisten auf 2000 bis 2500 Gulden jährlich, ohne die Bezüge aus anderen Geschäftsbeteiligungen und Grundrenten einzurechnen. Bedenkt man, daß damals der Präsident des Regierungsrats-Kollegiums 3000 Gulden, ein adeliger Regierungsrat 1000, ein Gelehrter 750 Gulden, die württembergischen Pfarrer ohne Naturalien und Akzidenzien 260 bis höchstens 520, die Stuttgarter Gymnasiallehrer 104 bis 190 Gulden bezogen, so „ist es begreiflich, mit welchen souveränen Gefühlen die Calwer Unternehmer auf das ganze Beamtentum herabblickten."[26] In den preußischen Reformen um 1810 und vor allem der freihändlerischen Zollgesetzgebung von 1818 sollten gewerblicher Kapitalismus und Bürokratie sich finden. Die Erfülllung der ökonomischen Bedürfnisse nach einem zusammenhängenden großen Markt sollte zunächst die politischen Machtansprüche dämpfen und keinen prinzipiellen *Bourgeois-Liberalismus* im französischen oder englischen Sinne aufkommen lassen. Mehr in der Form kasuistisch-alltäglicher Forderungen des kleinbürgerlichen Denkens trat dieser *Interessenten-Liberalismus* auf. Das bewirkte ein starkes Auseinanderklaffen des abstrakten *Kultur-Liberalismus* der akademischen Intelligenz, und erst zu Beginn der vierziger Jahre – die Gründung der „Rheinischen Zeitung" ist dafür symptomatisch – kam eine Verbindung beider Strömungen zustande. Ein Schicksal wie das von Friedrich List bekommt in der Spannung dieser beiden Richtungen seinen soziologischen Rahmen. Charakteristisch bleibt für die erste Phase, daß die liberalen Wortführer, die Vorläufer des eigentlichen Interessenten-Liberalismus, mögen sie wie Buchholz den privaten Verleger-Kapitalismus in Berlin, wie Bertuch in Weimar, Benzenberg im Rheinland, Friedrich List in Südwestdeutschland vertreten, – charakteristisch bleibt, daß sie alle auf dem Umweg über die *akademische Intelligenz* zu ihrer Position gelangten, daß noch nicht jene genuine Unternehmerschicht zu Wort kam, die mit Vertretern wie Hansemann, Camphausen, Brockhaus und anderen mehr in den zwanziger bis dreißiger Jahren in den politischen Kampf einrückte.

II. Die Struktursituation der Intelligenz

Seit der Mitte des 18. Jahrhunderts sehen wir eine stetig wachsende Bereitschaft der deutschen Intelligenz, bürgerlich liberales Gedankengut von England und Frankreich aufzunehmen. War in jenen Ländern das Auftreten dieser Gedanken weitgehend unmittelbar verknüpft mit den praktischen Interessen des modernen gewerblichen Bürgertums[1], hatten dort breitere Schichten der Intelligenz sozial und politisch sich mit dessen Interessen verbunden[2], so fehlte in Deutschland dieser Rückhalt fast ganz. Nur indirekt als Rekrutierungsfeld für den individuellen Aufstieg in die Intelligenz wird die Entwicklung des gewerblichen Bürgertums zunächst bedeutsam, nicht als direkte Steuerung der politischen Ideenentwicklung. Es ist das dem Soziologen geläufige Bild: daß die Ideen der sozialen und politischen Entwicklung vorauseilen. Diese Feststellung enthält das Problem: Es gilt, die Aufnahme jenes Gedankenguts als sozial bedingt zu erklären, ohne daß man allgemein und unmittelbar auf die Situation eines spezifisch modernen Bürgertums verweisen könnte. Schreibt man der Intelligenz eine wesensmäßige Affinität zu *Neuem* zu[3], sucht man eine Erklärung von ‚*innen*', so läßt man den Leitfaden soziologischer Forschung fallen, das Auftreten typischer Probleme im Zusammenhang mit den sie fundierenden Lebensverlegenheiten zu sehen. Auch die Aufnahme fremder Gedanken aus einer historisch und sozial anders gearteten Ursprungssituation ist an die eigene Lage gebunden und von ihrer Fragwürdigkeit her bedingt. Typische Gedankenreihen und Begriffe werden dann aufgenommen und zum Aufbau neuer Geistesgebilde verarbeitet, wenn und soweit sie der deutenden Meisterung des eigenen Lebensprozesses dienen. Wir haben also zu fragen: Welche Situation macht die deutsche Intelligenz in so weitem Maße bereit, liberales Gedankengut aufzunehmen? Wie war sie zusammengesetzt, welche Faktoren bestimmten ihr Gepräge, wie stand sie im Gesellschaftsgefüge, welche Interessenrichtungen und Lagerungsmomente gelangten weiterhin zur Koinzidenz von seiten der Intelligenz und von seiten des modernen gewerblichen Bürgertums?

1. Die soziale Herkunft — das protestantische Pfarrhaus

Wie in dem Literatenstand der Renaissance-Humanisten[4] mischten sich Angehörige verschiedener Schichten: adelige Beamte, Diplomaten oder sonstige in Fürstendienst stehende Berufspolitiker, die schon weitgehend verbürgerlicht waren[5], dann vorwiegend Abkömmlinge bürgerlicher oder halb-agrarischer Schichten, kleinstädtischer und dörflicher Honoratioren. Neben dem Sohn des bürgerlich-patrizischen Ratsherrn Goethe stand der des Feldscher Schiller, neben dem reichen Kaufmannssohn Schopenhauer der Beamtensohn Hegel, neben dem Pastorensohn Georg Forster der Winzersohn Weitzel, neben dem Sohn des Handwerkers Kant der des Pächters Krug[6]. Dazu treten gegen Ausgang des 18. Jahrhunderts ehemalige Kleriker wie Eulogius Schneider, Professor der schönen Wissenschaften an der Universität Bonn, und die aus der Pariastellung sich emanzipierenden jüdischen Gruppen, privilegierte Großkaufleute, Bankiers und Intellektuelle wie Börne, Heine, Koreff und andere mehr.

Unter diesen Ausgangssituationen ist das protestantische Pfarrhaus in unserem Zusammenhang besonders wichtig. Herbert Schöffler[7] hat seine Bedeutung für die Literatenschicht und die Leserschaft des 18. Jahrhunderts, für die Entstehung und Aufnahme der modernen bürgerlichen Literatur, die Moralischen Wochenschriften, den Roman, das Trauerspiel wohl zuerst erkannt[8]. Seit dem Aufbau des nach der Reformation entstandenen protestantischen Klerus und seiner Ergänzung aus bürgerlichen Ständen[9] blieb die soziale Verflechtung mit diesen Schichten stets erhalten[10], wenn auch der Pfarrerstand sich später weitgehend aus sich selbst ergänzte[11]. Häufige Besuche aus der Stadt[12], die eigene Tätigkeit und der Abgang der Söhne in bürgerliche Berufe[13] wirkten in gleicher Richtung. Die oft kurze, nicht überall gesetzlich bestimmte Studiendauer und ein Examenswesen, bei dem gegen Ende des 18. Jahrhunderts in Preußen „an Durchfallen nicht zu denken war“[14], führten zu einem besonderen Tiefstand des geistigen Niveaus; ja, oft verlor der von adeligem Patron und Bauernschaft kärglichst dotierte Landpastor jeden Kontakt mit seinem eigentlichen Amt, er ‚verbauerte‘ und mochte unter Umständen sozial unter der Dorfarmut rangieren[15]. Die für den Patrimonialismus weitgehend typische Form der Stellenbesetzung durch Ämterpatronage[16] – hier des Adels – mit Pfründenhandel und etwaiger Mätressenheirat als Anstellungsbedingung[17] trug mit zum Verfall bei. Das durch Münzverschlechterungen, schlechte Ernteausfälle und partielle Handelskrisen bedingte Ansteigen der Preise schmälerte die Kaufkraft des meist geringen Geldeinkommens[18]. Mit landwirtschaftlichen, kommerziellen und gewerblichen Beschäftigungen oder durch Schriftstellerei suchte man den Lebensunterhalt zu gewinnen, wenn man nicht gerade eine der fetten Pfründen zum Beispiel im Magdeburgischen erhalten hatte. Man nahm gern Pensionäre und Zöglinge ins Haus[19].

Die religiös und ethisch positiv bewertete Fruchtbarkeit des Familienlebens[20] wirkte in gleicher Richtung mit den bevölkerungspolitischen Zielen des merkantilen Absolutismus. Die relative Sicherung der Nahrung durch Landwirtschaft, die Naturnähe in Verbindung mit der Unvererbbarkeit der Pfarre und der oft tiefen Stellung mögen die typisch zahlreiche Nachkommenschaft und ihre Aufzucht ermöglicht haben; eine zehnköpfige Familie war wohl öfter zu treffen[21]. Der Anschluß an die Universitätsintelligenz, die Beziehungen zum Adel, die eigene Bildung und schriftstellerische Arbeit legten es nahe, die Söhne zum Studium vorzubereiten.

Solange der absolutistische Fürst im Bündnis mit den kapitalistisch-merkantilen Schichten seiner Macht sicher war, hatte er am protestantischen Klerus nur in so weit Interesse, als er im Dienste der staatlichen *Policey* Beamtendienste erfüllte[22] und nicht unter Berufung auf das eigene Amtscharisma mit räsonierenden Untertanen Obstruktion betrieb[23]. Herder schildert die Situation so: „Der fürstliche Oberbischof, fast mehr als ein Sohn Gottes, kann eine ganz neue Staatsreligion geben oder die alte verändern, wie er es für gut befindet; das Predigtamt wird von ihm verliehen oder entzogen; der Prediger selbst ist nur noch als Sittenprediger, als Landwirt, als Listenmacher, als geheimer Polizeidiener unter staatlicher Autorität und fürstlicher Vollmacht zu existieren berechtigt."[24] Die Auflösung der kirchlichen Anstaltsdisziplin und die Mannigfaltigkeit der ökonomisch-sozialen Stellung führten damit im Verein zu einer großen Differenzierung, so daß von einem auch nur relativ einheitlichen *Stand* kaum die Rede sein konnte. Die große Differenzierung begünstigte zugleich eine weitgehende Individualisierung[25]. Württemberg bildete eine Ausnahme: durch Sperrung des Studiums für die niederen bürgerlichen Schichten, strenge Prüfungsordnung und Monopolisierung der Ämter für die theologischen Klosterschulen und das Tübinger Stift hatte es einen qualifizierten Pfarrerstand[26].

Gegenüber dem steigenden Prestige des Staates, des Fürsten und der Bürokratie – den wesentlichen Trägern des Rationalismus in Preußen – sank das Ansehen der Geistlichkeit[27]. Die Vorbildlichkeit der aufgeklärten Bürokratie, die eigene soziale Stellung, der Druck des Adels, die geringe Anstaltsdisziplin eröffneten Zugangschancen zu liberalem Denken[28]. Erst als in der modernen öffentlichen Meinung aus der Intelligenz in der Bürokratie selbst eine Opposition zu Worte kam und „Grenzen der Wirksamkeit des Staates" (Humboldt) zu bestimmen suchte, als Absolutismus und Bürgertum zu Gegnern wurden, förderte der Staat die Geistlichkeit und zog sie heran zur Domestikation antiautoritärer Gewalten: zum Beispiel das Bündnis zwischen Staat und Kirche während der neunziger Jahre des 18. Jahrhunderts in Preußen und Hessen[29]. Erst mit dem gestiegenen politischen Funktionswert erreichte der Stand staatliche Förderung[30], die Naturalabgaben wurden in Geld abgelöst und die soziale Stellung gehoben[31].

2. Die Schulen und Universitäten

An die Frage nach der sozialen Herkunft der Intelligenz schließt sich die Frage nach den Schulungs- und Bildungsinstitutionen an. Ihre Struktur bestimmt, aus welchen Schichten die Intellektuellen selegiert werden, sie siebt mehr oder minder die Zöglinge nach ihrer physischen, psychischen und mentalen Eignung für bestimmte Erziehungsziele und schaltet die unter diesem Aspekt ungeeigneten aus[32]. Sie bestimmt wesentlich mit das soziale und geistige Gepräge der Intelligenz. Die Lehrstellen sind (soziologisch gesehen) Ämter, die zu analysieren sind nach den Anforderungen, die an die Anwärterschaft gestellt werden, nach den Besetzungsmodi, nach dem politischen und sozialen Wirkraum der Körperschaft und schließlich ihrer kulturprägenden Bedeutung.

Die Dorfschulen in Preußen lagen meist in der Hand ehemaliger Soldaten und Handwerker. Die Schüler verschiedener Altersklassen wurden zu mechanischer Reproduktion gegebenen Stoffs und zu Gedächtnisdrill angehalten. Die Prügelpädagogik führte zu frühzeitiger Entmutigung der Zöglinge, der Phantasie blieb kein Spielraum, die individuelle Eigenlebendigkeit wurde zu Gunsten der Massendisziplinierung unterdrückt[33]. Die alten traditionalistischen städtischen und fürstlichen Lateinschulen waren sehr gesunken, seitdem die adeligen Zöglinge im 17. und 18. Jahrhundert in die Ritterakademien, Militärakademien usw.[34] abwanderten oder durch Hofmeister erzogen und bei Universitätsbesuch und Kavalierstour betreut wurden. Die Lehrer stellten oft Pfarramtskandidaten, die dort während der Karenzzeit ein zeitweiliges Unterkommen suchten und außer dem kurzen Theologiestudium keine weitere Vorbereitung als die Erinnerung an die eigene Schulzeit hatten. „Dauernd blieb niemand in der Schule, es sei denn in ein paar Rektorstellen in großen Städten."[35] Durch Imitation der alten Sprachen, besonders der lateinischen, sollte die Eloquenz, die Fertigkeit, lateinisch zu disputieren, Carmina zu dichten, Elogen zu halten usw., erworben werden, die keine soziale Bedeutung mehr hatte, seitdem die französische Kavalierbildung vorbildlich für den Hofadel wurde[36]. Hatte auch die „von Mönchen in den finstern Jahrhunderten eingerichtete Stadtschule, worin die lateinische Sprache noch immer der Leitfaden ist, wonach sich alles übrige richtet"[37], um 1740 den Tiefpunkt ihres Ansehens erreicht[38], so existierten doch noch Anstalten dieser Art bis zu der endgültigen Verstaatlichung des Schulwesens im 19. Jahrhundert[39]. So besuchte noch Wilhelm Traugott Krug, der Nachfolger Kants in Königsberg und spätere Bürgermeister von Leipzig, wenn auch nur ein Jahr lang, die Stadtschule in Gräfenhainichen[40]; Friedrich Ludwig Weidig besuchte das Gymnasium in Butzbach. Diese Schulen ermöglichten durch ihre (zwar dürftige) Übermittlung des Lateinischen Einzelnen aus den untersten Schichten den Zugang zu der Universität wie zum Beispiel Kant, Christian Gottlieb Heyne, Winckelmann und Fichte[41].

Den alten öffentlichen Institutionen gegenüber war die individualisierende Privaterziehung in kleinen Zirkeln im Pfarrhaus[42] oder durch Hauslehrer überlegen. Die dem Adel folgenden bürgerlichen Schichten zogen sich von den Lateinschulen zurück; zum Teil erzwang die Abgelegenheit bei dem damaligen Stand der Verkehrstechnik private Erziehung. Der Vater Wilhelm Traugott Krugs, Rittergutspächter in Radis bei Wittenberg zum Beispiel, schickte seine Söhne zunächst in die Volksschule, „nach einiger Zeit jedoch fand (er) sich bestimmt, für seine Söhne eigene Hauslehrer anzunehmen"[43]. Friedrich Hermann Hegewisch, der anglophile Kieler Arzt, war in Eutin von Johann Heinrich Voss für die Universität vorbereitet worden[44]. Carsten Niebuhr, der Forschungsreisende und spätere dänische Landschreiber (oberster Steuerbeamter der Landschaft), unterrichtete seinen Sohn Barthold Georg selbst, später gab ihm Rektor Jaeger Privatstunden[45]. Im Hause des kursächsischen Superintendenten Kunth „wurden trotz der beschränkten Mittel Hauslehrer und Hofmeisterinnen gehalten, die ersteren Kandidaten der Theologie, meist aus Leipzig, die letzteren Töchter berlinischer Bürger von der französischen Kolonie"[46].

Mit den traditionalistischen Schulen konkurrierten die seit dem Ausgang des 17. Jahrhunderts „unter dem Einfluß der höfischen Bildung und des Pietismus"[47] modernisierten Gelehrtenschulen fürstlich-absolutistischer Provenienz. Die Reform breitete sich wesentlich von A. H. Franckes Pädagogium in Halle aus, in dem bürgerlich-gewerbliche Ziele und höfische Bildung zum adeligen Berufspolitiker und Beamten sich amalgamierten[48] und sich deckten mit industriepädagogischen Absichten und dem Interesse an einer Beamten- und Diplomatenbildung des merkantilen Absolutismus. Es gehörte wie das 1774 gegründete Dessauer Philanthropin, in dem Konfessionsfreiheit und eine neue Pädagogik herrschten[49], zu den Erziehungsinstituten, die nach Kant „eine vollständige öffentliche Erziehung" geben in der Vereinigung von „Unterweisung und moralischer Bildung". „Solcher Institute können nicht viele und die Anzahl der Zöglinge in denselben kann nicht groß sein, weil sie sehr kostbar sind und ihre bloße Einrichtung schon sehr viel Geld erforderte. Es verhält sich mit ihnen, wie mit den Armenhäusern und Hospitälern ... und daher ist es auch so schwer, daß andere als bloß reicher Leute Kinder an solchen Instituten teilnehmen können."[50] Das Pädagogium in Halle zählte 1772, „als Kunth eintrat, 40, im Jahre 1773 nur 17 Scholaren"[51] gegenüber den weit über hundert liegenden Zahlen zu Beginn des Jahrhunderts[52]. Kunths ältester Bruder zahlte 300 Taler Pension jährlich für ihn aus einer Erbschaft[53]. Das von fürstlichen und bürgerlichen Mäzenen finanzierte Dessauer Philanthropin wurde angekündigt als „eine Schule der Menschenfreundschaft und guter Kenntnisse für Lernende und junge Lehrer, arme und reiche, ein Fideikommiß des Publikums zur Vervollkommnung des Erziehungswesens aller Orten nach dem Plane des Elementarwerks. Den Erforschern und Tätern des Guten unter Fürsten, menschenfreundlichen Gesellschaften und Privatpersonen empfohlen. Von Johann Bernhard Basedow". Nach anfangs geringem Zustrom gelang es, die Zahl der Pensionäre durch öffentliche Schauprüfungen im Jahre 1782 bis auf 52 zu bringen, „aber von da ab sank die Zahl von Jahr zu Jahr, 1793 wurde das Philanthropin geschlossen"[54]. Ein Jahr später ging die 1770 gegründete Hohe Karlsschule in Stuttgart ein, deren Besucherzahl sich zeitweilig bis auf 500 belief. Schiller gehörte von 1773 an bis 1780 zu ihren Eleven; Massenbach, nachmaliger Professor dort[55], wurde als Zwölfjähriger nach Ludwigsburg geschickt, wo die Schule sich ursprünglich befand. „Der militärische Drill war ihm höchst unsympathisch. Es wurde gebetet, geschlafen, gegessen und gelernt, alles nach Kommando, so daß er sich sehr nach seiner Freiheit zurücksehnte. Später noch glaubte er, daß seine ganze Phantasie von der Prosa dieses Lebens vernichtet worden sei."[56] Die Anstalt bildete „Hof-, Militär- und Zivilbediente jeder Art, vom Minister und General abwärts: sie lieferte Baumeister, Ärzte, Gärtner, Balettänzer, Perückenmacher, alles, nur keine Theologen"[57].

Aus den verschiedenen Erziehungsinstituten und privater Vorbildung führte der Weg zu den Universitäten. Sie waren das *Schleusenwerk* des sozialen Aufstiegs in die Reihen des Klerus und der Bürokratie. Verschiedene Faktoren

wirkten zusammen, um das Aufstiegsstreben bürgerlicher und zum Teil proletaroider Schichten gerade in diese Bahn zu lenken.
(1) Der individuelle ökonomische Aufstieg war erschwert bei der Monopolisierung der Marktchancen durch die geburtsständischen Verbände der Zünfte, Gilden, des Geschlechterpatriziats und die politische Kontrolle des merkantilen Fürsten mit seiner Konzessions- und Privilegienverteilung.
(2) Zeitweilige wirtschaftliche Depressionen mochten in gleicher Richtung wirken. So stand Christian Gottlieb Heynes Jugend unter dem Eindruck des sozialen Sinkens seines Vaters, eines ehedem selbständigen Leinewebers in Schlesien, der nach Chemnitz gewandert war, um den Bekehrungsversuchen des Katholizismus zu entgehen[58]. Die zeitweilige Verknappung gewerblicher und kommerzieller Erwerbschancen ließ vermutlich wie später um 1830 und 1890[59] den Universitätsbesuch als Ausweichsstelle des sozialen Drucks erscheinen.
(3) Mitbegünstigend wirkte die Chance, auf positiv privilegierten Schulen und Universitäten der Konskription zu dem entehrenden Militärdienst und damit dem möglichen Verkauf ins Ausland auszuweichen[60].
(4) Das wachsende soziale Ansehen und politische Gewicht der Bürokratie als einem neuen, der geburtsständischen Gliederung enthobenen Berufsstand[61], mit dem sich bis zur Jahrhundertwende kein anderer bürgerlicher Stand messen konnte, sammelte wie ein Magnet die Kurven des sozialen Aufstiegsfelds.
(5) Das Bursen- und Stipendienwesen und die Möglichkeit, durch Hauslehrer- und Informatorendienste das Studium zu bestreiten[62], erklären mit den relativ breiten Zustrom zu den Universitäten, der zu einer Überproduktion von Intellektuellen führte[63]. Der wachsenden Anwärterschaft entsprach kein proportional wachsendes Stellenangebot. Die verschiedenen staatlichen Versuche, den Zustrom einzudämmen[64], waren nicht genügend, solange nicht durch ein allgemeines Staatsexamen eine zentrale Kontrolle des Zugangs ausgeübt wurde. Die Konkurrenz der Universitäten und Einzelstaaten um die Studenten gewährte diesen weitgehende Ausweichmöglichkeiten. Sie konnten in einen anderen Staat abwandern, an eine andere Universität, trotz aller Auswanderungsverbote.

Neben den vielen über ganz Deutschland hin verstreuten kleinen Universitäten, die in Süd- und Westdeutschland meist an Bistümer angeschlossen waren und der Priesterbildung dienten, finden wir in den protestantischen Ländern größere Universitäten, die neben der Ausbildung von Pfarrern vor allem staatliche Beamte heranbildeten[65]. Die Nachfrage des Staates nach einer durch *Leistungswissen* geschulten Intelligenz zum Aufbau der Bürokratie führte zur Gründung und Förderung moderner Universitäten von seiten des Staates. Halle (gegründet 1694) und Göttingen (gegründet 1734) standen im 18. Jahrhundert an der Spitze. Die alten korporativen Institute kamen ihnen gegenüber ins Hintertreffen, ihre Besucherzahl sank in den letzten Jahrzehnten des Jahrhunderts und näherte sich dem Nullpunkt, so daß seit den neunziger Jahren eine Reihe von Universitäten geschlossen wurde. Während der französischen Herrschaft in den westdeutschen Gebieten wurden weitere traditionale kleine Universitäten geschlossen und die Verstaatlichung des Universitätswesens fortgesetzt[66]. Im Gegensatz zu der patrimonialbürokratischen Struktur der alten Universitäten, die der Oberaufsicht geistlicher oder adeliger Herren unterstanden[67], lag die Aufsicht und Förderung der neuen Universitäten in Händen der Staatsspitze[68]. Zur Heranbildung einer geschulten Bürokratie stellte der Staat wachsende Mittel zur Verfügung[69]. Göttingen war mit einem jährlichen Bibliotheksetat von 4000 bis 5000 Talern wohl die bestdotierte Universität in Deutschland[70]. Die Universitätsverwaltung lag in Händen des Baron von Münchhausen, der politisch ein relativer *Outsider* des streng geschlossenen hannoveranischen Hochadels war. In Kooperation mit dem verbeamteten bürgerlichen Geschlechterpatriziat, den *hübschen Familien*, fand er hier einen ausbaufähigen Wirkraum, in dem er durch die am englischen Hof orientierten Minister unbehelligt blieb[71]. Es gelang ihm, ein ausgewähltes Kollegium heranzuziehen, das der Universität europäischen Ruf verschaffte; um einige Namen zu nennen: Schlözer, Pütter, Heyne, Gesner, Spittler, Meiners, Heeren, Kästner und Lichtenberg.

Mit dem Aufstieg der modernen Universitäten hob sich die soziale Lage der Professorenschaft. Die Einnahmen bestanden aus einem geringen staatlichen Gehalt, dem Entgelt für die öffentlichen Vorlesungen, dazu kamen Gelder für die Privata. Bei adeliger und bürgerlich-patrizischer Zuhörerschaft konnte der Professor letztere besonders ausbauen; der beschränkte, sozial homogene Hörerkreis erleichterte die pädagogische Arbeit. Da die Stellung der Lehrerschaft sich wesentlich mit von der Standeszugehörigkeit der Hörer ergab, war es kein Zufall, wenn die Göttinger und Hallischen Professoren die Grafen und adeligen Herren im Kolleg zählten und besonders setzten[72]. „Es wurde ... eine Anstandspflicht der besser situierten Studenten, die nötigen Vorlesungen privatim zu hören; mit den öffentlichen Vorlesungen sich durchzuhelfen wurde als Zeichen der Armut angesehen und darum gemieden."[73] Die Universitäten tendierten nicht wie Zünfte, Gilden und andere ständische Korporationen zur Schließung; ihr Ausbau bot Individuen – zum Teil ‚niedrigster' Herkunft – Aufstiegsmöglichkeiten in die Reihe der Professoren. Neben den pfründnerisch-traditionalen Professorenfamilien stellten Männer wie Heyne, Kant, Fichte mit ihrer methodischen Arbeitsamkeit und sparsamen Rastlosigkeit einen neuen Typus dar. „Ein Teil der akademischen Lehrer besteht aus den Söhnen von Professoren, die sich auf eine ähnliche Art dem Stande ihrer Väter widmen, wie in großen Handels- und Fabrikstädten die Söhne von Kaufleuten und Fabrikanten gemeiniglich den Beschäftigungen der Väter folgen. Die übrigen, welche fast durchgehends die größte Zahl ausmachen, sind entweder von niedriger Herkunft, oder wenn aus guten, wenigstens nicht aus reichen oder so wohlhabenden Familien, daß diese auf die Erziehung ihrer Söhne einen großen Aufwand machen könnten. Die meisten Professoren genossen daher auf Schulen und Universitäten öffentliche Wohltaten, oder sie halten sich mit dem Gewinn des Unterrichts durch, den sie andern erteilten, oder sie mußten sich wenigstens mehr als gewöhnlich einschränken, um ihre Studien vollenden zu können."[74] Aufsteigende Professorenfamilien dieses Typs waren in ihrer aller feudalen Ostentation, allem *Lebensgenuß* abholden Einstellung verwandt mit dem emporkommenden Krämertum der gewerblichen Städte. Rotteck schreibt 1804 aus Freiburg i. B.: „*Ein sehr großer Teil* der wohlhabenden Familien im Lande ist ursprünglich von Professoren und Universitätsbeamten gestiftet worden; denn die ordentliche und ökonomische Lebensweise dieser (der Regel nach) fast ausschließlich dem Studium sich widmenden Männer, setzte sie in den Stand, aus ihren mäßigen Einkünften ein hinreichendes Vermögen zu sammeln und ihre Nachkommen, auf welche sie meistenteils den Geist der Ordnung und Sparsamkeit vererbten, zu bemittelten Familien zu machen.“[75] Gegen Ende des 18. Jahrhunderts und zu Beginn des 19. Jahrhunderts, in der Zeit des Neubaus und der Verstaatlichung des Universitäts- und Unterrichtswesens konkurrierten die Staaten um die qualifizierte Professorenschaft. Man sandte Inspektionsreisende an die Universitäten; zum Beispiel wurden im Auftrag Wöllners „14 außerpreußische Universitäten aufgesucht, um ‚zuverlässige Nachrichten von dem Vortrag solcher Professoren einzuziehen, auf die einmal bei irgend einer preußischen Universität reflektiert werden könnte‘“. So reiste Gedike 1789 über Helmstedt und Göttingen nach Marburg und schrieb, daß „nachdem in vielen öffentlichen Schriften viel von dem neuen Flor der Universität posaunt worden, ... der Abfall, wenn man gleich von Göttingen nach Marburg kommt, sehr auffallend ... und des Stoffes zu neuen Bemerkungen wenig zu finden“[76] sei. Durch besondere Privilegien, Einkommensvorteile, Titel usw. versuchte man, berühmte Professoren ins Land zu ziehen, brachten sie doch oft Studenten und damit Geld herein, in dessen Quantum die merkantilistischen Kameralisten den Reichtum des Landes zu bestimmen glaubten[77]. Würzburg zum Beispiel zählte im Jahre 1795 41 immatrikulierte Besucher. Als 1803 nach dem Reichsdeputationshauptschluß das Hochstift säkularisiert wurde und die Universität unter bayerische Verwaltung kam, wurde sie unter dem Aufklärungsregime von Montgelas reformiert. Schelling, der protestantische Theologe Paulus, der Rechtswissenschaftler Hufeland in Jena, ein Anhänger Feuerbachs, nachmaliger Anhänger Smiths[78], wurden nach Würzburg berufen, im gleichen Jahr erreichte die Frequenzzahl 432 Besucher. Umgekehrt betrug für Jena im Jahr 1795 die Zahl der Besucher 400. Nachdem Fichte 1799 nach Berlin, Feuerbach 1801 nach Kiel und 1803 außer den oben genannten Schütz aus Jena gezogen waren, sank die Besucherzahl im Jahre 1804 auf 139[79]. War ein Professor aus einem anderen Staat zugereist, so hatte er als relativer *Outsider* besondere Aufstiegschancen, die er bei geeignetem Verhalten nutzen konnte. Feuerbach schrieb zum Beispiel aus Kiel: „In Jena war ich bloß Gelehrter, hier bin ich erst Mensch geworden, hier werde ich mich als Mensch ausbilden können ... Der Umgang mit einigen Personen höheren Standes, besonders mit Reventlow [dem Kurator der Universität], nötigt mir unwillkürlich mehr Mut und etwas äußere Politur ab.“[80] In richtiger Erkenntnis der Situation und kräftigem Selbstbewußtsein schlägt er 1803 einen Ruf nach Greifswald aus. 1300 Taler und die Stelle eines Oberappelationsrats waren ihm geboten worden. „Ich wußte, daß bei der *allgemeinen Totalrevolution auf den Akademien bei dem Hin- und Herwandern der akademischen Gelehrten* notwendig auch an mich mehrere und bessere Aufträge kommen würden und daß ich also nichts verloren hatte, als ich die Greifswalder Anbietungen vor mir warf."[81] Schon 1804 siedelte Feuerbach mit seiner Familie, er hatte drei Kinder, nach Landshut an die neugegründete Universität über, wobei er an „das liebliche Klima des südlichen Bayerns, die schöne Gegend von Landshut, die Wohlfeilheit der dortigen Lebensmittel, die große Frequenz dieser Universität und vor allem an die hohe Liberalität der Regierung"[82] dachte. Allerdings hatten von auswärts zugereiste Professoren, besonders Juristen[83], die wie Feuerbach in Bayern als Beamte oder wie der Magdeburger Gottfried Schrader, der Vorgänger Dahlmanns in Kiel, als politische Sekretäre verwendbar waren, die besonderen Aufstiegschancen oft gegen die Feindschaft der Übergangenen einzulösen. Trotz aller gebotenen Vorteile mochte es dem zugereisten Fremdling an der neuen Universität bitter zu Mute sein, wenn er etwa vor der neuen Hörerschaft keine Anerkennung finden konnte, wie z. B. Fichte während seiner Königsberger Zeit[84] oder Dahlmann vor den dänenfreundlichen Studenten in Kiel[85], oder wenn die eingesessenen Kollegen gegen den gefährlichen Konkurrenten eine intrigierende Clique bildeten. „Wenn schon die Gelehrten und Schriftsteller überhaupt, besonders da, wo sie in einer größeren Anzahl an demselben Orte leben, zu Neide und Eifersucht gegeneinander geneigt sind, weil der Ruhm, den sie alle suchen, nur wenigen zuteil werden kann: so werden die Universitätslehrer noch weit mehr Versuchung zu jenen Eigenschaften haben, weil ihr Ruhm zugleich mit ihren Einkünften auf dem Spiele steht."[86] In Landshut wurden für Feuerbach „die Verhältnisse der Professoren ... Verhältnisse von Teufeln; beinahe möchte ich sagen: im eigentlichen Verstande. Die Roheit, Sittenlosigkeit, höllische Bosheit, Abgefeimtheit, Niederträchtigkeit, Gemeinheit der Meisten ... geht über alle Grenzen"[87]. Zugleich berichtet er: „Die hiesigen Studenten sind mit ganzer Seele mir ergeben; mit einer Veneration, von der ich nie einen Begriff hatte, suchen sie mich auf."[88] An Feuerbachs glücklicher Karriere, der eines typischen liberalen *Fremdbeamten*[89] jener Zeit, hebt sich von Station zu Station das Leid sozialer Isolierung ab vom Grund wachsender politischer Macht und sozialer Ehre. Seit 1809 datiert er die Verfolgung der *„protestantischen auswärtigen Gelehrten in Bayern,* oder wie sie damals noch genannt werden durften, ... die ‚norddeutschen' Gelehrten in Bayern"[90]. Unter der Führung Gönners und des Freiherrn von Aretin sammelte sich der Widerstand gegen die Jacobi, Schlichtegroll, Jacobs und Thiersch. Der Wechsel zwischen politischem Amt und Professur und umgekehrt[91] trug mit dazu bei, das soziale Prestige der Universität und der Professorenschaft zu heben. War auch die institutionell eingegliederte und *arrivierte* Intelligenz nicht gerade *revolutionär*[92], so ließen die Mobilität durch die Hauslehrerzeit, Universitäts- und Amtswechsel, die Aufstiegsschwierigkeiten mit dem dauernden Zwang zur Leistung[93], sich zu bewähren und im Konkurrenzkampf stets auf dem *Qui-vive* zu sein, auch keine zünftlerisch-pfründnerische Geruhsamkeit zu[94]. Alle Erfahrungen des Aufstiegs, die Unsicherheit und die Unbeständigkeit der fürstlichen Gunst und Gnade im Wechsel der höfischen Koterien, insbesondere auch die Hemmung der Freizügigkeit durch Auswanderungsverbote[95], all das bot dieser Professorenschaft Zugangschancen zum Liberalismus. Im Bündnis mit dem Absolutismus war es den Universitäten gelungen, sich von der Kontrolle des Klerus zu emanzipieren; im Spielraum der konkurrierenden Fürsten gelang es ihnen, die Privilegien der Denk-, Lehr- und Zensurfreiheit sich zu sichern. „Göttingen war die erste und lange die einzige Universität, wo die öffentlichen Lehrer Zensurfreiheit genossen. Seit der Stiftung der Universität machten nur wenige Lehrer von der Zensurfreiheit einen solchen Gebrauch, daß die hohe Landesregierung unzufrieden zu sein begründete Ursache hatte.“[96] Die großen protestantischen Universitäten wurden im Gegensatz zu England im 18. Jahrhundert zu Zentren der modernen Intelligenz, voran Göttingen, Halle und Leipzig; und nimmt man den kurmainzischen Coadjutor Dalberg aus, der dem nach Wilna verschlagenen Georg Forster eine Bibliothekarstelle bot, Jean Paul eine Jahresrente von 1000 Gulden gewährte und Johannes Schulze zum Oberschul- und Studienrat ernannte, an dessen Hof sich die späteren Führer des revolutionären Klubs sammeln konnten[97], so wird man Charles Villers' Urteil als bezeichnend anführen dürfen: „La supériorité des universités de l'Allemagne protestante est si frappante que les étrangers qui passent d'une université catholique à une université protestante voisine, croient en une heure... d'avoir passé de Salamanque à Cambridge, ou du siècle de Scot à celui de Newton.“[98]

Die Studentenschaft zerfiel der sozialen Herkunft nach – dies grobe Schema mag genügen – in die adelige und bürgerlich-patrizische Studentenschaft, die sich vorbereitete auf Fürsten- und Staatsdienst, und in die Studentenarmut, die meist Theologie studierte und sich nach Pfarrstellen und Schulämtern umtat. Erstere, die künftigen Politiker und Beamten, studierten Staatswissenschaften, Jura und Kameralwissenschaften, damit verbunden Historie und Philosophie als dem modernen *Bildungswissen*. Diese beiden Gruppen stellten die Mehrzahl dar; Paulsen schätzt ihren Anteil an der Gesamtstudentenschaft auf 75 %, wobei er die Theologen wiederum für zahlreicher hält als die Juristen[99]. An den kleinen Universitäten bestimmten sie wohl die Atmosphäre, an den modernen großen Universitäten[100] wie Göttingen traten sie sehr zurück. Im Unterschied zu England wechselte man während des Studiums die Universität; die Freizügigkeit war aber nicht ein scholarenhaftes Fluktuieren, sondern es bestanden wohl meist für die einzelnen Landschaften bevorzugte, traditionell festgelegte Bahnen. So besuchten beispielsweise die Schleswig-Holsteiner außer Kiel mit Vorliebe Heidelberg, Erlangen, Würzburg und Jena[101], wo auch Uwe Jens Lornsen (1793–1838) studierte, der als Kieler Landvogt sich für den Liberalismus einsetzte[102].

Die Zusammensetzung der Studenten in Landsmannschaften – aus ihnen gingen die Korps hervor – garantierte wohl die Erhaltung und Übertragung der landschaftlichen Tradition in dem spezifischen Habitus, den Bräuchen, der eingelebten Mentalität und Gesinnung; plebejische Kastenkonventionen hinsichtlich der Mensurbestimmungen, Trink-, Gruß- und anderer Lebensformen erzwangen den korporativen Zusammenhalt nach innen und Distanzierung nach außen. In den *akademischen Freiheiten*[103] gewährte der Absolutismus der studierenden Jugend[104] ein befristetes soziales Ventil für alle Triebe und Eigenwilligkeit, die die patriarchal-autoritäre Familie und – nach dem Studium – die militärisch-bürokratische Ordnung unterdrückten. „Die akademische Freiheit des Paukens, Trinkens, Schwänzens entstammt Zeiten, wo andere Freiheiten irgendwelcher Art bei uns nicht existierten und wo nur diese Literatenschicht der Amtsanwärter mit eben jenen Freiheiten privilegiert war."[105] Reste alter Scholaren- und Landsknechtsehre mußten in der Verknüpfung mit Adelsstolz herhalten für die Distanzierung von Handwerksgesellen[106], und in Kreditgeschäften und *eroticis* bürgerliche Kreise zu düpieren galt als verdienstlich[107]. Wenn die Studenten gar mit dem Militär zu heftig aneinander gerieten[108] und das zu Unerquicklichkeiten mit der Bürgerschaft führte, zu *Auszügen* usw. zu einer Zeit, in der sich „fast alle Fürsten in der Welt ... beeifern, ihre Universitäten emporzubringen und mit allem zu versehen, was ihnen Flor und Glanz verschaffen kann"[109], dann ist es nicht verwunderlich, daß die Regierungen gegen den Pennalismus einzuschreiten suchten. In dem preußischen Edikt, das Friedrich Wilhelm III. im Jahre 1798 erließ, heißt es: „Die Nachsicht, mit welcher bis jetzt diejenigen Studierenden behandelt worden, welche Ungezogenheiten und Ausschweifungen erlaubt, und hauptsächlich die Gelindigkeit der bis jetzt in solchen Fällen erkannten Strafen, haben die eingebildeten Jünglinge veranlaßt, ihren Frevel soweit zu treiben, daß solcher der öffentlichen Sicherheit gefährlich geworden ... Nur allein auf Akademien erstreckte sich bis jetzt die Gewalt der Polizei nicht über die Studierenden, welchen der Vorzug gestattet war, bloß den akademischen Gerichten untergeordnet zu sein. Allein eines solchen Vorzugs machen sich diejenigen völlig unwürdig, welche die öffentliche Sicherheit stören und an Tumulten Teil nehmen. Wir setzen daher hierdurch vorläufig fest, daß, sobald auf einer unserer Akademien dergleichen Exzesse vorfallen, die Ausmittelung und Verhaftnehmung der Verbrecher nicht mehr den akademischen Gerichten, sondern dem Polizei-Direktorio jeden Ortes obliegen soll, welcher sich nötigenfalls militärischen Beistand zu erbitten hierdurch autorisiert wird. Für die von den Polizeidirektionen zu vollstreckenden Strafmaße soll gelten, daß ‚bei groben die öffentliche Sicherheit störenden Exzessen in keinem Fall auf Geldbuße oder Relegation, sondern jederzeit auf Gefängnis oder körperliche Züchtigung erkannt werden' soll."[110] Das staatliche Interesse koinzidierte in der Bekämpfung des Pennalismus mit den Strebungen der modernen Professorenschaft, die einen steten Lehr- und Forschungsbetrieb geistige Kollegialität und kontinuierliche Arbeitsdisziplin durchzusetzen suchte. Ob sie nun jakobinisch konsequent wie Fichte[111] gouvernementalen Rigorismus für angebracht hielt oder wie der whiggistische Meiners mehr von der eigenen Einsicht „gebildeter junger Leute"[112] erwartete, mag hier dahingestellt sein. Von Fall zu Fall wird man nur entscheiden können – und die Untersuchung wäre fruchtbar für heute –, in welchen historisch-soziologischen Konstellationen[113] sich jener Kompromiß durchsetzte, den in diesem Lebensbezirk die bürgerliche Professoren- und Studentenschaft unter Verzicht auf eine entfeudalisierte eigenständig-zivile Lebensform schloß. Wo urbane Verkehrsbedürfnisse und höfische Etikette[114] konvergierten – wie in dem Handelszentrum Leipzig – gelang es, den Pennalismus zu verdrängen. Göttingen hatte durch die Verbindung mit England eine Ausnahmestellung. Bürgerliches Gelehrtenprestige konnte sich gegenüber junkerlichem Stolz durchsetzen, das geringe Gewicht der Studentenarmut und vor allem der Zuzug englischen Adels machten die Universität zur Hochschule des adeligen Berufspolitikers, zum Beispiel studierten dort die Brüder von Humboldt, der Freiherr von Liebenstein (der liberale badische Deputierte), der Freiherr vom Stein; Hans Christian E. von Gagern las dort Richardson und Fielding, Hume und Montesquieu, Freiherr von Knigge studierte dort Jura ebenso wie von Hardenberg und andere mehr[115]. Die Verschmelzung der verschiedenen Adelstypen mit bürgerlich-patrizischem Rentner- und Beamtentum und der Gelehrtenschaft[116] bei Zuzug besonders auch russischen Adels[117] und der Vorbildlichkeit des demokratisierbaren *Gentleman*ideals[118] förderte einen Vornehmheitstypus, der ebenso jenseits von kontinentaler Hofetikette stand wie von plebejischer Formlosigkeit[119].

Der sozialen Rangordnung der Hörerschaft und dem dominierenden Bildungsziel entsprach die Rangordnung der Wissenschaften und der Fakultäten[120]. Profanes *Leistungs-* und *Beherrschungswissen,* wie es sich seit der Renaissance aus der Einbettung in ein vorgegebenes, scholastisch gegründetes Heilwissen gelöst hatte, stand an erster Stelle. Das Monopol des mittelalterlichen Klerus auf das schulisch gebundene Wissen, war durch den juristisch gebildeten Stand fürstlicher Berufspolitiker, dem Vorläufer der modernen Bürokratie, gebrochen worden. Je nach der Einstellung auf eine diplomatisch-politische Karriere oder verwaltungsmäßig-bürokratische Laufbahn ergab sich für den Studenten ein engerer Anschluß des juristischen Studiums an die politisch-historischen oder an die kameralistisch-ökonomischen Wissenszweige. Mit den wachsenden Anforderungen an die Verwaltungsbürokratie[121], die sich aus der ökonomischen Politik des Merkantilismus bei sich entfaltender Marktwirtschaft ergaben, wurde die Kameralistik als neuer Wissenszweig aufgebaut. Durch die vorwiegend technologischen Interessen war sie stärker mit den Naturwissenschaften verkoppelt als die Nationalökonomie des 19. Jahrhunderts[122].

Im Gegensatz zu England entwickelte sich bei uns das ökonomische Denken nicht vornehmlich außerschulisch und im Anschluß an die marktwirtschaftlichen Bedürfnisse der Interessentengruppen, sondern bürokratisch-schulisch. So gab es in Deutschland sechs Professuren für Kameralwissenschaften zu der Zeit, „als die Physiokraten in Frankreich den ersten Lehrstuhl für Ökonomie errichteten“[123]. Die neue Wissenschaft entwickelte sich nach 1770 sehr schnell. „Im Jahre 1798 haben von 36 Universitäten in Deutschland 23 Professuren für die ökonomischen und kameralistischen Fächer, die durch 32 Professoren wahrgenommen wurden.“[124] Als Verbindungsglied zu England[125] und als eines der Institute, die den Bedürfnissen der Marktinteressenten entgegenzukommen suchten, sei Johann Georg Büschs (1728–1800) Handelsschule zu Hamburg genannt. Er hatte sie 1767 gegründet und leitete sie gemeinsam mit dem Geographen und Historiker Christoph Daniel Ebeling. Büsch konnte zu seinen Schülern den Forschungsreisenden Carsten Niebuhr zählen[126], Alexander von Humboldt hörte 1790–1791 seine geldtheoretischen Argumente gegen Smith's Quantitätstheorie, lernte Buchhaltungs- und Komptoirarbeiten praktisch kennen und trieb in den Mußestunden kunsthistorische und mineralogische Studien. Im Sommer besuchte auch der frühreife Barthold Georg Niebuhr auf väterlichen Wunsch Büschs Institut, bevor er die Universität Kiel bezog[127]. In Opposition zum Merkantilismus trat Büsch für begrenzten Freihandel sowie internationale Arbeitsteilung ein und antizipierte in manchem, zum Beispiel in der Forderung von *Erziehungszöllen,* Gedanken Friedrich Lists[128]. Ähnlich wurde Albrecht Thaer emporgetragen, als er – schon durch wissenschaftliche Arztpraxis und *gute Partie* aufgestiegen – seinen landwirtschaftlichen Musterbetrieb zu einem betriebswirtschaftlichen Forschungs- und Lehrinstitut ausbildete und von dort die fortgeschrittene englische Agrartechnik und Betriebsführung ausbreiten half. Preußen und Hannover konkurrierten um ihn, er nahm das günstigere preußische Angebot an und machte sich dort im gleichen Sinn verdient, wobei die Verbindung mit der Reform-Bürokratie ihm einen weiten Wirkraum öffnete[129]. Unter den eigentlichen Universitäten ragen Göttingen und Königsberg gegen Ende des Jahrhunderts weit hervor. 1777 erschien im „Göttinger Gelehrten Anzeiger“ die erste deutsche Rezension von Smith's „Wealth of Nations“ aus der Hand Feders[130]; 1794, im Jahre der zweiten deutschen Smith-Übersetzung[131] und zwei Jahre vor der Herausgabe von Sartorius' „Handbuch der Staatswirtschaft ... nach Adam Smith“[132], urteilte der „Gelehrte Anzeiger“ mit Recht: „Wenn man sein [Smith's] Buch hier und da zitiert findet, so scheint es doch, die leichten Kapitel abgerechnet, als habe man ihn nie gelesen. Auf Veränderung der Doktrin in Deutschland hat er noch gar keinen Einfluß gehabt. Man betet lieber anderen nach, weil man sie mit mehr Gemächlichkeit verstehen kann.“[133] Feders und Schlözers Hörern Sartorius, Lüder[134] und vor allem Kraus[135] war es vorbehalten, Smith's Gedanken ernstlich[136] aufzugreifen. In Sartorius' „Handbuch“ – einem Exzerpt Smith's – erscheint zum ersten Mal in der deutschen ökonomischen Literatur die Trennung von ökonomischer Theorie und ökonomischer Politik[137]. Die Volkswirtschaftslehre löste sich von den kameralistisch-naturwissenschaftlichen Gebieten ab; die *Wirtschaft* zeigte sich als marktvermitteltes Handlungsgeflecht der *bürgerlichen Gesellschaft*[138]. Die Smithianer mußten Boden gewinnen gegen das haushaltsorientierte Denken der Kameralisten[139], gegen die Verdeckung des Gegenstands durch politisch-statistisches Finanzkalkül und betriebskundlich-technologisches Denken. Es galt, die Schicht des spezifisch *Ökonomischen* zu entdecken zwischen der finanz- und machtpolitischen Sphäre von Verwaltung, Militär usw. und der Sphäre der technisch-naturalen Grundlage der *Wirt-*

schaft; es galt, alle Probleme um den *Markt* zu zentrieren, der allmählich als Instanz und Bezugsebene moderner Vergesellschaftung erkennbar wurde.

Die Ausbreitung von Smith's Werk, das Garves Freund Gentz 1790 studierte und exzerpierte, begeistert von solch „kühler ruhiger Untersuchung verbunden mit solch glühendem Eifer für das Wohl der Menscheit"[140], markiert genau, wie weit sich dies Denken in Deutschland durchsetzte. 1796 wurde die Garve-Dörriensche[141] Übersetzung neu gedruckt. 1799 erschien die zweite und 1810 die dritte Auflage[142], und als das „Handbuch" von Sartorius erschien, rühmte sich Kants Schüler und Freund Kraus, „inmitten drohender Stürme" nicht nur seit sechs Jahren das „einzig wahre, große, schöne, gerechte und wohltätige System" dargestellt, sondern auch einen von Schön und Dohna-Wundlacken mit ihm beseelt zu haben[143]. Zu Beginn des Jahrhunderts erschien Lüders Werk, eine paraphrasierende und topographisch-statistisch illustrierende Bearbeitung des „Wealth of Nations"[144]. Hatte Sartorius distanziert von den Marktinteressenten und unter dem Einfluß Lauderdales später eine Kompromißstellung[145] bezogen und hatte Lüder ohne Einwand, aber auch ohne theoretische Bestimmtheit, Smith ‚akzeptiert', so durchdachte Kraus seine Gedanken am schärfsten[146]; er veröffentlichte kaum etwas[147] – nach Roscher für einen deutschen Professor verwunderlich[148] –, wirkte aber als beredter Lehrer nachhaltig. Durch seine Schule gingen die preußischen Reformbeamten, die von Schrötters, von Schön, von Auerswald und Nicolovius[149]. Die besondere sozialökonomische Situation Ostpreußens[150] in den neunziger Jahren begünstigte die Ausbreitung Smith'scher Lehren, die wirksamsten Mächte drängten nach Lösungen, die durch *Verwirklichung* jener Ideen sich ergeben sollten. Nachdem also seit den neunziger Jahren von Göttingen und Königsberg aus Smith's Lehren verbreitet wurden, setzte bald eine eigenständige Gedankenentwicklung und Auseinandersetzung mit Smith ein mit den Werken der Thünen, Rau, Lotz, Soden, Hufeland, Jakob und anderen mehr. Bei allem durch den staatlichen Lehrbetrieb bedingten „kompilatorischen Eklektizismus"[151], der Unselbständigkeit der meisten dieser Schriftsteller: mit ihnen schlägt die Entwicklungsrichtung um, und schon 1796 fragte Kraus, ob das Recht seine frühere Ehrenstellung verliere und die Kameralia zu Macht und Ruhm aufgestiegen seien, da so viele Grafen sich ihnen zuwendeten[152].

In arbeitsteiliger Kooperation wurden alle Zweige des Leistungswissens gefördert, hatte doch die Universität dem Beamten Fachwissen zu vermitteln, wobei die alte Fakultätsordnung in ihrer Abweichung vom Wissenschaftsbetrieb oft störend empfunden wurde[153]. Die Universität tendierte von hier aus zum fachwissenschaftlichen Forschungs- und Lehrinstitut zu werden, und als in Preußen die Diskussion um die Universitätsreform einsetzte, teilte kein geringerer als der Minister von Massow „die Meinung, daß anstelle der Universitäten Gymnasien, welche die allgemeine Bildung vollendeten und Fachschulen für Ärzte, Juristen und Volkslehrer treten müssen"[154]. Eine breitere Strömung wollte, dem revolutionären Frankreich gleich, die alten Zunftinstitute ersetzen durch Fachschulen. Einer ihrer Wortführer war zum Beispiel Friedrich Buchholz[155] in Berlin, der führende Literat der franzosenfreundlichen Opposition. Daß sich diese Richtung nicht durchsetzte und die Erziehungsziele des gewerblichen Bürgertums zum Schmerz Kunths[156] so geringe Berücksichtigung fanden, ist wesentlich mit der Heraufkunft der modernen Bildung und dem sozialen Gesicht ihrer Träger zu verdanken.

Eine ihrer Komponenten, die Renaissance der griechischen Antike im *Neuhumanismus,* bildete sich in Göttingen. Förderte dort die eigenartige Zusammensetzung der Universitätsgesellschaft das Zustandekommen jenes Vornehmheitstypus, von dem wir oben sprachen, so amalgamierten sich in dem sozialen Schmelztiegel nicht nur Umgangsformen, Gesten usw., sondern in die Verschmelzung gingen die geistigen Haltungen ebenso ein; aus ihrer Auseinandersetzung und Synthese entstand der Neuhumanismus.

Die Kennerschaft des adeligen oder bürgerlich-patrizischen Weltmanns, der auf der *grand tour* nach Italien und Griechenland oder auf der europäischen Bildungsreise Kuriosa, Antiquitäten und Kunstgegenstände besah und sammelte[157], bestimmte die Entwicklung der Kunstgeschichte auf der Universität mit, zumal in Göttingen, wo die Kommunikation zwischen Schul- und Wissenschaftsbetrieb und aktuellem vor- und außerwissenschaftlichem Lebenswissen[158] besonders eng und rege war[159]. Diese Interessen machte die Hörerschaft aufnahmebereit für die neue Philologie der Gelehrten, der Gesner (1691–1761)[160], Ernesti (1707–1781)[161] und Gesners Nachfolger Heyne (1729–1812), der, bestimmt durch seine Hörerschaft, „forschend und lehrend, die Disziplinen der Antiquitäten, der Mythologie, der Archäologie, der Kunst, teils zuerst eingeführt in den Kreis akademischer Lehrgegenstände, teils sie aus der Äußerlichkeit geistlosen Sammlerfleißes herausgezogen und sie wissenschaftlich zu durchdringen und zu organisieren begonnen"[162] hat. Die brotlosen und sozial obdachlosen Literaten, die Schul- und Hofmeister, Sekretäre, Theologen von Haus aus wie Winckelmann und Heyne, richteten sich in ihrer Misere an der normativen Utopie eines hellenischen Menschentums auf; indem man – das zu sagen ist seit Nietzsches Gegenbild möglich – die Sklaverei nicht als Frage aufwarf, konzipierte man eine geschichtlicher Gefährdung enthobene Existenz, der „edle Einfalt und stille Größe" zur Signatur harmonisch maßvoller und sittlich vollendeter „Natur" wurde[163]. Heynes „ganze Ansicht des Altertums", so urteilte sein Schwiegersohn Heeren, „kann eine poetische genannt werden. Diese Ansicht, und die daraus entsprungene Behandlung des Altertums mußte aber dem ganzen Studium einen neuen Reiz und Schwung geben. Er sah es von seiner *schönsten* und doch zugleich von seiner *wahrsten* Seite an. Hierdurch war sogleich dahingedeutet, daß es nicht bloß auf Sprachgelehrsamkeit, daß es vielmehr auf Bildung des Geschmacks, auf Veredelung des Gefühls und auf Vervollkommnung unserer ganzen moralischen Natur bei diesem Studio abgesehen sei ... Alte *Kunst* und alte *Poesie* waren durch die Gewölbe engherziger Schulgelehrsamkeit und Pedanterie verblichen, jener hat Winckelmann, dieser Heyne ihren Glanz wiedergegeben"[164]. Literarische Gelehrtenbildung und aristokratische Weltgewandtheit – von den aufsteigenden Bürgerlichen am Adel bewundert[165] – verschmolzen, befeuert vom Enthusiasmus ‚ausgebrochener' Theologen, die im utopischen Elemente der moralischen Bildung die verlorene religiöse Substanz retteten. Diesem Studium wandten sie sich zu, wenn sie an den von Haus aus eingelebten religiösen Vorstellungen zu zweifeln begannen. Philologie und Literaturwissenschaft in Verbindung mit philosophischen und historischen Studien leiteten über zum Schuldienst und zur Universitätslaufbahn, und der Konstellationswandel der Aufstiegschancen begünstigte diesen *Umbruch,* der mehr für den Einzelnen bedeutete als ein heutiger Studienwechsel. So wechselte Heeren in Göttingen von der Theologie zu philosophischen und historischen Studien über, desgleichen der Kieler Historiker Dietrich Hermann Hegewisch, Wilhelm Traugott Krug, Heinrich Luden, Johannes von Müller, Johann Heinrich Voss und andere mehr. Die nachkantische idealistische Philosophie der Fichte, Hegel, Schelling und Schleiermacher gewann wesentlich durch die historisch-philosophische Bildung ihr Gepräge im Gegensatz zur Philosophie der Chr. Wolff und Kant, die mathematisch-naturwissenschaftlich gebildet waren[166].

Mit der Berufung Friedrich August Wolfs[167] durch Zedlitz nach Halle (1783) faßte der Neuhumanismus in Preußen Fuß. Wolf machte programmatisch die *Altertumswissenschaft* zur Grundlage der akademischen Bildung; formal-logische Schulung an der Rekonstruktion des grammatikalischen Gefüges und die historisch-philologische Bedeutungsanalyse wurden zu den Hauptstützen eines vornehmlich auf Interpretation gerichteten Interesses, das erst in der Auslegung des oben bezeichneten utopischen Gehalts zur Ruhe kommen sollte. „Die Lehrer, Direktoren, Schulräte, Professoren, die in der Folge die Neugestaltung des Gelehrtenschulwesens in Preußen und im ganzen nördlichen Deutschland durchgeführt haben, sind fast alle seine Schüler."[168] Und Nietzsche rühmt „von dem großartigen Friedrich August Wolf", daß es „seinem kühnen Beginnen gelang ... ein neues Bild des Gymnasiums aufzustellen, das von jetzt ab nicht etwa nur noch eine Pflanzstätte der Wissenschaft, sondern vor allem die eigentliche Weihestätte für alle höhere und edlere Bildung werden sollte"[169]. Die philologisch-philosophische Gruppe stieg in den neunziger Jahren schnell auf[170] und mit Wilhelm von Humboldts Gründung der Universität Berlin (1810)[171] und seiner Kulturpolitik gelang es den hervorragenden Vertretern, diesen Wissenszweigen die erste Stelle im Fakultätsaufbau zu sichern[172]. Von hier aus gewann die Erziehung und Schulung ihr neues Zentrum, und die alte Universitas wurde als einheitliches Bildungsinstitut bewahrt. Philologie und Philosophie, die Verbindung des Göttinger Neuhumanismus mit dem Weimarer Klassizismus der Goethe und Schiller und der idealistischen Philosophie, *Griechentum* und *Nationalliteratur* wurden zum Substrat der *allgemeinen Bildung,* dem Pendant der Fachschulung, und die Bürokratie, die sich in Preußen als der „allgemeine Stand"[173] fühlen konnte, ist ihr vornehmster Träger. Offiziere, Minister, Beamte, Salon-Intelligenz – kurz die *neue Gesellschaft* mischte sich unter die studentischen Hörer, um die Ideen der neuen Männer[174] aufzunehmen; die *Bildung* wurde zur Legitimation der geistigen Führerschicht des Bürgertums, die zugleich Distanz schaffte gegenüber den *Ungebildeten,* die kraft Besitzlosigkeit oder kraft ökonomischer Unabkömmlichkeit zum Beispiel als Unternehmer keinen Zugang zu ihr hatten.

Zusammenfassend können wir sagen: Wir umschrieben die Situationsfaktoren, die der Universitätsintelligenz Zugangschancen bestimmten zu liberalem Denken, zentriert um aktuelles Leistungs- und Orientierungswissen zum *ökonomischen Liberalismus,* zentriert um historisch-philosophische Literaturbildung zum *Kulturliberalismus* tendierend. Der ökonomische Liberalismus verwies auf die Verbindung zwischen Bürokratie und Marktinteressenten, der Kulturliberalismus auf die Verbindung zwischen apolitischem gebildetem Adel und vornehmer bürgerlicher Intelligenz, sei es an der Universität, in der Bürokratie, in urbaner Salongeselligkeit oder der politisch leidenschaftslosen Atmosphäre kleiner Residenzen wie Weimar. Es bleibt uns, jene Gruppierung herauszustellen, die ohne soziale Anlehnung an die durch Besitz, Amt oder Standesehre positiv privilegierten Schichten sich kultivierter Gemessenheit entzog und gegen alles rebellierte, was in die alltägliche Regelmäßigkeit ständischer Ordnungen gefaßt war: *die studentische Verbrüderung.*

Seit den siebziger Jahren trat die neue Bewegung gegen die überkommenen Orden, Landsmannschaften oder Kränzchen auf. Hatten sie das Zusammentreffen der verschiedenen sozialen, staatlichen und landschaftlichen Gruppen von außen reguliert, so entstand die neue Gruppierung durch ein positiv-wertiges Erleben des Fremden und der anpassenden Verschmelzung mit ihm; im Freundschaftsbund wurden die Distanzierungsakte, die sich auf staatliche, landschaftliche, ständische, auf Geschlechts- und Altersunterschiede gründeten, in einer Rauschbeziehung[175] abgebaut. Sie wurden als scheinhafte Entfremdungsformen verworfen, und mit der Kritik der lästigen Konventionen und Standestugenden wurde das von ihnen gesteuerte Triebleben freigesetzt; der *Sturm und Drang* legitimierte mit der Parole des *Genies* das Abbrechen ständisch vorbestimmter, konventionell geregelter Lebensführung in Kleidung, Sprache oder dergleichen. Zugleich wurden die überlieferten literarischen Muster verworfen. Um Klopstock geschart, bekämpfte man den höfisch-feinen Wieland. Die aus ihren Ständen ausgebrochenen Individuen – das gilt für Voss, den Sohn des Leibeigenen, wie für die reichsunmittelbaren Grafen von Stolberg – tasteten im exaltierten Abbau der eigenen Standestradition nach Formen für die zu neuer Gemeinschaft drängenden Gehalte. Zur gleichen Zeit gründete Hans von Held[176] in Frankfurt an der Oder den Amicistenbund; der Pastorensohn Jahn, der spätere „Turnvater", war Mitglied[177] und hatte an zehn Universitäten den Umgang mit Fremden gesucht; 1801 schrieb er aus Frankfurt: „Da die Kränzchen bloß aus Leuten einer Gegend sich rekrutieren, so kann ein Hauptzweck des akademischen Lebens, die Abschleifung durch den Umgang mit Fremden, nicht erreicht werden. Der Kränzchengeist macht ungesellig gegen jeden, der nicht mit aus einer Gegend ist: weil ihren Gesetzen zufolge ein Kränzianer mit keinem fremden Landsmann als Stubenbursch zusammenwohnen, viel weniger vertraute Freundschaft mit ihm schließen darf. Kein

Freundschaftsbund knüpft die Mitglieder aneinander, sondern das Schwert. Wer das Kränzchen verlassen will, muß mit dem Senior und den vier Conseniores sich duellieren."[178] Die Namen der Amicisten, Konstantisten, Unitisten, die Wahlsprüche, Tagebucheintragungen und Geheimzeichen – in den „Quellen und Darstellungen zur Geschichte der Burschenschaft"[179] findet sich reiches Material – verweisen auf den Zusammenhang mit den geheimen Gesellschaften des 18. Jahrhunderts, auf die norddeutschen Freimaurerlogen und die süddeutschen Illuminaten[180]. Doch ist die bündische Studentenbewegung als selbständige Bewegung anzusehen. Die demokratisierende Tendenz des Freundschaftskults deckte sich mit gleichgerichteten freimaurerischen Bestrebungen, hatte aber nicht jenes Gegengewicht der „Hierarchie der Weihen und religiösen Rangordnungen"[181], die selbst Fürsten anziehen mochten. Auch aus der Freundschaftssentimentalität des ökonomisch abkömmlichen und gebildeten Adels wurde diese Verbrüderung seelisch gespeist, die immer wieder in der materiell und seelisch ungesichert situierten Amtsanwärterschaft, den ausbrechenden Theologen besonders, ihr revolutionäres Ferment fand.

Die Aufnahme alter animistischer Prozeduren bei der Schließung der Freundschaft, wie Mischung von Blut oder Speichel, Mondscheintänze[182] und dergleichen darf nicht darüber hinwegtäuschen, daß es sich um eine moderne Vergemeinschaftungsform handelt, die nur zur symbolischen Form denaturiert beschwor, was ehedem als magisches Ritual den Status-Kontrakt bewirkte. Während man in jenem Kontrakt etwas qualitativ anderes „wurde" als bisher, und „die Beteiligten ... eine andere ‚Seele' in sich einziehen lassen"[183] mußten, verband man sich jetzt auf Grund gemeinsamer Orientierung an literarischen Werten, auf Grund gemeinsamer Gesinnung und stellte „fortan ein neues, in bestimmter Art sinnhaft qualifiziertes Gesamtverhalten zueinander in Aussicht". Voraussetzung war, daß die Einzelnen nicht mehr in gänzlicher Dekkung mit der sozialen Position waren, daß sie sich nicht identifizieren mit den durch Etikette, Konventionen usw. für sie entseelten Formen, daß sich Einsamkeitserlebnisse bildeten. Die Freundschaft stellte ein seelisches Reservat dar gegenüber den alltäglichen Verkehrsformen; nicht urwüchsig-naives Zueinandergehören der Sippengenossen konstituiert sie, sondern sie ergibt sich stets neu aus der problematischen Vergemeinschaftung individualisierter Menschen, problematisch, weil die Freundschaft nur im gegenseitigen Sichsuchen, Sichangleichen Bestand hat. In diesem Sinne wird man von *Freundschaft* erst seit der Renaissance sprechen können. Sie trug ihre Stigmata von der Orientierung der humanistischen Literaten zum Mäzen. Bacon schrieb ihr trotz aller Vertiefung und Abhebung eines individuellen Selbst von der sozialen Stellung als einer äußeren Maske noch wesentlich pragmatische Dienste zu[184]. Im 18. Jahrhundert entstand ein wahrer Freundschaftskult, der wesentlich von dem apolitischen Adel getragen wurde. Durch pietistischen Einfluß, dessen Praxis geschärfter Selbstreflektion, mochte die Verbindung zum psychologischen Raffinement führen.

Neben der *sentimentalen* Freundschaft[185], wesentlich Korrelat der Vereinsamung innerhalb höfischer Formen, stand die *Gesinnungsfreundschaft.* Ergab sich in der Sentimentalität nichts als eine seelische Bloßlegung[186], die in Ermangelung eines festgehaltenen Gegenstands ins Leere oder in die Langeweile führte, so wurde die Gesinnungsfreundschaft zur Stütze für diejenigen, denen Standeszugehörigkeit kein letztlich verpflichtendes Richtmaß des äußeren und inneren Lebensaufbaus sein konnte, die unter dem *Menschen* alle Sehnsüchte meinten, die der ständisch begrenzte *Bürger* nicht erfüllen konnte. Der *Mensch* wurde als Parole eines ganzen und *natürlichen* Lebens dem zerstückelt-bornierten und *künstlichen* Leben entgegengesetzt; „Sei ein Mensch!" bedeutete in seiner psychologischen Konsequenz die stete Aufforderung, sich zu distanzieren von ständischen Begrenzungen, sich loszulösen von der seelischen Verbindung mit der kleinstädtischen Nachbarschaft. So allgemein gefaßt reichte die Rolle der Freundschaft weit über die Universität und über die studentische Verbrüderung hinaus; doch halten wir es für angebracht, an dieser Stelle *die Freundschaft* zu streifen, weil sie für die *Jugend*, zumal in der Pubertät, besonderes Gewicht hat, und weil für die *Studenten* in ihrer Abgeschiedenheit von Berufspflichten und der minimalen Eingliederung in institutionelle Gebilde die Freundschaft zum dominierenden sozialen Verband werden konnte[187]. Wann und wo setzte für den Einzelnen die Loslösung vom Stande ein? Die Instanz, die ihn *von Haus aus* band, war die Familie, bestimmter: der Vater. In Konflikten zwischen Vater und Sohn – sie mochten sich ergeben aus der Auflehnung des Reifenden gegen die Autorität des Älteren und aus jener *Umbruchsituation* heraus, von der wir oben sprachen, kurz gesagt: aus der Verselbständigung und Individualisierung – bot die Freundschaft die seelische Stütze, ja diese erste außerfamiliale Verbindung bot erst die Chance für die seelische Gestaltung und Verfestigung eines individualisierten Selbstgefühls und -bewußtseins. Von der Freundschaft her konnte die Autorität des Vaters abgebaut werden. Es ist oft betont worden, daß mit dem Sinken der väterlichen Autorität auch die Autorität des *Landesvaters* sank und umgekehrt die Schwächung des Glaubens an einen persönlichen Gott damit Hand in Hand ging[188]. Von hier aus klärt sich die bündische Struktur der studentischen Verbände auf, wie sie in reinster Form im Bund der „Gießener Schwarzen" ausgeprägt wurde und zu besonderer Bedeutung kam durch die Ausbildung eines spezifisch politischen Pathos.

Die staatlichen Verschiebungen und Reformen der Beamtenorganisationen im Gefolge des Reichsdeputationshauptschlusses (1803), der Zusammenbruch Preußens und sein Neubau ebenso wie der Sturz Napoleons mußten der autoritär-traditionalistischen Einstellung großen Abbruch tun, zumal bei der Generation der in den neunziger Jahren Geborenen[189], denen die Freiheitskriege zum ersten entscheidenden politischen Erlebnis werden mußten; sie schwärmten nicht lediglich kontemplativ für die Freiheit wie die um 1770 Geborenen beim Bastillesturm, sondern sie beteiligten sich am Befreiungskampf. Zum Beispiel hatte der neunzehnjährige Hallische Theologe Johann G. Chr. Wenzel, später Sprecher der „Teutonia" in Halle, „die Feldzüge 1813/15 als Offizier im ersten Mecklenburgischen Landwehrbataillon mitgemacht"[190]. Paul Follen, der jüngere Bruder des Gießener Burschenschaftsführers, nahm gar als fünfzehnjähriger Freiwilliger an der Verfolgung der Franzosen 1814 teil und kehrte verwundet zurück[191], und Immermann führt mit gutem Grund in seinen „Epigonen" als „die gewöhnliche Geschichte eines unserer jungen Männer" ein: „Hermann hatte als Siebzehnjähriger den Befreiungskrieg mitgemacht, als Zwanzigjähriger auf der Wartburg gesengt und gebrannt und war dann auch in jene Händel geraten, welche die Regierungen zu sehr beschäftigt haben."[192] Die Hungersnöte zu Beginn des Jahrhunderts und der Jahre 1816/17, die politische und ökonomische Dynamik und die kriegerischen Wirren mußten das Prestige der Jugend steigern und ihr Selbstgefühl stärken[193]. Umso bedeutsamer wurde für sie der Rückschlag, die Enttäuschung durch die Restauration. Wenig anpassungsfähig, wenig geneigt zum Kompromiß[194], wurde der politisch aktivierte Flügel in dem Maße revolutionär, wie die Möglichkeit schwand, sich mit staatlichen Anstalten, Fürsten und sonstigen Politikern zu identifizieren. Die seelische Ablösung von allen *äußeren* Institutionen, die in Gießen besonders durch den bedeutenden neuhumanistischen Schiller-Verehrer Friedrich Gottlieb Welcker[195], den Bruder Karl Theodor Welckers, auf dem Gymnasium vorbereitet worden war, führte zu einer ungewöhnlichen Verdichtung des bündischen Zusammenschlusses[196] und zu einer besonderen Hochstellung Karl Follens[197], dem Führer der „Unbedingten"; auf ihn wurde die Vateridentifikation der Mitglieder sozusagen ‚restlos' übertragen. Man schloß sich streng ab von der Umwelt, und der ethisch-rigoristische Kampf gegen den Pennalismus, gegen das Duellwesen, das Kant als einen „elenden Rest" der alten Ritterschaft unter die „Fratzen" zählte[198], schloß nicht aus, daß man sich zur Wehrhaftigkeit bildete und sich mit der Waffe in der Hand verteidigte[199]. So hervorragend gerade Follens Figur sich abhob, sein Ziel war nicht eine Verbindung selbständiger Individualitäten, die durch gegenseitige Anpassung und Gewöhnung sich zusammenfinden, er entfachte den Funken mystischen Gemeinschaftserlebens, das das Individuelle als leere Schale stehen läßt, wenn die verbrüdernde Ekstase erloschen ist[200]. Er war ein Schwarmgeist; historische Erinnerungsbilder und Naturszenen wurden zu Requisiten dämonischer Gemeinschaftsbeschwörung[201]. Rationale Wachheit und schwärmerischer Enthusiasmus gingen Hand in Hand, und immer wieder suchte er nach einer Gemeinschaft, die in allen Lebensbereichen gegründet sein sollte in reiner Innerlichkeit, wie sie manchmal in der intimen Freundschaft zutage treten mag[202]. Karl Ludwig Sand[203] wurde in Jena Follens besonderer Freund und Schüler. Die Vorstellung einer geschichtlich zudiktierten Opfer- und Heldenrolle führte ihn in seelische Zwangszustände, wie sie Dostojewski zum Beispiel im „Raskolnikow" beschrieben hat[204]. Abstandslos wurden künstlerische oder historische Figuren zu vorbildlichen Gestalten eigener Lebensführung. Die Grenzen zwischen Wirklichkeit und Dichtung schwanden im Bewußtsein[205]. Man interpretierte sich selbst und seine Partner in den abstrakt idealistischen Personentypen Schillerscher Dramen, was dem jugendlichen Bedürfnis nach unkompliziert-entschiedener Eindeutigkeit und dem ethischen Rigorismus kleinbürgerlicher Intelligenz entsprach[206]. Sehr schlicht löste sich das politische Feld auf in die „Tyrannen"[207] und das nach Freiheit und Einheit sich sehnende „Volk", als dem nicht durch Zivilisation verderbten menschlichen Naturdasein im Sinne Rousseaus. Die Tyrannen sind gedeckt durch die Schar der Intriganten, der Höflinge und Beamten, die eigensüchtig und ohne Zusammenhang mit dem Volk als ihre Werkzeuge figurieren[208]. Ihnen gegenüberzutreten ist unbedingte[209] Pflicht der überzeugten[210] Freiheitshelden, die durch ihren Kampf „tragische Schuld" auf sich laden und durch ihren Märtyrertod[211] der „Volksfreiheit" zum Siege verhelfen. Weniger ein in Gesinnung festgehaltenes Prinzip entscheidet, als vielmehr die ins Psychologische reflektierte Haltung. Christus als Prophet und Führer seiner Jüngerschaft, antike Freundespaare und Tyrannenmörder als Rächer des Volkes, Schillers „Tell" oder Winkelried waren Hauptrollen, mit denen man sich identifizierte; Rollen, die im Gefolge der religiösen Erweckungserlebnisse nach dem Krieg im Neuhumanismus und im Theater als „moralischer Anstalt" in das Bewußtsein traten[212]. Der *Sturm und Drang* hatte bei der Zerschlagung der vom barocken Trauerspiel überkommenen Personentypen[213] selbst *außergesellschaftliche* Typen wie die Kindesmörderin oder die Räuber als extremste Figuren literaturfähig gemacht; wo die Grenzen zwischen Literatur, Historie und Realität schwankten und man sein Wesen gerade in Rollen suchte, mochte man sich selbst als ‚Räuber' stilisieren. Er erschien wohl als *Märtyrer* der zivilisierten Gesellschaft, in unberührter Natur beheimatet, dem *Volk* im obigen Sinne verbunden; mit Recht bemerkt Bloch, daß revolutionäre Volkshelden immer wieder in der ihnen freundlichen Erinnerung Züge des großen Räubers erhalten[214].

Je geringer die Chance wurde, für solche Einstellung auf ein breites Aktionsfeld zu stoßen und im Wirken sich zu bilden[215], je unbegreiflicher der nach innen gerichteten Selbstbetrachtung die Situation entgegenstand, umso starrer wurde die Haltung selbst festgehalten[216]. In Anknüpfung an die aktivistischen und solipsistischen Züge der Fichteschen Lehre – Fries in Jena vermittelte sie – gab man den Glauben an inhaltlich bestimmte Normen preis, die den *Fortschritt* bahnen konnten. Durch die gute Absicht und das Harren auf den nahe bevorstehenden Durchbruch des revolutionären Volkes legitimierte man die *action directe,* das Attentat, den individuellen Terror des Überzeugungstäters[217]. Sands Attentat auf eine politisch so gewichtlose Figur wie die Kotzebues zeigt das fehlende politische Augenmaß und den ethischen Rigorismus, wie er dem Erlösungsbedürfnis kleinbürgerlich-proletaroider Intelligenz aus seelischer und materieller Not eigentümlich ist, sofern sie sich nicht quietiv-okkultistischen Strömungen zuwendet[218]. Es wäre falsch, der *Jugend* allein die politische Produktivität zuzurechnen. Von Anfang an stand ihre Bewegung unter dem Einfluß so bedeutender Führer wie Jahn und Arndt. Hatte bislang der plebejisch-proletaroide Teil der Intelligenz, er mochte sich rekrutieren aus Journalisten, Hauslehrern, Sekretären und Subalternbeamten, keine eigenen Formen entwickelt und vergeblich die ihm unverständlichen und undemokratisierbaren Formen der vornehmen Beamten und Residenzliteraten nachgeahmt, so entwickelten Jahn und der bäuerliche Arndt[219] im *Teutonismus* eine selbständige

Form, die der Studentenschaft weitgehend genehm war. Mochten auch adelige Überläufer der Burschenschaftsbewegung angehören, für die soziologische Zurechnung entscheidend ist, daß ihre aktivsten Elemente, besonders die „Gießener Schwarzen“, kleinbürgerlich-proletaroiden Schichten, besonders der städtischen und patrimonialen Subalternbürokratie entstammten und von dort sympathisierende Unterstützung fanden[220]. Auch der während der Restauration stärker aufflammende Antisemitismus[221] als Gegnerschaft der Nationaldemokratie gegen die ihr nicht assimilierbare Judenschaft, gegen die jäh aufgestiegenen Finanziers der restaurierten Fürsten wie die Rothschilds[222] trug durchaus plebejische Züge im Gegensatz etwa zu der vornehmen Berliner Salonintelligenz der Romantik. Gewiß ist mit dieser groben Aufteilung der Intelligenz einer bunten Reihe gleitender Übergänge vorgegriffen, und eine soziologische Interpretation zum Beispiel von „Fichtes Leben und literarischem Briefwechsel“ würde zeigen, daß nur eine extreme Gruppierung damit bezeichnet ist und jeder einzelne Aufstiegsweg eine Fülle weiterer Bestimmungen erfordert. Fragen wir aber nach der Situation der Oken, Luden, Fries, nach den Weimarer Journalisten Ludwig Wieland und Karl Bertuch, mit denen sie kooperierten, so bot sie kaum Aufstiegschancen, wie sie die Jenaer Fichte, Schiller und Feuerbach gefunden hatten, sie waren eher geneigt, mit der plebejischen Intelligenz zu fraternisieren.

Wie standen die Bünde im politischen Kraftfeld? „Als aufklärerische Gegner der althergebrachten Universitätssonderrechte mußten sie dem Absolutismus willkommen, als Träger liberal-demokratischer und (was im damaligen Deutschland den Regierungen gleich gefährlich war) je nachdem nationaler oder internationaler Ideale aber mußten sie diesem Absolutismus wieder ebenso bedenklich sein.“[223] Dies im Grunde einfache Schema erlaubt die Phasen zu bestimmen. Solange und soweit im Vordergrund *Sittenreform* stand, deckten sich die Bestrebungen der bündischen Bewegung mit denen der modernen Professorenschaft und dem Interesse der Regierungen an einer disziplinierten Studentenschaft. Sobald in der Zeit der Erhebung und der Freiheitskriege in Preußen von seiten der Reformbürokratie die politische Vereinsbildung befördert wurde, war auch die Bewegung der akademischen Jugend willkommen. Als sie jedoch unter der Restauration soweit erstarkte, daß eine ‚Reichstagung‘ wie das Wartburgfest 1817 mit Unterstützung liberaler Professoren abgehalten werden konnte[224] und man plante, sich quer durch die Staaten zu organisieren; als der liberalen Öffentlichkeit das wachsende Prestige der Jugendbewegung zugute kam und diese wiederum von der oppositionellen Presse unterstützt wurde, benutzte man, alarmiert durch Sands Attentat, den Anlaß, die junge Bewegung auf Geheiß Metternichs zu unterdrücken. Auszurotten war sie nicht. „Denn jene empörten Jünglinge waren die tapfersten und reinsten unter ihren Genossen.“[225] Wer sich nicht dem *unpolitischen* Interessentenliberalismus zuwandte, der in Friedrich List seinen weitblickenden und begabten Organisator fand, rettete im Philhellenismus[226] die nationalen und freiheitlichen Ideen. Die Julirevolution signalisierte eine neue Phase der Bewegung; als sich der polizeiliche Druck in Deutschland lockerte, zeigte sich, daß die Politisierung weitere Jahrgänge der Jugend erfaßt hatte; neben die Studentenbünde traten Schülerbünde, und die Studenten suchten bewußten Anschluß an die breiten oppositionell gestimmten Schichten, an die Subalternbürokratie und die Bauernschaft. Radikalere Parolen wurden weiter gegeben, besonders im Hessischen fand man den Anschluß an Handwerkerkreise. 1834 streute man Georg Büchners „Hessischen Landboten" aus, in dem es hieß: „Das Gesetz ist das Eigentum einer unbedeutenden Klasse der Vornehmen und Gelehrten, die sich durch ihr eigenes Machwerk die Herrschaft zuspricht."[227] Der Liberalismus wurde von sozialistisch anarchistischen Strömungen angegriffen, noch ehe er selbst widerstandsfähig werden konnte. Christlich-mystisches Erbe wurde aktiviert und der Intellektuellen-Chiliasmus verbündete sich mit dem autodidaktischen Handwerkskommunismus und richtete sein Manifest an die geknechtete Volksarmut als dem *corpus mysticum* weltgeschichtlicher Auferstehung zur Freiheit: „Deutschland ist jetzt ein Leichenfeld, bald wird es ein Paradies sein. Das deutsche Volk ist ein Leib, ihr seid ein Glied dieses Leibes. Es ist einerlei, wo die Scheinleiche zu zucken anfängt. Wenn der Herr euch sein Zeichen gibt durch die Männer, durch welche er die Völker aus der Dienstbarkeit zur Freiheit führt, dann erhebet euch und der ganze Leib wird mit euch auferstehen."[228]

3. Der Hofmeister[229]

Bot sich dem besitzlosen Intellektuellen nach der Universitätszeit keine Stelle, so suchte er sich als Hofmeister während der Karenzzeit durchzuschlagen. So vielfältig auch die Geschicke der Stellung waren, so bieten sich doch einige Konturen einer Lebensweise, die nicht lebenslänglich fixiert und nicht institutionell garantiert war. Gerade das Enthobensein aus dem Bereich ständisch genormter und institutionell gebundener Verhaltensweisen liefert uns den Schlüssel zum Verständnis einer völlig labilen Situation, die den Intellektuellen sozial isolierte und in den ‚Lücken' des ständischen Gefüges plazierte. Der Hinweis darauf, daß Kant, Fichte, Hegel, Schleiermacher, Jean Paul, Hölderlin Hofmeister waren – und um einige Liberale zu nennen: Kunth, Kraus, Benzenberg, Weitzel –, mag genügen, um diese Lebensstation als bedeutsam *gesondert* zu bezeichnen[230]. Solange die Schulen und Universitäten nicht durch staatliche Prüfungen den Zustrom eindämmten und sich kein proportional wachsendes Ämterangebot fand, strömten die Amtsanwärter, sie waren meist Kandidaten der Theologie, in die Reihen der Informatoren und Hofmeister[231]. Ihr wachsendes Angebot und ihre Konkurrenz bedingte ihre Anspruchslosigkeit[232]. Die sozial tiefer stehenden bürgerlichen Stände konnten dem Adel folgen und ihre Kinder durch Informatoren für die Universität vorbereiten lassen. Der Zustrom von der Universität hielt an, so entstand ein Zirkel, der zunächst unausweichlich den Druck des Gefüges an dieser Stelle konzentrierte. „Nicht nur

Edelleute, sondern auch Beamte, Pächter und Prediger auf dem Lande, und in den Städten sogar Werksleute wollen Informatoren oder, wie diese sowohl als jene sagen, Hofmeister für ihre Kinder haben."[233]

Die soziale Stellung des Zöglings bzw. seiner Familie strahlte zurück auf den Hofmeister. Der Unterschied zwischen dem adeligen und dem bürgerlichen Zögling bedingte zwei Typen von Hofmeistern. Für den adeligen Zögling stand die Übertragung ständischer Kultivationsform und Lebensführung im Vordergrund der Erziehung. Vor allem diente die *Kavaliertour* diesem Ziel; Leistungswissen im Sinne methodischer, kontinuierlicher und disziplinierter intellektueller Arbeit stand im Hintergrund oder wurde in gewissem Grade beiläufig erworben. Der *Hofmeister* war vor allem Reisebegleiter, er verwaltete die Reisekasse, organisierte die Reisen und Aufenthalte, sorgte für die rechte Gesellschaft und Geselligkeit, alle Anliegen feudal-ständischer Ostentation in Hinsicht auf Dienerschaft und Auftreten lagen in seiner Hand. Von ihm unterschied sich der *Informator* des bürgerlichen Zöglings, dessen Unterricht vor allem orientiert war an Wissenserwerb und Intellektbildung. „Es werden zwar heutigen Tages die Informatoren ehrenhalber Hofmeister genannt, es ist aber unter einem Informator und Hofmeister ein wirklicher und merklicher Unterschied. Ein *Informator* beschäftigt sich vornehmlich mit dem Unterricht der Kinder und mit der Aufsicht über dieselben. Er nimmt zwar auch an ihrer Erziehung teil, diese aber wird hauptsächlich von den Eltern, Anverwandten und Vormündern besorgt. Ein *Hofmeister* geht mit dem ihm untergebenen Jüngling oder jungen Herrn auf Ritterakademien, hohe Schulen und Reisen in auswärtige Länder. Er ist zwar nicht ganz, oder doch nicht allemal von der Unterweisung seines Untergebenen frei, seine Hauptgeschäfte aber sind der Aufseher, Anführer, Ratgeber, Freund, Gesellschafter, Weisheitslehrer, Helfer und Haushälter des Untergebenen zu sein."[234] Gegen Ende des Jahrhunderts prägte sich die Scheidung im selbstbewußteren großstädtischen Bürgertum schärfer aus, an die Stelle der alten Bezeichnung setzte man den Titel *Hauslehrer*. „Sonst gab jeder Krämer seinem Informator den Titel Hausmeister, jetzt hat der Hauslehrer den Hofmeister verdrängt, in der Sache hat sich wenig geändert."[235] Die Reisehofmeisterstellen waren natürlich die gesuchtesten. Fichte erwog den Plan, „einige Jahre junge Kavaliere auf Akademien oder Reisen zu führen", als er des Informatorlebens in Zürich, wo er fast zwei Jahre war, überdrüssig war. Lavater sollte ihm eine Prinzenhofmeisterstelle vermitteln, wollte er doch „keine obscure Rolle mehr spielen, keinen Informator der zarten Pflanzen eines petit bourgeois oder eines filzigen Krautjunkerleins mehr machen"[236]. Um einige Beispiele anzuführen: Christian Jakob Kraus begleitete adelige Studenten zur Universität Göttingen und betreute sie dort, ebenso begleitete der nach England ausgewanderte Prediger Wendeborn einen jungen Engländer dorthin. Campe reiste mit Wilhelm von Humboldt nach Paris, Christian Friedrich Weisse mit dem Grafen von Geyersberg nach Frankreich, Karl Ritter, ein Schüler Salzmanns, begleitete den Freiherrn von Bethmann-Hollweg nach Halle, nach Genf und Rom, dann nach Göttingen zum Studium.

Die Stellen wurden durch Empfehlung, Bekanntschaft, Konnexion und dergleichen vermittelt, alle Kreise der Intelligenz bildeten die Brücke zwischen Angebot und Nachfrage: vom ländlichen Klerus, bürgerlicher oder adeliger Beamtenschaft über die Hofpoeten, Sekretäre und Berufspolitiker in fürstlichen, adeligen oder ständischen Diensten zum Professor, Literaten und Verleger. Schiller vermittelte eine Stelle für Hölderlin bei Frau von Kalb, die sich bemühte, „den spröden Schwaben in Beziehung zu den literarischen Verhältnissen zu setzen. Der Dichter vergalt ihr durch gewissenhafte Erfüllung seiner Pflicht bei ihren Knaben"[237]. Kant vermittelte einige Stellen, Fichte wandte sich, wie oben erwähnt, an Lavater und an den Geheimrat von Callenberg. Christian Gottlieb Heyne bekam durch seinen Lehrer Ernesti eine Stelle bei einem französischen Kaufmann in Leipzig. Besonderes Prestige hatte Christian Felix Weisse, der Freund Gellerts und Garves; sein Ruf war „so weit verbreitet, daß man sich sogar aus fremden Ländern an ihn wandte, um Hofmeister von ihm zu erhalten"[238]. Neben ihm ist der Popularphilosoph Engel besonders wegen seiner Beziehungen zum preußischen Hof zu nennen, „namentlich erhielt er oft von auswärts Aufträge, junge Leute als Hofmeister, Sekretäre oder dergleichen vorzuschlagen"[239]. Gellerts Ruf dokumentiert sich in Jean Pauls „Geträumten Schreiben an den seligen Professor Gellert, worin der Verfasser um einen Hofmeister bittet": „Da es auf jeder Universität pädagogische Grossierer und Lieferanten von Lehren weniger als ganzen Lehrern gibt, und Sie ohnehin dieses Patronat-Recht, Hofmeisterstuben zu besetzen, schon vor Ihrem Tode ausübten: so wüßt' ich nicht, warum es jetzt nicht besser abliefe ... Bei einer so ausgebreiteten Bekanntschaft, als Ihnen Ihre posthuma auf mehren Planeten erwerben mußten ... kann es Ihnen in unserem Sonnensystem zur Wahl an Leuten und Kandidaten nicht fehlen."[240] „Viele Eltern tragen dem Prediger des Ortes oder dem Aktuarius oder dem Schreiber zuweilen auch dem Kammerdiener auf, einen Lehrer zu verschreiben, der alle möglichen Qualitäten besitze."[241]

Fichte und Hegel hatten Stellen in der Schweiz, desgleichen Herbart und Hölderlin, dann finden wir Hegel und Hölderlin in Frankfurt a. M., ja im Winter 1801/1802 wanderte Hölderlin zu Fuß nach Bordeaux über die „gefürchteten überschneiten Pässe der Auvergne", um bei dem Hamburger Konsul eine Stelle anzunehmen[242]. Johannes Schulze[243] war in Schlesien und Weimar, Fichte auf Krockow bei Danzig, Elbersdorf, Wolfisheim, Oeltzschau, von Zürich machte er sich auf nach Warschau. „So abgeneigt ich auch dem Stande des Hauslehrers geworden war, so übernahm ich doch den Antrag, in Anbetracht der ziemlich vorteilhaften Bedingungen, die mir gemacht wurden." Diese Stelle bekam er allerdings nicht. „Ich lange an, Madame ist indessen das Gelüst nach einem deutschen Erzieher vergangen: ich soll ein Franzose sein, was ich unter allen existierenden Dingen am wenigsten bin."[244] Bei der Vorbildlichkeit des französischen Hofes für den kontinentalen Adel war die französische Sprache unbedingtes Erfordernis. „Unter den auswärtigen europäischen Sprachen ist die französische die beliebteste, und gemeiniglich wird gewünscht, oftmals auch schlechterdings verlangt, daß ein Informator in derselben mit Fertigkeit reden und schreiben könne. Da nun eine solche Fertigkeit auch ihren anderweitigen beträchtlichen Nutzen hat und die Informatorstellen, zu welchen sie unumgänglich gefordert wird, gemeiniglich viel einträchtlicher sind als andere, so ist es der Mühe und Kosten wert, sich derselben zu befleißigen."[245] Das bedeutete eine starke Konkurrenz französischer Sprachlehrer und Gouvernanten in Deutschland, die die Chance hatten, gerade die besseren Stellen in adeligen Familien zu besetzen. Hans von Gagern zum Beispiel hatte den französischen Hofmeister Midart[246]. Kunth erwähnt die „Töchter berlinischer Bürger von der französischen Kolonie"[247]. Die Konkurrenz der deutschen Intellektuellen auf dem Stellenmarkt gegen das französische Angebot fand gegen Ende des Jahrhunderts einen Koinzidenzpunkt mit der Konkurrenz mancher Verleger-Kapitalisten gegen das französische Warenangebot, wie sie Bertuch in Weimar propagierte[248]. Der aufkommende, vorzüglich an der Sprache orientierte deutsche Kulturpatriotismus der letzten Jahrzehnte des 18. Jahrhunderts mag mit aus dieser Konkurrenz erklärt werden.

Während sich der Handwerkergeselle zur Zeit der Zunftschließung auf seiner erzwungenen Wanderschaft im allgemeinen in der gleichen sozialen Schicht bewegte, in dieser *horizontalen Mobilität* formal dem reisenden Adeligen verwandt, hatte der Hauslehrer die Chance, in verschiedenste soziale Schichten zu gelangen, zwar nicht als Standesmitglied, sondern als zeitweiliger Besucher. *Horizontale* und *vertikale Mobilität*[249] eröffneten ihm ein weites Feld sozialer Erfahrung. Der Adel in seinen verschiedenen Gruppen des junkerlichen Landadels, renterischen Residenzadels, des Beamten- und Offiziersadels, die kleinstädtischen Honoratioren, das Krämertum, die Familien des bürgerlichen Pächters oder Rittergutsbesitzers und des Pfarrhauses, das bürgerliche Geschlechter- und Kaufmannspatriziat standen dem Kandidaten offen. Die theologischen Kandidaten der Universität Halle hatten eine besondere Chance, beim pietistischen Adel unterzukommen[250]. Verarmter Reichsadel, etwa wie die von Massenbachs, begnügten sich mit einem verbummelten Studenten[251].

Die Stellung des Hofmeisters hing nun ab von der jeweiligen Form der Familie, die in den verschiedenen Schichten verschieden gefügt war und bei der allgemeinen Umwandlung der Gesellschaft innerhalb der gleichen Schicht in bestimmten Grenzen variierte. Erst eine eingehendere Untersuchung der Familientypen im Zusammenhang mit der Umwandlung des ständisch-sozialen Aufbaus könnte eine exakte Untersuchung der Stellung des Hofmeisters ermöglichen. Unsere Bemerkungen können nur ein tastendes Hinweisen sein auf ein nicht zu unterschlagendes Glied der Verkettung, das uns genauerer Forschung noch wert erscheint.

Es wäre falsch, die Aufnahme in eine auf der sozialen Stufenleiter höher stehende Familie unmittelbar als *Aufstieg* zu bestimmen. In der ungebrochen traditional-patriarchalen Landadelsfamilie mit eindeutig autoritärer Stellung des Hausherrn gegenüber der Frau, den Kindern und dem Gesinde konnte der Intellektuelle deklassiert werden. Es konnte dem Hauslehrer mißlingen, die Achtung des Zöglings – er fand in seinem sozialen Rang und dem Schutz der Mutter starke Stützen – zu erwerben, junkerliche Verachtung pädagogischer und intellektueller Leistung mochte dazu kommen und es dem Hauslehrer unmöglich machen, den Widerstand des Zöglings zu brechen. Waren die Kinder selbst gering geschätzt, so rangierten sie in frühem Alter dem Gesinde gleich, die Söhne gewannen an Position mit wachsendem Alter; generell höher gewertet wurden die Kinder erst mit dem Aufstieg der Frau innerhalb der Familie. Die Hochschätzung der Frau als Mutter und der Aufbau einer spezifisch familiären seelischen Verbindung zwischen den Eltern und zwischen Eltern und Kindern war jedoch eine Leistung der modernen bürgerlichen Kleinfamilie und drang erst allmählich und abgewandelt in adelige Kreise ein[252].

Bei geringer Schätzung der Kinder wurde die Erziehung gering geschätzt, und von deren Einschätzung hing wieder die Einschätzung des Informators ab, das heißt, er rangierte sehr tief. Hatte der arme Pastoren- oder Handwerkersohn auf der Universität sich eine ehrenwerte Stellung erarbeitet, im Bereich der akademischen Freiheiten Selbstvertrauen erworben, so wurde er wieder zurückgeworfen. Die Schranken konventioneller Etikette schafften strenge Distanz und umzirkelten scharf einen Raum sozialer Kommunikation, dessen Enge durch die Gewährung von Haus- und Tischgemeinschaft um so empfindlicher war. „An der gemeinsamen Tafel duldete man ihn als ein notwendiges Übel, weil es für die Eltern bequemer war, einem anderen die Aufsicht über die Kinder zu übertragen. Da saß er dann am Ende der Tafel, erhielt dünnen Wein oder gar keinen und mußte hämische Bemerkungen oder ungehörige Späße stillschweigend hinnehmen; als Anrede mußte er sich das geringschätzige ‚Er' gefallen lassen, wohl gar das Zimmer verlassen, wenn Besuch kam." So läßt Lenz die Frau Majorin zum Hofmeister sprechen, der es wagt, sich in ein Gespräch einzumischen: „Merk' er sich, mein Freund: daß Domestiken in Gesellschaft von Standespersonen nicht mitreden. Geh' er auf sein Zimmer. Wer hat ihn gefragt?"[253] Freiherr von Knigge zog in seiner berühmten Schrift „einige Resultate aus den Erfahrungen"; mit dem Stolz eines soziologischen Aventurier sagt er: Erfahrungen, „die ich gesammelt habe während einer nicht zu kurzen Reihe von Jahren, in denen ich mich unter Menschen aller Arten und Stände umhertreiben lassen und oft in der Stille beobachtet habe"[254]. Das aus Empfindsamkeit und Helle gepaarte Urteil des Aufklärers mag obiges belegen: „Es kann mir durch die Seele gehen, wenn ich den Hofmeister in manchen adeligen Häusern demütig und stumm an der Tafel der gnädigen Herrschaft sitzen sehe, wo er es nicht wagt, sich in irgend ein Gespräch zu mischen, sich auf irgend eine Weise der übrigen Gesellschaft gleichzustellen, wenn sogar den ihm untergebenen Kindern von Eltern, Freunden und Bedienten der Rang vor ihm gegeben wird, vor ihm, der, wenn er seinen Platz ganz erfüllt, als der wichtigste Wohltäter der ganzen Familie angesehen werden sollte."[255] Gab es der Hofmeister unter dem allzu großen Druck auf, vor seiner schwer erarbeiteten, mitgebrachten Selbstachtung zu bestehen, paßte er sich durch Selbstverzicht an, so mochte aus ihm eine klägliche Figur werden, wie sie Johann Friedrich Mayen in seinem Freund unvermutet wiederfand. „Ich kam bei guter Zeit, ohne daß mich jemand bemerkte. Ich ging gerade auf den Saal, und schon auf der ersten Stufe hörte ich ein Geschrei und soldatenmäßiges Kommando. Ich blieb stehen, um mich zu besinnen. Ich staunte und war mir auch zugleich lächerlich, als ich meinen Freund unter dem Kommando seines Untergebenen als einen Grenadier erblickte. Ein Degen und Flinte machte ihn beinahe unkenntlich. Er mußte exerzieren, marschieren, sich schwenken, nur fehlte das Prügeln noch ... Er bezeugte, daß er dies aus Not täte."[256] Beim Erlahmen der Widerstandskraft mochte der Hofmeister den Sticheleien der Kinder und des Gesindes erliegen und keinen Ausweg mehr aus seiner Misere finden. „Die Kinder nennen ihn nicht anders als die lateinische Kindermuhme, und die Mägde treiben ihren Spott mit ihm."[257] Es war ein schweres Experimentieren für den Einzelnen, in das jeweilige Milieu sich so einzupassen, daß in glücklich gefundener Distanz ein erträgliches Miteinander sich ergab, und manche programmatische Starrheit mochte scheitern. Hamann schreibt von seiner ersten Hofmeisterstelle bei einer Baronin von B. in Kurland: „Ich hatte mich selbst, meinen Unmündigen und eine ungeschlachtige, rohe, unwissende Mutter zu erziehen. Ich ging wie ein mutig Roß im Pflug mit vielem Eifer, mit redlichen Absichten, mit wenig Klugheit und mit zu vielem Vertrauen auf mich selbst und Zuversicht auf menschliche Thorheit bei dem Guten, das ich tun wollte."[258] Wie sehr trotzige Empfindlichkeit und starkes Selbstbewußtsein in der Konkurrenz um die Autorität gegenüber dem Zögling zu Konflikten treiben konnten, besonders mit der Hausherrin, dafür mag Johann Heinrich Voss' Verhältnis zu seiner „gnädigen Furie" zeugen. Sein Schüler, Junker Adolf, „war zwar gutmütig, aber träge und da er mit ihm in Güte nichts erreichen konnte, drohte er mit Strafen. Als der Knabe erwiderte, Mama hätte das Schlagen verboten, ergriff Voss eine an der Wand hängende Peitsche und führte seine Drohung brevi manu aus, öffnete dabei die Tür und sagte: ‚Schreie recht laut, damit's die gnädige Mama hört!'"[259] Schleiermacher bekam Differenzen mit Graf und Gräfin Dohna wegen der Erziehung, und da er sich nicht dem gräflichen Standpunkt bequemen wollte, schied er zum Bedauern des Grafen von Schlobitten[260]. Fichte kam wie Hamann auf den Gedanken, „daß die Bildung eigentlich bei den Eltern anfangen müsse, und er suchte einen Ausweg ... Die Eltern selbst nämlich über ihr Benehmen gegen die Kinder unter seine Aufsicht zu stellen und darüber ein Tagebuch zu halten, das er wochenweise oft mit scharfen Rügen über ihre Erziehungsfehler der Mutter vorlegte". „Ein Tagebuch über die merkwürdigsten Erziehungsfehler, die meine lieben Prinzipale begehen, in verschiedener Hinsicht angefangen, das hinfürogewiß fortgesetzt werden soll."[261]

In einem anderen Sinn konnte die Stellung zur Dame des Hauses gerade zur Stütze für den Hofmeister werden. Bei dem Zwang zur sexuellen Enthaltsamkeit bestand eine große Chance dafür, daß sich der Jüngling in die kultivierte Dame des Hauses verliebte. Gelang es ihm, die Situation in einer spezifischen seelischen Form zu bewältigen, so wirkte das Engagement an die fremde, sozial höher stehende Frau – darin ähnlich der Liebe des Troubadour – in der

Richtung einer Erlebnistiefe, von der her die Geliebte außeralltäglich und überhöht empfunden wurde. Da es wahrscheinlich ist, daß der Stellenwert der Erotik in der Ordnung der Kulturwerte weitgehend geknüpft ist an die soziale Stellung des begehrten Objekts, können wir in diesem Verhältnis zur sozial höher stehenden, den alltäglichen Funktionen enthobenen Dame einen der Faktoren sehen, die zur Herauslösung des Erotischen aus dem alltäglichen Lebenszusammenhang als einer ihm enthobenen Sphäre führten. Die Sublimierung der Werbung in die Sehnsucht nach der „fernen Geliebten" wirkte mit, der Biedermeierliebe jenen schmachtenden Zug zu verleihen. Wilhelm Heinse verliebte sich in Halberstadt in Frau von Massow[262], Hölderlins Werk weist verehrend auf seinen Ursprung: Diotima. Jean Paul empfand die hochdeutsche Aussprache als „einen Sinnenreiz, den alle Mädchen haben könnten, und den oft in einer Mittelstadt kein einziges besitzt"[263]. Daß der in Weimar ehedem umschwärmte Literat sich am Typ der Hofdamen orientierte, ist offenbar. Fichte nennt Frau von Krockow – sie warf ihm später zuviel Wärme vor – einen „Engel in Menschengestalt", und „es gefällt mir in ihrem Hause so wohl, daß ich nie wünschte, es zu verlassen, wenn das Leben in demselben nicht zu gut wäre und mich an der Ausführung meines Planes, mich zu einem wirklich Gelehrten zu bilden kräftigst verhinderte. Ich lebe in dem Hause des Obristen von Krockow dank sei's seiner vortrefflichen Gemahlin [!] nicht nur so ziemlich, sondern höchst vergnügt. Pläne auf die Zukunft macht unsereiner nicht, aber im Schlaraffenleben taugt unsereiner ebenso wenig, und dazu bin ich so ziemlich auf dem Wege"[264]. Des kultivierenden Einflusses der Hauslehrerschaft, besonders auch der Dame, war sich Fichte bewußt: so bezeugt er von sich, daß er nach dem Abgang von der Universität „einige bäuerliche Manieren" (!) hatte, „die bloß das sehr viele Reisen, das viele Hofmeisterieren in verschiedenen Ländern und Häusern vertilgt haben"[265]. Und später empfiehlt der vom Dorfjungen zum Professor Aufgestiegene seinem Bruder für eine Karriere „das feinere Betragen der großen Welt" und „weiblichen Einfluß"[266]. Es war sicherlich keine leichte Aufgabe für den Kandidaten, sein ungezügeltes Triebleben (halb ländliche Abkunft, niedere soziale Herkunft und akademische Freiheiten!) zu bändigen, zumal wenn er im Alter der Mannwerdung stand[267]. Der Universitätspennalismus, das Korrelat einer massendisziplinierenden Fügsamkeitspädagogik, die wesentlichste Form, in der die alles reglementierende *Policey* dem Untertanen *Freiheiten* einräumte, war in der kultivierten Familie fehl am Platze.

Devote Imitation undemokratisierbarer höfischer Formen gaben dem Kandidaten niederer Herkunft die Züge des Parvenu. Vertrauen erweckendes Entgegenkommen des sozial Höherstehenden ließen äußerste Distanzierung umschlagen in die distanzlose Fremdbrüderlichkeit des Plebejers, die im Verfehlen aller Umgangsform beleidigte. Dies waren die Extreme, denen der Untertan niederer Herkunft verfallen mußte, solange nicht bürgerliches Selbstbewußtsein zu einer eigenständigen Form führte und sofern er nicht das Vorbild eines demokratisierbaren Vornehmheitstypus, wie es der englische Gentleman darstellt, hatte.

Wie deplaziert im damaligen Göttingen jener Typ war, dafür spricht das Zeugnis Feders[268]. Niemeyers Katalog „wünschenswerter Eigenschaften" zeigt, was ihm fehlte: „eine edle, selbst Ehrerbietung gebietende Gestalt; Würde, die sich ohne angenommen zu sein, mit dem Ausdruck des Wohlwollens vereinigt, ein sicheres Auge; Herrschaft der Seele über Mienen und Gebärden, auch im Zustande der Leidenschaft; Leichtigkeit und Anstand in der Bewegung aller Gliedmaßen; gerader Gang ohne affektierte Feierlichkeit – dies alles sind wünschenswerte Eigenschaften."[269] Noch 1880, nach Nietzsches Enthüllung des deutschen *Bildungsphilisters*, als von Strebel in der Sprache militärischen Triumphes eine völlig andere Situation zeichnen konnte[270], mahnt er aus dem gleichen Gefühl des Ungenügens: „Kleidung und äußeres Auftreten anständig, sorgfältig, würdig, nicht Vornehmheit affektierend, nicht nachlässig. Fort mit der Pfeife oder Zigarre samt anderen burschikosen Anhängseln, fort mit der Philisterdose!"[271]

Wie wurde nun der Intellektuelle mit der Situation fertig? Wir sahen, es gab verschiedene Lösungen: von der sich selbst preisgebenden Anpassung führte eine reiche Skala bis zur trotzig-selbstbewußten Expansion pädagogischer Betätigung über die ganze Familie. Die mannigfaltigen Berührungsflächen, die die Hausgemeinschaft bietet, schaffen ebenso mannigfaltige Konfliktmöglichkeiten; und wenn es der Intellektuelle konnte, so war die Auflösung des Dienstverhältnisses ihm sicher die angenehmste ‚Lösung'[272].

Es gab noch einen anderen Weg, dem à la longue die Bedürfnisse des Staates und die Bedürfnisse der sich entwickelnden kapitalistischen Gesellschaft entgegenkamen: die Entdeckung der modernen Pädagogik. Wir sahen oben, daß das Kind in der autoritär-patriarchalen Hausgemeinschaft wohl meist vor der Zuchtrute des Informators durch die Mutter und durch den höheren sozialen Rang geschützt wurde. Andererseits mußte der Informator danach streben, die Achtung des Zöglings zu erwerben, wenn er seiner pädagogischen Aufgabe genügen und vor seiner Selbstachtung bestehen wollte[273]. In diesem Dilemma hatte er die Chance, im Kind den erziehbaren und bildsamen Zögling zu entdecken, will sagen: das Kind war nicht mehr bloß zu domestizierender Wildling oder bloß fehlerhafter Erwachsener, sondern die Kindheit wurde dem erinnernden Verstehen klar als in sich eigenständige Alters- und Entwicklungsstufe[274]. Im distanzierenden Verständnis gewinnt der Erwachsene Einsicht in die Andersartigkeit der kindlichen Welt, in deren Eigengesetzlichkeit er sich einfügen muß, wenn er entgegenkommend den Zögling aus ihr herausführen will. Die soziale Anschlußlosigkeit verwies den Informator in die Gesellschaft des Kindes; es mochte nahe liegen, aus der Not eine Tugend zu machen[275]. Es ist kein Zufall, daß der Hauslehrer Basedow der alten autoritären Pädagogik die moderne Pädagogik entgegensetzte. „Durch bloßes Befehlen, Lehren, Warnen, Strafen entsteht keine gute Gewohnheit. Übung ist das eigentliche Mittel."[276] Kein Zufall ist es auch, daß der Hauslehrer im Kinderreich demokratische Gesellschaften einführen wollte[277]. *Die unfreiwilligen Informatoren machten sich die Pädagogik zum Beruf.* Sie experimentierten, suchten nach besseren Methoden, die Institute dieser *Outsider* demonstrierten, was der Berufszunft Umsturz scheinen mußte, für den der Jakobiner Kant Aufrufe schrieb und Geldspenden sammelte[278].

Die Aufnahmebereitschaft des Kindes sollte mit über den Stoff und die Art der Übermittlung entscheiden. „Wenn Du nun zu erzählen anfängst, so bemerke wohl, wie sich Deine kleinen Zuhörer dabei benehmen ... werden sie ... schläfrig oder fangen an zu spielen und sich untereinander zu necken, so muß es irgendwo fehlen. Du wirst vielleicht meinen, es fehle am guten Willen der Kinder. Ich glaube aber, daß Du Dich irrst ... der Fehler liegt vielmehr sicherlich entweder an dem Inhalte der Geschichte, die Du vorträgst – oder an dir selbst."[279] Das Kind sollte – „von sich ausgehend"[280] – sich kräftigen in freier Selbsttätigkeit und im Gefühl eigener Leistung Mut, Selbstvertrauen und Initiative entwickeln. „Die feinste Politik, sagt man, sei pas trop gouverner; es gilt auch für die Erziehung."[281] „Habt keine Freude am Ge- und Verbieten, sondern am kindlichen Freihandeln. Zu häufiges Befehlen ist mehr auf die elterlichen Vorteile als auf die kindlichen bedacht."[282]

Wie die autoritäre Stellung des Vaters in der patriarchalen Hausgemeinschaft der des absolutistischen Fürsten im Patrimonialstaat entsprach, so entsprach die Unterbindung der demokratischen Eigenlebendigkeit der Untertanen im Politischen der autoritären Pädagogik[283]. Umgekehrt ist die Koinzidenz zwischen demokratisierender Pädagogik und liberalisierender Politik sinnfällig. Je ungeeigneter traditionale Verhaltensweisen für die Meisterung des Situationswandels wurden, je mehr neuartige Verhaltensweisen erforderlich waren für ein dem Situationswandel sich einpassendes Handeln, um so mehr sank die Autorität des Vaters. Die Elastizität der noch nicht fest eingegliederten Jugend hatte dem Alter gegenüber eine besondere Anpassungschance voraus, ihr Prestige stieg[284]. Bei Konflikten zwischen Vater und Sohn war es wahrscheinlich, daß der Informator mit dem Sohn fraternisierte. Da alle Faktoren des sozialen Drucks der sich schließenden ständischen Gesellschaft ihn noch empfindlicher trafen als den Pfarrer, können wir von einer noch größeren Disposition zur Adelsopposition, zur Rezeption revolutionären Gedankengutes von England und Frankreich sprechen. Freundschaft mit dem Hauslehrer mochte manchem adeligen Jüngling den Anschluß an die bürgerliche Gesellschaft vermitteln. Zum Beispiel wird man nicht fehl gehen, wenn man dem jungen Kunth einen nicht unbedeutenden Einfluß auf die Brüder von Humboldt zuschreibt. Trotz seiner Abneigung gegen das Hofmeisterieren und das Theologiestudium war er durch Vermögensschwierigkeiten seines Bruders genötigt, das Studium in Leipzig aufzugeben und eine Hofmeisterstelle im Hause des Majors und Kammerherrn von Humboldt anzunehmen; er machte sein Glück damit. Gute Manieren und Kenntnisse erwarben ihm schnell das Vertrauen der Familie. Herr von Humboldt fing bald an, „mir einige geschäftliche Angelegenheiten in Tegel, oder Briefe, oder ähnliche Geschäfte aufzutragen. Bisweilen mußte ich in seiner Abwesenheit vornehme Personen empfangen, wie einmal den Herzog von Braunschweig, und so die Honneurs des Hauses machen, welches wenigstens bewies, daß er mit meinem äußeren Benehmen zufrieden war"[285]. Als nach dem Tode des Herrn von Humboldt (1779) die Vermögensverhältnisse der Familie 1781 wieder geordnet waren, wurde der 24jährige mit der Vermögensverwaltung betraut[286]. Auch als Kunth 1789 seine Schüler zur Universität verabschiedete, riß das Band väterlicher Freundschaft nicht, ja 1818 schreibt der liberale Staatsrat nicht ohne Stolz, „noch jetzt nach mehr als vierzig Jahren ... ruht das Vermögen beider Herren von Humboldt, soweit es von der väterlichen und mütterlichen Erbschaft stammt, in meinen Händen"[287]. Daß man sich der einflußreichen Vermittlerrolle bewußt war, zeigt der Versuch Carl Friedrich Bahrdts (1741–1792), durch geheime Organisation einer „Deutschen Union" sich dieser Position zu versichern; unter anderem gab er der Gesellschaft die Direktive, „an allen Orten, Familien, Höfen etc. im Stillen zu wirken und auf Besetzungen der Hofmeisterstellen, der Sekretariats, der Pfarreien usw. Einfluß zu bekommen"[288]. Kunth fand durch die Beziehungen der von Humboldts zum preußischen König den Aufstieg in die Bürokratie; ohne Examen gelangte er 1789 als Assessor in das Manufaktur- und Kommerzkollegium[289]. Ähnlich vertauschte J. G. Hoffmann die Lehrtätigkeit mit dem Staatsdienst; im Jahre 1803, in dem er für die Aufhebung der Zünfte schrieb[290], wurde er Beisitzer der Kriegs- und Domänenkammer in Königsberg unter Auerswald.

Mit den steigenden Anforderungen, die an die Vorbildung der Bürokratie gestellt wurden, dem Zwang zum Erwerb von Leistungswissen, bedingt durch die wachsende Arbeitsteilung, wurde die Vorbereitung zum Studium bedeutsamer. Die Konkurrenz der Intellektuellen um die Hauslehrerstellen tat ein übriges; seit den sechziger Jahren machten Studenten sich das Erziehungsgeschäft zum Beruf[291]. Die Pädagogik beginnt sich von der Theologie abzuzweigen. Bei Reformen des Unterrichtswesens, bei Neugründungen öffneten sich den Hauslehrern Aufstiegskanäle, in die sie nur zu gern eindrangen. Die Lehrerschaft im Ganzen gewann an Prestige, das Ansehen des Informators stieg, und die verächtliche Bezeichnung wurde ersetzt durch die des *Hauslehrers*. Der Zusammenbruch des alten patrimonial-staatlichen Preußens unter Napoleons Angriff legte den Weg frei für die Kräfte, die auf den Umbau des Staates aus waren. Unter Wilhelm von Humboldts Verstaatlichung des Unterrichtswesens rückte eine junge Generation in die Reihen der neuen Bürokratie ein[292], ein neuer Stand trat an die Stelle des Hauslehrers: der moderne Gymnasiallehrer.

III. Die öffentliche Meinung[1]

Wir überblickten bisher das Rekrutierungsfeld der Intelligenz, ihren Bildungsgang, die Ablösung von der Herkunft und die Sperre ständischer Unterkunft, soweit von ihnen her Zugangschancen zum Liberalismus sich eröffneten. Es bleibt uns, den Bereich abzuschreiten, in dem der Intellektuelle als Schriftsteller auftrat, der seit den neunziger Jahren des 18. Jahrhunderts als *die öffentliche Meinung* betitelt wurde. Das im Vergleich mit England und Frankreich späte Auftreten der Bezeichnung zeigt an, wann und wo bürgerliches Selbstbewußtsein sich politisierte und sich als öffentliche Meinung legitimierte. Georg Forster schrieb 1791 in Archenholz' „Annalen" von der „öffentlichen Meynung" als von etwas, was man „stämpeln" kann, und kaum zehn Seiten weiter figuriert sie als eine Instanz, vor der Einwendungen gering wiegen und Argumente geprüft werden können[2]. Archenholz, der anglophile Hamburger Verleger, schrieb – allerdings ohne das Wort zu verwenden –: „Jedermann weiß, wieviel man in Deutschland der Publizität zu verdanken hat, die seit einiger Zeit unvermerkt in Gang gekommen ist, Wurzel geschlagen hat und nun ohne die äußerste Gewaltsamkeit nicht mehr gehemmt werden kann. Zur Ehre unseres Vaterlandes sei es gesagt."[3] Die Publizität, die *Öffentlichkeit im modernen Sinn,* entstand in den letzten Jahrzehnten des 18. Jahrhunderts, als sich eine neue politische Presse in Zeitschriften und im Zeitungswesen entfaltete, als Schriftsteller, Verleger und Leserschaft sich dichter gruppierten und ein ständiger Markt ihren Zusammenhang vermittelte.

Betrachten wir die Schriftsteller nach ihrer Marktferne bzw. -nähe, so kam eine große Zahl von Autoren nur anläßlich ihrer Gelegenheitsproduktionen durch den Verleger mit dem Markt in Berührung. Nicht als stetige Lebensbedingung, als ein ins Bewußtsein getretener Wirkraum erlebten sie ihn, sondern im Gezänk und Ärgernis mit dem kniffligen und knickerigen Verleger oder in der Generosität des befreundeten Mäzen. Im Hauptberuf waren sie Beamte, Pfarrer, Offiziere und Professoren; eingegliedert in Institutionen, eingereiht durch Amt und Rang, dichteten und schriftstellerten sie nebenher. Sportel-Einkünfte und Akzidenzien, Pfründe und Gehalt sicherten relativ die verbeamtete Intelligenz der Kirchen, staatlichen Behörden, Bildungsinstitute und des Heeres, allerdings bei den Subalternbeamten und ‚Hungerpastoren' zwang das niedrige Einkommen zum Nebenerwerb, und es fanden sich Übergänge zum beruflichen Schriftsteller.

Daneben stand eine Gruppe bürgerlicher Autoren, die durch Renten, Pensionen, durch Grund- und Kapitalbesitz ökonomisch unabhängig waren, und schließlich fand sich jene fluktuierende Schicht von Hof-Poeten, politischen Sekretären im Dienst von Adels-Korporationen, Fürsten, Diplomaten und Generälen, von Bibliothekaren, Hofmeistern und denen, die auch hier nicht unterschlüpfen konnten, also weder institutionell eingegliedert noch durch den Mäzen oder politischen Auftraggeber, personal gebunden waren. Die in der Art nicht genormten, in der Höhe unbestimmten und zeitlich unregelmäßigen Einkünfte aus Mäzenatenrente, Geschenken, Beutegewinn und Honorar bestimmten die Lebensführung dieser Schicht, die sich in die ‚Lücken' des Auflösungsprozesses der ständischen Gesellschaft zwängte.

Zwischen den Positionen gab es natürlich gleitende Übergänge, und der Autor trat oft nicht nur in *einer* dieser Charaktermasken auf. Besitzlosigkeit, niedriges Gehalt, Aufstiegssperre und vor allem die soziale Obdachlosigkeit der weder institutionell noch personal Gebundenen waren die Faktoren, die zur steten schriftstellerischen Arbeit zwingen mochten und eine dauernde Orientierung und wachsende Abhängigkeit vom Literaturmarkt begründeten. Je weniger die ständische Ordnung die Intellektuellen ganz einbeziehen konnte, umso größer war die Chance, daß einzelne das Schreiben zum Beruf machten. Als zum Beispiel Christian Gottlieb Heyne in Dresden vergeblich sich um eine Stellung bemüht und er ohne Wohnung und Nahrung nicht aus noch ein wußte, „war es in dieser Periode, als die Noth ihn zum *Schriftsteller* machte"[4]. Wekherlin, Lessing und Schubart waren die Pioniere, ihnen folgte eine wachsende Schar von Berufsschriftstellern wie Georg Forster, Rebmann, Weitzel, Buchholz, Görres, Arndt und andere mehr. Wenn Goldfriedrichs Zahlen stimmen, so „zählte Deutschland zu Beginn der Sturm- und Drangzeit der Literatur und des Buchhandels (1773) 3000 Schriftsteller . . ., 1787 6000 . . ."[5]. Gelang es dem Intellektuellen nicht, sich durch gängige Leistung zu plazieren, so mochte er deklassiert sich vagierenden Schauspielern anschließen, sich zum Militär werben lassen, im fahrenden Volk der Messen und Märkte untertauchen und vielleicht aufgegriffen werden für das Zucht- und Arbeitshaus[6].

Die Schriftsteller lebten zumeist in Zentren des literarischen Verkehrs, der Handelsstraßen, in den Großstädten wie Leipzig und Berlin, den Buchhandels- und Verlagszentren, den Residenzstädten und einer Universitätsstadt wie Göttingen. „Die beiden schriftsteller-reichsten Städte von ganz Deutschland [um 1790] waren Göttingen und Leipzig. Göttingen zählte bei 8000 Einwohnern 79, Leipzig bei 29 000 Einwohnern 170 Schriftsteller", Berlin bei 150 000 Einwohnern 222 Schriftsteller[7]. Der Literat mußte sich dem Sitz der Bürokratie, der Politiker und der Geschäftswelt zuwenden, wo die Korrespondenz sich häufte, Nachrichten zusammenliefen, um Material für die Presse beschaffen zu können. Vor allem in der *Stadt* konnte er hoffen aufzusteigen. Wir können uns schwer eine Vorstellung von der Anziehungskraft und dem Reiz des urbanen Lebens mit seiner Erregtheit, Interessenvielfalt, mit seiner gesellschaftlichen Differenzierung und Dynamik machen; wir können schwer ermessen, was der Kontakt mit großstädtischer Intelligenz für den damaligen Kleinstädter bedeutete. Thaer besuchte mit seinem Freund Leisewitz die Berliner Aufklärergesellschaft. „Wir hatten von Jerusalem und Lessing vollwichtige Adressen an alle großen Männer in Berlin." Sie lernten neben anderen Spalding, Nicolai, Mendelssohn, Reichard kennen und nahmen teil an der Salongeselligkeit des gebildeten Bürgertums; der Umgang mit Salondamen, die Tanzgesellschaften und philosophische – lies: *liberale* Konversation – „das alles war ein Himmel für mich". „Als ich wieder in den Toren meiner lieben Vaterstadt [Celle] war, erstaunte ich über die Zwerggestalt, die unter der Zeit alles Riesenmäßige angenommen hatte. Vorher bückte ich mich immer, um mit dem Kopf nicht anzustoßen, wollte gerne durchkriechen, wenn's nur erlaubt war, jetzt ward ich bange, allem den Kopf zu zertreten, wenn ich darüber wegmarschierte. Ich hielt's nicht weiter nötig, die Gunst irgend eines Menschen zu erbetteln, sah jedem starr in die Augen und sagte meine Meinung dreist heraus. Mancher verwunderte sich höchlich darob, mancher hielt mich für einen Narren. Ich behandelte nun meine Patienten ganz nach meiner eigenen Methode, ohne mich im geringsten um den hiesigen wohlhergebrachten Schlendrian zu richten."[8] Die Äußerung zeigt, wie groß die Niveauunterschiede zwischen Stadt und Land waren.

Wo der Intellektuelle kein *Outsider* war, sondern wie in Leipzig in Scharen auftrat, mochte er sich weniger selbstbewußt geben. Auf der Leipziger Messe gab es ein „Hin- und Herrennen" der Autoren, daß man „fast Ekel und Widerwillen gegen sonst berühmte Namen von Gelehrten bekommen konnte. Sie machten den Buchhändlern die Aufwartung zu Tag und Nacht, sie haben Manuskripte nach der Wahl und zu Dutzenden, selbst auf Richters Caféhaus sah ich solche, die ihrem Verleger damit aufpaßten"[9]. „Die literarischen Zeitschriften enthielten Annoncen zu Dutzenden und Aberdutzenden, in denen Schriftsteller ihre billige Übersetzungsarbeit anboten und Autoren für ihre Manuskripte Verleger suchten. Decker in Berlin schrieb 1797: ‚Man kann sich bei Gott vor der Schriftstellersucht aller dieser Kerls nicht mehr retten und sie haben so ein aufdringliches Wesen dabei, daß man vor Angst nicht weiß, wie man sie fortschicken soll.'"[10]

Am anderen Ende der Skala konkurrierten die Verleger um die besten und erfolgreichen Autoren wie Wieland, Goethe und Schiller, deren Werke zwar nur einen engen Käuferkreis fanden, aber so hoch im Preis standen, daß Cotta, der zum Beispiel Schiller dem Göschen ‚weggeschnappt' hatte, ihm während eines Jahrzehnts eine Jahresrente von 1200 Mark und an Goethe während dreieinhalb Jahrzehnten eine Rente von rund 30 000 Mark auszahlen konnte[11]. Man sprach von einer Autorenjagd, und die neue Schicht von Verlegern, die unter günstigsten Konjunkturen jäh aufstieg, zeigte alle Tugenden des jungen Unternehmertums im Marktkampf: „Aufmerksamkeit und Rührigkeit, unter Umständen ... auch eine gewisse Skrupellosigkeit, Unverfrorenheit, Aufdringlichkeit, alles das, je später, desto mehr."[12]

Die Kommerzialisierung des Literaturwesens erreichte in der zweiten Hälfte des 18. Jahrhunderts die Stufe, auf der die Produktion nicht lediglich dem Bedarf konkreter subskribierender Kundschaft folgte, sondern auf der die Produktion den Bedarf erst weckte und wo für eine anonyme Leserschaft produziert wurde. Kant schrieb: „Ein erfahrener Kenner der Buchmacherei wird als Verleger nicht erst darauf warten, daß ihm von Schreibseligen allezeit fertigen

Schriftstellern ihre eigene Ware zum Verkauf angeboten wird, er sinnt sich als Direktor einer Fabrik, die Materie sowohl als die Façon aus, welche mutmaßlich ... die größte Nachfrage, oder allenfalls auch nur die schnelleste Abnahme haben wird."[13] Der unbemittelte Autor geriet dem Verleger gegenüber ganz in die Lage, in der der handwerkliche Heimarbeiter dem Verlagskapitalisten gegenüberstand. Im Literaturwesen gewann der Verleger Literaten zu gemeinsamer Produktion, er zog Mitarbeiter zu Zeitschriften, Zeitungen und Lexika heran, Übersetzer, Korrespondenten und literarische Handlanger aller Art. Der Verleger fühlte sich dem Schriftsteller als überlegener Auftraggeber, gestützt auf den Geschäftsbesitz, marktorientiertes Interessentenwissen und autodidaktisches Bildungswissen. Nicolai berichtete in einem Gutachten an die Gesetzgebungskommission für das preußische „Allgemeine Landrecht": „Es gibt sehr viele Schriften, wo der Verleger selbst eine Idee hat, und zu dieser Idee sich des Schriftstellers als eines Werkzeuges bedient ... und wo es immer von ihm abhängt, durch wen er die Idee ausführen läßt." „Ich habe z. B. die Idee der deutschen Bibliothek gefaßt. Ich habe Schriftsteller gewählt, um an diesem Werke zu arbeiten ... Ebenso ist's mit einer großen Menge von Journalen, von gelehrten Zeitungen und von vielen anderen Zeitungen und Büchern, welche teilweise [d. h. in Lieferungen] herauskommen ... Ich versichere gewiß, daß eine große Menge gemeinnütziger Bücher durch den Buchhändler entstanden sind, welche gemeiniglich besser wissen, was das Publikum verlangt, als die Schriftsteller."[14]

Hatte früher bei geringerer Autoren- und Leserzahl eine größere und persönliche Berührung zwischen beiden bestanden, die auch durch den monopolistischen Verleger vom ständischen Vornehmheitsstyp Cottas nicht unterbrochen war, so änderte sich das bei der sprunghaften Marktentwicklung. Neben den Monopolisten kam die Schleuderkonkurrenz der Nachdrucker auf, durch die die Verleger und Autoren um den Ertrag ihrer Leistung gebracht wurden. Monopolpreis und Schleuderkonkurrenz charakterisieren die Zeit, in der Verlagsunternehmungen und Buchhandlungen wie Pilze nach dem Regen aufwuchsen, und die Empörung der Schriftsteller über ihre Ausbeutung wuchs. Die Versuche, durch Selbstverlag und genossenschaftliche Eigenproduktion (Dessauer Philanthropin) den Weg zum Publikum unmittelbar zu finden, konnten die Entfaltung des Marktes und die wachsende Arbeitsteilung nicht rückgängig machen. In den neunziger Jahren löste sich der Sortimentsbuchhandel vom Verlagsunternehmen ab; Friedrich Perthes, der als mittelloser Lehrling in Leipzig begonnen hatte, gründete in Hamburg die erste Sortimentsbuchhandlung und baute binnen zehn Jahren das größte deutsche Buchhandelsgeschäft auf, das auch die Verluste durch die französische Besetzung Hamburgs und durch die Zerstörung des Buchmarkts während der Kriegsjahre schnell wieder überwinden konnte. Die meisten Buchhändler hatten gleich ihm „von der Pike auf gedient und hatten ihre besondere Bildung mühsam und oft in späten Freistunden sich angeeignet"[15]. Mit Ausnahme derer, die wie Friedrich Arnold Brockhaus von einem anderen Handlungszweig zum Buchhandel hinüber wechselten, vollzog sich der übliche Aufstieg innerhalb dieses Unternehmerzweigs.

Das soziale Prestige der Buchhändler variierte in den einzelnen Städten. In Hamburg, wo eine spekulative und weitgehend an der englischen Bourgeoisie sich orientierende patrizische Großkaufmannschaft herrschte, „wurde der Buchhandel, weil mit Handverkauf verbunden, ohne weiteres als Kleinhandel betrachtet"; in Leipzig, dem Buchhandels- und Verlagszentrum Deutschlands, „hatte der Buchhandel zwischen dem Großhandel und dem Kleinhandel seine besondere Abteilung, in dem die einstige Gesellschaftsordnung widerspiegelnden Adressbuch"[16]. Die Zahl der Buchhandlungen soll von 1793 bis 1803 um 25 % in Deutschland gestiegen sein, und „für Preußen wurde 1802 berechnet, daß sie sich seit den 1760er Jahren verdreifacht habe"[17]. Nach Schulze gab es zu Beginn des 19. Jahrhunderts rund 500 deutsche Buchhandlungen, von denen 10 % in Leipzig ansässig waren. Von 1816 bis 1830 entstanden 300 neue Buchhandlungen, und am 1. Juli 1834 bezifferte der Börsenverein deutscher Buchhändler die Buch- und Musikalienhandlungen mit 859[18].

Die aufsteigenden bürgerlichen Mittelschichten nahmen die wachsende Produktion auf, sie stellten das Gros der Leserschaft dar. Goethe spricht einmal von den „vielseitigen Bemühungen des vergangenen Jahrhunderts, welche nunmehr der ganzen Nation, besonders aber einem gewissen Mittelstande zugute gehen ... Hierzu gehören die Bewohner kleiner Städte, deren Deutschland so viele wohlgelegene, wohlbestellte zählt, alle Beamten und Unterbeamten daselbst, Handelsleute, Fabrikanten, vorzüglich Frauen und Töchter solcher Familien, auch Landgeistliche insofern sie Erzieher sind. Diese Personen sämtlich, die sich zwar in beschränkten, aber doch wohlhäbigen, auch ein sittliches Behagen fördernden Verhältnissen befinden, alle können ihr Lebens- und Lehrbedürfnis innerhalb der Muttersprache befriedigen"[19]. Für die Bewegung der

Produktion mag die Kurve der jährlichen Neuerscheinungen symptomatisch sein. Goldfriedrich hat nach Meßkatalogen und Meßrelationen die Zahl der jährlich neu erschienenen Bücher festgestellt (allerdings erscheint in der Zahl jedes Buch nur mit einem Exemplar). Da die Zahlen bei Goldfriedrich[20] nicht ganz stimmig sind und für uns mehr die Tendenz als die absolute Höhe der Produktion bedeutsam ist, ersetzen wir die Tabelle durch ein Diagramm. Die Zahl stieg also bis 1805 im ganzen stetig an, die napoleonischen Wirren unterbrachen die Marktentfaltung, und im Jahre 1813 sank die Zahl auf die Stufe von 1778. Binnen acht Jahren war der Absturz um 44 % von 1805 bis 1813 wieder auf- und überholt; bis zum Beginn der vierziger Jahre hielt dann der jähe Aufschwung an, und erst zu Ende der siebziger Jahre erreichte die Zahl der Neuerscheinungen wieder diese Höhe. Um eine sinnfällige Größe zu nennen: Goldfriedrich hat den auf das Jahrzehnt berechneten Durchschnitt des Zeitalters von 1766 bis 1805 ermittelt mit 35 000 Neuerscheinungen. Der Durchschnitt des Jahrzehnts 1837 bis 1846 betrug demgegenüber 114 974 Neuerscheinungen.

Wie oben erwähnt, bildeten Leipzig und Berlin die Zentren der Produktion. Auf sie entfiel von 1765 bis 1805 ein durchschnittlicher Anteil von 22 % der Gesamtproduktion. Die ihnen folgenden größeren Verlagsstädte Halle, Frankfurt am Main, Nürnberg und Hamburg vereinigten 11,6 % der Produktion auf sich. Im Jahrzehnt 1837 bis 1846 war der Anteil von Berlin und Leipzig auf 24,8 % gestiegen. Bemerkenswert ist der Aufschwung Stuttgarts: im ersten Zeitraum war es mit 0,7 % beteiligt, im zweiten Zeitraum mit 4,5 %.

Neben der Buchproduktion stand die Entwicklung der periodischen Presse, ihre wichtigsten Zweige waren die mannigfachen Journal- und Zeitungstypen. Zu Anfang des Jahrhunderts folgte man dem englischen Beispiel; Addison und Steele hatten den „Tatler“ (1709), den „Spectator“ (1710/12) und den „Guardian“ (1713) gegründet. Über Hamburg kamen die *Moralischen Wochenschriften* nach Deutschland und fanden ihre Nachahmung. Sie kritisierten die Distanz schaffenden Lebensformen des Adels, die seigneurale Laxheit, den Prunk, die Etikette und sie befestigten religiös-moralisch begründet – mit Max Weber zu reden – eine Lebensführung „innerweltlicher Askese“. Sie begründeten bürgerliches Selbstbewußtsein im Bereich des alltäglichen Lebens, in Beruf, Nachbarschaft und Familie, und hier lag ihre besondere Leistung: sie wandten sich vor allem an die Frau, befestigten eine neue Geschlechtsehre und erzogen sie zur Leserin von Zeitschrift und Roman. Das Gebot der Keuschheit bis zur Ehe und die wirksame Behütung des Mädchens im Haus führten zu einer höheren Sublimierungsstufe, die durch diese Lektüre seelisch geprägt wurde. Zur näheren Erläuterung sei hier ein *Exkurs über den Aufstieg der bürgerlichen Hausfrau* angeführt. Die Entwicklung des Gewerbes mit der wachsenden Übernahme von Funktionen, die ehedem hauswirtschaftlich von der Hausfrau versehen wurden, entlastete mehr und mehr die Frauen höherer bürgerlicher Schichten, des städtischen Kaufmannpatriziats und der höheren Bürokratie. Die wachsende Trennung von Haushalt und Betrieb, Privatvermögen und Geschäftsvermögen, von Heim und Amt bedingte die Aufspaltung des Familienlebens in das private häusliche Leben und die öffentlich-berufliche Tätigkeit des Mannes. Während beim Bauern, Handwerker und Kleinkrämer Arbeits- und Familienleben ungeschieden ineinander sich verschränken, die Trennung von Haushalt und Betrieb nicht in dem Sinne existiert, wird die ‚moderne' bürgerliche Frau oben genannter Schichten zur eigentlichen *Hausfrau.* Sie gestaltet das Heim, von dem aus der Mann „hinaus ins feindliche Leben" muß. Die Entlastung des Haushalts von Arbeit, steigender bürgerlicher Wohlstand, der es der Frau erlaubt, verbleibende Hausarbeit an Dienstboten abzugeben, macht das *Privatleben* zu ihrer eigentlichen Lebenssphäre. Losgelöst von den Arbeitsfunktionen auch des Haushalts wird sie zur *Dame,* die in größerer Muße und Distanz vom alltäglichen Lebenskampf seelischer Verfeinerung, der Kultivation der Lebensformen und Bildungsgehalte sich widmen mag. Es kam hinzu, daß der Mann beim Eintritt in die Ehe der unberührten Braut gegenüber Schuldgefühle wegen seines vor- oder außerehelichen Geschlechtslebens haben mochte[21]. Jedenfalls bestand die Chance, solange noch nicht die doppelte Moral den *Salonlöwen,* jenen bürgerlichen Nachfolger des adeligen *roué,* vor anderen und sich selbst legitimierte. Bei Aufstiegsheiraten, wie denen Thaers und Gneisenaus zum Beispiel, bestand eine Chance zur Verstärkung der überhöhten Stellung der Frau; dem Neuankömmling gegenüber repräsentierte sie die Werte ihrer Schicht, deren Prestige auf ihre persönliche Stellung auch in der Ehe ausstrahlte[22].

Die Aufspaltung des Daseins, des Familien- und Erwerbslebens in ein privates und öffentliches, bedingt die Aufspaltung des bürgerlichen Menschentypus in den *Privatmann* und die *öffentliche Persönlichkeit.* Die Trennung eines Bereichs persönlicher Nahkontakte in Familie, Freundschaft und häuslicher Geselligkeit von einem Bereich mehr und mehr entpersönlichter und entfremdeter Kontakte im Erwerbsleben und in anonymer Urbanität ließ ein antinomisches Gegeneinanderstehen von *Gemeinschaft* und *Gesellschaft* in das Bewußtsein treten, wie es zuerst in der *Gegenüberstellung von Familie und bürgerlicher Gesellschaft* in Hegels Rechtsphilosophie auskonstruiert wurde. Bedeutsam ist ferner, daß im Gefolge des Aufstiegs der bürgerlichen Hausfrau zur Dame – er fiel den Beobachtern immer wieder auf[23] – die Emanzipationsliteratur einsetzte. Zur gleichen Zeit, als in England Mary Wollstonecraft auftrat, setzte der Königsberger Theodor von Hippel, ein Kollege und Freund Kants, sich für die Frau ein, die „*Kraft der Huld der Gesetze,* nicht sehr viel mehr ohne Vormund und Beihilfe unternehmen kann als aufstehen und zu Bette gehen". Die Kaufmannsfrau bildet zwar eine Ausnahme – „alle anderen Frauenzimmer bis auf Regentinnen und die Gemahlinnen von Regenten, welche das stolze männliche Geschlecht zu wohlerwogenen Ausnahmen für befugt hält, bleiben bis zu ihrem sanften und seligen Tode in der Unmündigkeit"[24]. Max Weber hat darauf aufmerksam gemacht, daß die Demokratisierung der Bildung durch Einbeziehung der Frau als Leserin zugleich eine Erhöhung der Literatur im Aufbau der Kultursphären bewirkte und zugleich die Entstehung und seelische Vertiefung der „Nationalliteratur“ fördern mußte[25].

Die *Moralischen Wochenschriften* erreichten um die Mitte des 18. Jahrhunderts ihren Höhepunkt, und seitdem wurden sie zurückgedrängt von den staatsbürgerlichen *Journalen,* die sich in den letzten Jahrzehnten des 18. Jahrhunderts schnell entwickelten[26]. Ihre allgemeine deutsche Bestimmung und ihre Vorliebe für kulturpolitische und sozialpädagogische Fragen kennzeichnen den Weg der Politisierung und Hinwendung des Bürgertums zum Staat. Die Kurzlebigkeit und publizistische Erfolglosigkeit der literarischen Zeitschriften der Weimarer Klassiker und Romantiker zeigen an, daß der breite Strom alltäglich-bürgerlichen Denkens in anderen Bahnen verlief.

Im *Zeitungswesen* begann in der zweiten Hälfte des 18. Jahrhunderts eine Entwicklung, die Typenzahl durch Verschmelzung zu verringern. Um die Verbreitung des einzelnen Blattes zu steigern, mußten zu spezielle Zeitungen in der Konkurrenz verschwinden. „Zwei Formen: das politische Nachrichtenblatt und das Intelligenzblatt sind die privilegierten Vertreter des Zeitungswesens im 18. Jahrhundert, etwa in der Mitte dieses Jahrhunderts beginnt die politische Zeitung sich des Anzeigenwesens anzunehmen. Um dieselbe Zeit erweiterte das Intelligenzblatt seinen Inhalt und wird aus einem Frage- und Anzeigezettel eine Lokalzeitung, um später erst den politischen Teil aufzunehmen. Aus der Spezialzeitung wird die Universalzeitung, die alle Gebiete des menschlichen Interesses pflegt ... durch allmähliche Erweiterung des Inhalts nähert sich das Intelligenzblatt der politischen Zeitung und diese wieder dem Intelligenzblatt, bis beide schließlich in einer einzigen Form der Zeitung des 19. Jahrhunderts aufgingen. Diese Entwicklung erfolgte, indem die eine Form die andere in sich aufnahm (Vereinigung), oder indem jede dieser Formen sich zur anderen Zeitung erweiterte (Ergänzung), oder endlich dadurch, daß die Sonderformen eingingen und der anderen Platz machten (Neubildung).“[27] Bis zum Ausbruch der französischen Revolution dauerte das stete und schnelle Wachstum an, bekannt ist ihre durchgängig enthusiastische Begrüßung in der deutschen Presse und Intelligenz[28]. In Mainz entstand ein revolutionärer – vom *alten Reich* her gesehen – separatistischer Klub, die Führer Georg Forster, Wedekind und Metternich gaben allein drei Zeitschriften heraus[29]. Rebmann in Sachsen, Archenholz und Hennings in Hamburg, Wekherlin und Reichard gaben die radikalsten Zeitschriften heraus; auch der junge Görres ist zu nennen mit seinem „Roten Blatt“ und „Rübezahl“. Er sollte durch den „Rheinischen Merkur“ in den Jahren 1813/1814 zu dem bedeutendsten Journalisten Deutschlands werden, und unter anderem seinem Einfluß mag der apokalyptisch-barocke Stil, der weitgehend gerade der deutschen Presse eignet, zuzuschreiben sein. Größeren Abstand hielten Wielands „Teutscher Merkur“, Schlözers „Staatsanzeiger“, „Das deutsche Museum“, die „Berlinische Monatsschrift“[30] und andere mehr. Als die Preußen über den Rhein drangen, vernichteten oder vertrieben sie viele Blätter. In gleicher Richtung wirkte die verschärfte und systematische *Zensur* der deutschen Staaten, in Preußen unter Wöllner, in Hessen und dem katholischen

Süddeutschland waren selbst die Klassiker oder auch Knigges „Umgang mit Menschen“[31] verboten.

So sehr die Kleinstaaterei und die mangelnde Zentrierung des politischen Kraftfeldes die Herausbildung eines eigentlich politischen Pathos hinderte, so sehr kam sie den Literaten und Verlegern zugute. Die Vielstaaterei ermöglichte es, Verfolgungen auszuweichen, und neben der Materialbeschaffung war die *Zensur* der wichtigste Faktor für den Standort der Zeitung. Hamburg, Weimar und Jena (der junge Bertuch, Oken, Fries, Luden) bis 1819 und kleine Reichsstädte waren bevorzugte Gebiete. Die Universitätsstädte spielten kaum eine Rolle[32]. Einige typische Ausweichformen vor der Zensur waren: (1) Verlegung des Herausgabeortes in ein anderes politisches Territorium; (2) Fortführung des Blattes unter einem anderen Namen; (3) Anonymität des Verlagsortes und des Autors; dann die verschiedenen Praktiken, den Zensor zu düpieren: Börnes „Zwischen-den-Zeilen-Schreiben“, die Anspielung; (4) das Verlegen der Fabel in ferne Zeiten und ferne Länder, die Neuauflage alter Schriften, bei denen man erwarten konnte, daß sie ‚richtig‘ verstanden wurden und anderes mehr. Der Kampf zwischen Regierung und Presse hemmte die Literaten, zwang sie zur Mobilität, ließ auch schwer die Entwicklung eines Organs zu; doch vernichten konnte man die Presse nicht. Den Ausweichformen war nicht beizukommen, der Optimismus war nicht zu brechen. Die Intellektuellen konnten zeitweiliges Unterliegen als Rückschlag geradlinig-fortschrittlicher Entwicklung des unbezwinglichen Zeitgeistes interpretieren.

Die *Presse* wurde einer der größten politischen Machtfaktoren, sie organisierte die oppositionellen Schichten und zwar in zweifachem Sinne. Einerseits war sie Organ der Stimmungen, Leidenschaften und Triebkräfte ihrer Leserschaft. Bisher stumme Schichten bauten in der Presse ihr Organ auf, sie weckten Resonanz, die Zeitungen verbreiterten horizontal die Leserschaft durch Einbeziehung der Frau, vertikal durch Gewinnung tieferer sozialer Schichten. Zum anderen organisierte die Zeitung die Leserschaft, sie kettete kontinuierlich Massen zusammen, sie war Zelle entstehender geselliger Agglomerationen und Organisationen. Von der Kaffeehausgesellschaft führte zwar in Deutschland die Entwicklung nicht zum Klub wie in England[33], doch entstanden in ihrer Tendenz Lesezirkel und Lesegesellschaften mit einem mehr oder weniger großem Maß der Institutionalisierung. Der Ausbau des Abonnentenwesens und die steigenden Auflageziffern[34] gaben dem Verleger und den Schriftstellern das Bewußtsein sozialer Deckung und politischen Prestiges. Der Journalist formulierte die Parolen und brachte Schlagworttypen in Umlauf, in denen verschiedenste Motivationen gemeinsamen Ausdruck fanden, in denen sich alle Züge des Trotzes, des Widerstands und der Auflehnung zu einer großen Gebärde ordneten. Die Demokratisierung des Wissens war verknüpft mit einer Nivellierung, in der Vieldeutigkeit und Widersprüche Platz fanden, was früh von Friedrich Schlegel entdeckt wurde: „ein häßliches Untier schien geschwollen von Gift ... Es war groß genug, um Furcht einzuflößen ... bald hüpfte es wie ein Frosch, dann kroch es wieder mit einer ekelhaftigen Beweglichkeit auf einer unzähligen Menge kleiner Füße ... Da es mich aber verfolgen wollte, faßte ich Mut, warf es mit einem kräftigen Stoß auf den Rücken, und sogleich schien es mir nichts als ein gemeiner Frosch. Ich erstaunte nicht wenig ... da plötzlich jemand dicht hinter mir sagte: ‚Das ist die öffentliche Meinung, und ich bin der Witz.'"[35] So wurde und wird die öffentliche Meinung vom Standort geistiger Eliten, die sich von der durchschnittlichen Alltäglichkeit vornehm distanzieren, gesehen. Im Gegensatz dazu, von *unten* gesehen, wurden in der neuen Öffentlichkeit breite und bisher *stumme* Schichten politisch und kulturell von sich her ausdrucksfähig und damit zu aktiven politischen Integrationsfaktoren. Schon in den neunziger Jahren berief sich von Schön, als er wegen der Getreidehandelspolitik vorstellig wurde, auf die *opinio*, und die Reformminister vom Stein, von Altenstein und von Hardenberg wußten ebenso wie Napoleon, der den Buchhändler Palm wegen der Verbreitung der Broschüre „Deutschland in seiner tiefen Erniedrigung" zu Braunau hatte erschießen lassen[36], daß es galt, Stützen in der Presse für die Regierungspolitik zu finden, um das Staatsvolk zur selbsttätigen Nation zu vergemeinschaften[37]. Man warb, ja man kaufte Journalisten mit Renten, Ämtern und Ehren, zum Beispiel Buchholz und beinahe auch Johannes Weitzel, und mancher mochte während der Restauration in halbstaatlicher Stellung Tonart und Kurs allmählich ändern.

Bei aller Verschiedenheit der Lebensführung, der sozialen Position von Verlegerschaft, Publikum und Literaten, in einem Punkte deckten sich ihre Strebungen: sie standen in Opposition zur Zensur als dem Willkürmoment im Bereich der öffentlichen Meinung; sei es nun, daß sie als Verleger und Autoren einen kontinuierlichen Pressebetrieb aus Gründen der Sekurität oder der Kalkulierbarkeit des Marktes willen wünschten, oder seien es ideelle Interessen. Weiterhin war bedeutsam für die Umwandlung der lokal- und hierarchisch gestuften Ordnung in eine strömungshafte horizontale Schichtung, daß die Presse sich nicht als Lokalpresse entwickelte, sondern daß die Leserschaft eines Organs in den verschiedensten Städten und Staaten verstreut war. Nicht als lokalnachbarschaftliche *Gemeinschaft* sammelte sich die Leserschaft, sondern die Leser fanden sich der Tendenz nach entsprechend der *sozialen Klassenlage* zusammen, in die berufsständische und hierarchische Gliederungen eingeebnet wurden. Die bürgerlichen Stände begannen sich als *Mittelstand* zu fühlen und legitimierten ihre Solidarisierung zum politischen Machtkampf mit der Parole: Freiheit und Einheit!

Ein weiterer Koinzidenzpunkt ergab sich zwischen den Verlegern und Autoren und den Publikumsmassen: sie waren daran interessiert, die Stellung der deutschen Sprache und der neuen Nationalliteratur gegenüber der französischen und englischen Literatur zu stärken. Die französische Literatur, die in der adeligen Gesellschaft vorherrschte, wurde in den letzten Jahrzehnten des 18. Jahrhunderts durch die kulturpatriotische Haltung der Intelligenz (Lessing, Herder, Klopstock usw.), die später bei einem Fichte zum Nationalbewußtsein erwachte, zurückgedrängt.

Der Drang nach Machtausweitung und nach Überwindung der einzelstaatlichen Hemmungen mußte besonders intensiv werden, als durch technischen Fortschritt (Erfindung der Schnellpresse 1811) die Massenauflagen von Werken wie Rottecks „Weltgeschichte“, der Rotteck-Welckerschen und Brockhaus-Lexika usw. ermöglicht und vertrieben wurden. Alle Gruppen, die am Aufbau der öffentlichen Meinung beteiligt waren, hatten, auf welcher Seite des Markts sie auch stehen mochten, einen Zugang zum Liberalismus. Je mehr sich der professionelle Journalist zum Typus ausbildete, umso ferner rückte er der Bürokratie, aus deren eigenen Reihen die Kritik am Absolutismus mit entsprungen war[98], umso mehr wurde die Bürokratie als Organ des Despotismus angegriffen – der Kasselaner Murhard konnte sich darin nicht genugtun[99] –, umso mehr wuchs der Kulturliberalismus der Intelligenz und der ökonomische Liberalismus bürgerlicher Interessenten zusammen.

IV. Die Bürokratie[1]

Einer der stärksten Integrationsfaktoren des deutschen Frühliberalismus war *das liberale Beamtentum.* Viele der oben erwähnten Lagerungsbedingungen gelten zugleich für die Bürokratie: die akademische Bildung, der Neuhumanismus, die Kameralistik und Nationalökonomie, der individuelle Aufstieg und vor allem die Bildungs- und Berufsreisen, die den Sinn für die Verschiedenheit und die Veränderlichkeit sozialer Zustände und Einrichtungen schärfen mußten. Besonders sei die weitgehend typische Englandreise, die die liberale Anglophilie stets förderte, erwähnt. Sofern der Beamte stärker zur literarischen Produktion neigte, machten sich die liberalisierenden Faktoren der öffentlichen Meinung geltend. Eigene Tätigkeit als Gewerbebeamter mochte im steten Verkehr mit dem gewerblichen und kommerziellen Bürgertum bei der merkantil-industriepädagogischen Einstellung dazu führen, sich mit dessen Interessen zu identifizieren, wie das weitgehend zum Beispiel bei Kunth der Fall war.

Für die höheren adeligen Beamten, das gilt besonders für Ostpreußen, mochte die Stellung als Rittergutsbesitzer ausschlaggebend sein für die Einstellung zum Liberalismus, und für die patrimonialen Unterbeamten, städtischen Justitiare, Amtmänner und dergleichen mochte die Unsicherheit der rechtlichen Stellung, die Verbundenheit mit proletaroiden bürgerlichen Schichten, die bei den Kriegen, Hungersnöten und den Teuerungen der Jahre 1795, 1804 und 1816/17 unruhig wurden, ausschlaggebend sein[2]. Entscheidend ist für alle diese Lagerungsfaktoren, daß sie nicht spezifische Faktoren der Verbeamtung sind, sondern in die Bürokratie hineinragen, womit ihre Bedeutung für die Prägung des Beamtenliberalismus nicht geringer eingeschätzt werden soll. Auf der einen Seite stehen Autoren, die das soziale Gesicht der Bürokratie wesentlich auflösen in die Komplexion sozialer Klassenlagen, wenn sie die politische Stellung der Bürokratie soziologisch deuten wie zum Beispiel Skalweit[3]. Auf der anderen Seite stehen Autoren wie Hegel und darin ihm folgend Sombart, die gerade die Distanz der Bürokratie von den älteren Geburtsständen und den modernen marktgebundenen Interessenschichten in das Zentrum rücken, und die ob dieser Entrückung in der Bürokratie weniger eine durch eigene Lagerung charakterisierbare Gruppe, als vielmehr eine jeder besonderen Gruppierung enthobene Repräsentanz der Gesamtheit sehen. „Das Beamtentum stellt überhaupt keine besondere Gruppe innerhalb eines Gemeinwesens dar, sondern vertritt dieses als Ganzes.“[4]

Fragen wir nach der Entstehung und dem historischen Aufbau der modernen Bürokratie, so finden wir die Elemente, die zum Liberalismus Zugangschancen boten. Der Absolutismus schuf die moderne Bürokratie zur Appropriation der zentralen politischen Macht; sie war das *Werkzeug* gegen die städtischen und ständischen Korporationen und deren politisch-rechtliche Gewalten. Die erstarkende Geldwirtschaft gab dem Fürsten die Mittel zum Aufbau eines stehenden Söldnerheeres; vornehmlich zur Eintreibung dieser Mittel diente die Bürokratie als ein von den Ständen unabhängiges Gebilde, als Waffe gegen die Stände erhielt sie von Anfang an Merkmale, die sie außerhalb der geburtsständisch geordneten Gesellschaft stellten. Als *Berufsstand* trug die Bürokratie Kennzeichen, die für eine spätere, nicht mehr geburtsständisch geordnete Gesellschaft konstitutiv wurden. Die *Beamtung* enthielt Momente, die den Einzelnen aus der bestehenden Gesellschaftsordnung herausstellten und einer erst entstehenden Ordnung näherten. Der Beamte wurde räumlich und rechtlich von seinem Geburtsstand gelöst, die *Lösung von der Scholle wurde Prinzip.* „Keiner sollte als Rat in der Provinz seiner Heimat fungieren. Der Preuße sollte in Cleve-Mark angestellt werden, der Rheinländer in Preußen, der Pommer in Magdeburg."[5] „Während die ständisch gegliederte Gesellschaft nach ihrem jeweiligen Standesrecht lebte, stand der fürstliche Diener von Anfang an unter Fürstenrecht und war deshalb vom jeweiligen Standesrecht, insbesondere gegenüber der jeweiligen Gerichtsbarkeit etwa der Stadt seines dienstlichen Amtssitzes eximiert."[6] Von seinem ursprünglichen Standort gelöst, wurde der Beamte einer Berufsgruppe zugeordnet, die eine Mischgruppe aus Bürgerlichen, Adeligen, Einheimischen und Ausländern war. So waren schon in der ersten ständischen Regierungsbehörde des Markgrafen Joachim Friedrich von Brandenburg „große Herren und einfache Ritter, bürgerliche Juristen, Vertreter der neuen Anwartschaft aus Westfalen und Preußen mit Vertretern des märkischen Adels und Patriziats vereinigt"[7]. Als 1763 die preußischen Staatseinnahmen um ein Drittel zurückgingen, unternahm Friedrich der Große eine Umorganisation der Akziseverwaltung nach französischem Vorbild. So wie am Ende des 17. Jahrhunderts französische *réfugiés* in die Beamtenstellen einrückten, zogen nebst Direktoren 200 französische Beamte in die Reihen der Bürokratie ein[8].

Zwei Motive bestimmten den Fürsten, typischerweise *Fremdbeamte* zu verwenden: Einmal fand er für bestimmte sachliche Aufgaben in Deutschland keine genügend qualifizierten Kräfte; so wie in Gewerbe, Handel und Agrikultur wurden daher auch in der Bürokratie ausländische Spezialisten herangezogen. Zum anderen waren die Fremdbeamten ungleich abhängiger von der persönlichen Gunst des Fürsten, da sie keinen politischen und sozialen Rückhalt im Land hatten. Sie waren die gefügigsten *Fürstendiener,* die zuverlässigsten und von sich aus ungehemmtesten Männer im Kampf gegen die ständischen Gewalten. Die *Fremdheit* aber bot eine typische Zugangschance zum Liberalismus[9]. An keine besonderen Traditionen des Landes gebunden, aus anderem Milieu stammend, ist der Fremde zur Reflexion, zum abwägenden Vergleich, zur Vorurteilslosigkeit geneigt. Da er nun in diesem Falle als *Geschäftsmann* dauernd einzugreifen hatte in die *Staatspolicey* und nicht ästhetisch-kontemplativ etwa das Fremde als reizvoll dahingestellt sein lassen konnte, wurde er typischer Träger eines spezifischen Rationalismus und Reformwillens. Es ist kein Zufall, daß die bedeutenden Reformbeamten meist Fremdbeamte waren: vom Stein, von Hardenberg, Scharnhorst, Niebuhr, Thaer, Motz, Maassen, Anselm, Feuerbach und andere mehr wären zu nennen. Daß die Fremdheit in dieser Richtung eine besondere Chance bedeutet, mag man auch daran sehen, daß im Gewerbe zum Beispiel Hansemann – ebenso durch seine Reisen und seine gesellschaftliche Outsiderstellung ein ‚Fremder', die Schulung in der französischen Verwaltung sei nicht vergessen – besonders progressiv und rationalistisch eingestellt war[10]. Der gleiche Faktor mochte Gneisenau auf seinem erheirateten Gut ungehemmt zu Rationalisierungsbestrebungen neigen lassen, die ihm Konflikte mit seiner Frau und Schwiegermutter als Vertreterinnen des agrarisch-feudalen Traditionalismus brachten[11].

Ein weiterer Faktor, der in Richtung des Liberalismus wirkte, war die *Auslese nach der Leistung*. „Es kommt auf die Federn an und nicht auf die Ahnen, da man es einer Sache nicht ansehen kann, ob sie mit adeligem oder bürgerlichem Geblüt traktiert ist" war das Prinzip des Großen Kurfürsten[12]. Friedrich Wilhelm I. schrieb in einer Instruktion an die kurmärkische Kammer: „Weil auch gemeiniglich die besten Leute werden, so von unten auf dienen, so sind seine Königliche Majestät nicht abgeneigt, auch Sekretarien, wenn es geschickte Leute sind, die sich in ihrem Dienst getreu und ehrlich erwiesen haben, zu Kriegs- und Steuerräten zu avancieren, daher denn jederzeit junge muntere Leute von aufgeweckten Köpfen dazu genommen werden müssen."[13] Die steigende Bedeutung der Verwaltungsaufgaben erforderte zu sachangepaßter Erledigung *Leistungswissen* und dauernde *Bewährung* durch die Arbeit. Zugleich war die *Karriere* mit von der Leistung abhängig; kein Wunder, daß der Fremdbeamte, der ohne Konnexionen und oft gegen die Feindschaft und Konkurrenz der Eingesessenen sich durchsetzen mußte, gerade sein Selbstwertbewußtsein nicht in einem ständischen Eingegliedertsein, sondern in seiner persönlichen Leistung gründete. Diese Tendenz stärkte das bürgerliche Element in der Bürokratie und drohte, die politische Stellung des Regenten einzuengen. Schon durch ihre Masse und durch die Wucht des mehr oder weniger eingespielten Apparats mußte die Bürokratie den Monarchen als ihren absoluten *directeur* bedrohen. Friedrich der Große wußte dem dadurch zu begegnen, daß er stärker als sein Vater den Adel zur Bürokratie heranzog. Insbesondere sperrte er das Offizierscorps für die Bürgerlichen, das bei dem höheren Prestige des Militärs ein vorzügliches Gegengewicht gegen die Aspiranten der *routiniers* in der Zivilbürokratie bildete. Die Geldknappheit mochte dem Fürsten die restlose Ablösung der Patrimonialbürokratie verwehren. „Die lokale Verwaltung ... des ostelbischen Preußens im 18. Jahrhundert hätte vom Fürsten überhaupt ohne Benutzung des Adels schon rein finanziell nicht bestritten werden können. Ein Produkt dieser Situation war in Preußen wohl die faktische Monopolisierung der Offiziersstellen und starken Vorzugschancen in der staatlichen Ämterlaufbahn (vor allem gänzliches Absehen von den sonst gültigen Qualifikationserfordernissen oder doch faktisch weitgehender Dispens davon) durch den Adel und die noch bis heute bestehende Übermacht des Rittergutsbesitzes in allen lokalen ländlichen Verwaltungskörperschaften."[14] Trotzdem förderte auch Friedrich der Große die Auslese nach der Leistung, wenn die Einführung des Staatsexamens für Juristen durch Cocceji (1755) und für die Verwaltungsbeamten durch von Hagen (1770) dafür signifikant ist[15].

Die Zurücksetzung im Aufstieg durch negative ständische Privilegierung innerhalb der Bürokratie, die als im ganzen den ständischen Ordnungen relativ enthobenes ständisches Gebilde angesehen werden kann, mußte den *bürgerlichen* Beamten um so empfindlicher treffen, je bedeutsamer sein *sachlicher* Wert für die Verwaltung wurde. Zudem verknappten sich die Karrierechancen durch die Günstlingswirtschaft. All das bedeutete von seinem Standpunkt aus das Hereinspielen eines irrational-exogenen Faktors, der seinen Lebenslauf und seine Amtsführung durchkreuzen mochte.

Das Interesse an der rechtlichen und materiellen Sicherung der eigenen und der familiären Existenz fand einen Koinzidenzpunkt mit der Opposition der privatkapitalistischen Produzenten gegen das Willkürmoment im Absolutismus. Schutz gegen willkürliche Absetzbarkeit und Pensionsberechtigung für sich und die Witwe waren die beiden Hauptpunkte, die dem Fürsten abgerungen wurden. Kein Beamter sollte ohne rechtliches Urteil eines Disziplinargerichts sein Amt verlieren können. Nicht der Fürst, sondern die Standes- und Berufskollegen sollten in letzter Instanz über ihn richten. „Die Juristen, die in Preußen das Allgemeine Landrecht entworfen haben, hätten gerne schon in diesem Gesetzbuch, das in einem besonderen Titel (II, 10) das Staatsdienerrecht kodifizierte, den Grundsatz zur Geltung gebracht, daß kein Beamter anders als nach Urteil und Recht entlassen werden kann ... nur für die Richter drang dieser Grundsatz durch (II, 17 § 99); für die Verwaltungsbeamten aber wurde bestimmt, daß sie nur nach ordnungsmäßigen Verfahren durch Kollegialbeschluß des Geheimen Staatsrates ihres Amtes entsetzt werden durften, wozu bei denen, die vom König selbst ihre Bestallung empfangen hatten, noch dessen Bestätigung hinzukommen mußte ... und auch bei der Neuordnung des Staatswesens im 19. Jahrhundert durch Stein und Hardenberg ist man noch nicht darüber hinausgegangen; immerhin aber verstärkte sich doch durch diese Veränderungen der öffentlich-rechtliche Charakter des Amtsverhältnisses und die Sicherung der Beamten gegen willkürliche Entlassung mehr und mehr, was namentlich in der Verordnung über das Disziplinarverfahren vom 21. Februar 1829 und dann auch in der Einführung der Pensionsberechtigung im Jahre 1825 zum Ausdruck kam."[16]

Hier koinzidierten die ständischen Sekuritätsansprüche der Bürokratie mit bürgerlichen Marktinteressen in der Richtung zum Rechtsstaat, zur *Trennung von Justiz und Verwaltung*[17]. Nicht weniger bedeutsam als dieser Koinzidenzpunkt hinsichtlich des Strebens nach Rechts*sicherheit* war das Streben der Beamten nach Rechts*vereinheitlichung* und systematischem *Rechtsformalismus*. In erster Richtung mußte auch das Interesse des Fürsten liegen, der darauf ausgehen mußte, seine Beamten in möglichst allen Landesteilen austauschbar verwenden zu können, ohne allzu große ‚Reibungsverluste' durch Umlernen zu haben. Den Beamten mußte die möglichst weitgehendste Anwendbarkeit *eines*

Rechts aus Gründen der Kräfteökonomie und ausgedehnter Karrierechancen erstrebenswert sein. Zugleich brachte er durch seine schulische Fachbildung ein rationalsystematisches Interesse mit[18]. Gewiß ist die Kodifikation des „Allgemeinen Landrechts“ in seiner materialrechtlichen Kasuistik nicht zu vergleichen mit dem Rechtsformalismus des revolutionär gesatzten „Code Civil“; und doch brachte das „Allgemeine Landrecht“ eine Vereinfachung und Verringerung der Tatbestandsmodelle. Das gewerbliche Bürgertum, das an der Rechtssicherheit um der Kalkulation willen interessiert war – ohne kalkulierbares Recht ist eine kontinuierliche Produktion für den Markt ausgeschlossen bei indirektem Tauschverkehr –, fand durch die Bestrebungen der Bürokratie willkommene Hilfe[19].

Den liberalisierenden Tendenzen wirkten alle Momente entgegen, die mit der patrimonialständischen Ordnung zusammenhingen und in der Bürokratie zur Geltung kamen: hauptsächlich das persönliche Treueverhältnis zum Monarchen, das einer Versachlichung der Beamtenstelle im Sinne eines unpersönlichen Kontaktverhältnisses entgegenwirkte. In gleicher Richtung wirkte der an ständischer Ehre orientierte persönliche Rang als Überdeckung des leistungsorientierten Amtsrangs. Je nach der sozialen Zusammensetzung der Bürokratie, nach der Gewichtverteilung zwischen Militär, Hofgesellschaft und Zivilbeamtentum variierten diese Rangordnungen in den einzelnen Staaten und in der Zeitfolge.

Im Sinne der Entwicklung zur sozialen ‚Schließung‘ der Bürokratie – die steigende Selbstergänzung in der Generationsfolge ist dabei ein beachtlicher Faktor – lag eine Verminderung, d. h. ein Abbau der Rangklassen. Hessen hatte darin einen bedeutenden Vorsprung vor anderen Staaten. Allmählich hatte sich eine Arbeitsteilung eingespielt, die die Amtstätigkeit mehr und mehr zur ausschließlichen Berufstätigkeit werden ließ. Es bildeten sich stereotypisierte Geschäftsformen heraus, in denen der Einzelne seine alltäglichen Geschäfte erledigte, ohne im Einzefall auf einen materialen Auftrag, ein Reglement zu warten. Wenn zu Anfang des 19. Jahrhunderts mit der Reorganisation der Behörden überall neue Rangordnungen entstanden (in Preußen 1817, Bayern 1805, Sachsen 1818, Württemberg 1821, Baden 1808, Hessen-Kassel 1817), so zeigt die durchgängige Verminderung der Rangklassen mit der Schwächung des ständischen Elements, das sich der *leistungsorientierte Amtsrang* gegenüber dem höfischen Moment durchsetzte.

Bei aller *Verbürgerlichung* der Bürokratie mußte die wachsende Verschmelzung zu einer relativ einheitlichen Schicht mit eigener Aufstiegsordnung, ständischen Privilegien (wie Unabsetzbarkeit und Pensionsrecht), mit eigentümlicher Lebensführung und sozialer Ehre wieder ein Faktor zur Ständebildung sein. Das Titelwesen konkurrierte mit der Prestigeverteilung durch die öffentliche Meinung, und sie konnte das erfolgreich, da auch die Frau berechtigt war, den Titel des Mannes zu führen, was die stete Verwunderung englischer Reisender erregte.

Es wirkten also ganz verschiedene Faktoren zusammen, die die eigentümliche Struktur der Beamtenschaft bestimmten. Wie kam es, daß gerade die liberalisierenden Faktoren sich in Preußen durchsetzen konnten? Wir sahen oben, wie die Gebietserwerbungen durch die polnischen Teilungen in den neunziger Jahren und die Entwicklung des Gewerbes den in sich geschlossenen Mechanismus der merkantilen Staatsführung im Sinne Friedrichs des Großen nicht mehr gestatteten. „1806 bestand das Staatsgebiet zur Hälfte aus Gebieten, die erst in den letzten 14 Jahren erworben waren, etwa ein Drittel der Bewohner waren Nicht-Deutsche, und zwar vorwiegend polnischen Stammes."[20] Dazu kam, daß die Nachfolger Friedrich II. bei den noch schwierigeren Aufgaben und geringerem *Charisma* – sit venia verbo – weder die Bürokratie leiten noch die Stände balancieren konnten. Bekannt sind von der Marwitz' Urteile über Friedrich Wilhelm III., der auch bei einem Benzenberg keine größere Verehrung finden konnte[21]. Dazu kam, daß Preußen – eigentlich ohne zu wollen – seit der Campagne in Frankreich in Kriege verwickelt wurde. Mit dem Zusammenbruch des Heeres 1806 und dem Autoritätsverlust des *‚alten Systems'* konnte es keinen Widerstand mehr gegen die seit den neunziger Jahren vordrängenden liberalen Elemente geben. Zu ihren Gunsten wirkte auch die Depossedierung des Alters im Gefolge der großen Erschütterung aller sozialen Gehäuse, von der Familie über die wirtschaftlichen und sozialen Einrichtungen und nun bis zum Staatsbau selbst.

Eine Beamtenelite, die sich schon vor dem Zusammenbruch verbunden wußte – wie zum Beispiel im Offizierskorps die Mitglieder von Scharnhorsts Geheimer „militärischer Gesellschaft" seit 1802[22] oder der Kreis der Königsberger Smithianer – gewann die Staatsführung. Bedeutsam war nun, daß die entscheidenden Männer – wie vom Stein, von Humboldt, von Hardenberg, Niebuhr und andere – nicht *Bürokraten von Jugend auf* im Sinne des Max Weberschen Idealtypus waren, sondern daß ihre noch wenig schulisch-autoritäre Bildung, ihr Herumgekommensein auf Reisen in verschiedenen Staaten und Verhältnissen, die Art ihres Aufstiegs usw. ihnen die Initiative, den Willen zu selbstverantwortlicher Entscheidung nicht gebrochen, sondern im Gegenteil gerade gestärkt hatte. Die Verkleinerung des Staatsgebiets auf den ostelbischen Raum mußte das Schwergewicht der Monarchie auf Ostpreußen verlegen und die dort tonangebenden Kreise in den Vordergrund treten lassen. Es gelang den entscheidenden Gruppen – die Nachzeichnung der politischen Peripetien dieser Jahre, die Interpretation der einzelnen Führer, ihrer biographischen Schicksale, Charakterzüge, Motive und Ideen liegt abseits unseres Aufrisses –, die ganze Macht in die Hand zu bekommen und den Neuaufbau des Staats durchzuführen.

An der Spitze stand die Schaffung einer modernen Armee als der höchsten Verkörperung staatlicher Macht und die Reorganisation des Beamtenkörpers zu einem zentral geleiteten, rational-arbeitsteiligen Organismus (Fachminister, Büroprinzip, Provinzeinteilung, Trennung von Justiz und Verwaltung). Um es mit der Bauernarmee Napoleons aufnehmen zu können – diese Bauern verteidigten ihre revolutionären Errungenschaften –, um es mit der ihrer welthistorischen Mission bewußten *Grande Nation* aufnehmen zu können, mußte die Untertanenschaft zur Nation mobilisiert werden. Der Soldat mußte mit eigener Initiative in aufgelöster Ordnung kämpfen und sich freiwillig identifizieren können mit der Sache der politischen und militärischen Führer; er mußte kämpfen im Bewußtsein, daß es auch um seine Sache gehe und daß es auf ihn ankomme. Mit hörigen Bauern oder gar geworbenen Söldnern aus aller Herren Ländern ließ sich eine derartige Armee nicht aufbauen. Die Bauernbefreiung mußte erfolgen, wollte man „die bewaffnete Nation" ins Feld schicken. Außenpolitischer Zwang und die Tendenz zu Reformen im liberalen Sinne trafen sich bei der *Revolution von oben.*

Kurz nach dem Frieden von Tilsit, am 9. Oktober 1807, wurde schon das Edikt „den erleichterten Besitz und den freien Gebrauch des Grundeigentums sowie die persönlichen Verhältnisse der Landbewohner betreffend" erlassen. Herstellung der persönlichen Freiheit, der Gleichheit aller vor dem Gesetz und die Mobilisierung des freiteilbaren Bodens legalisierten den großen Umschwung zur modernen marktorientierten Gesellschaftsgliederung, in der der *Eigentumsbegriff,* wie Fichte schon sah[23], auf Sachgüter eingeschränkt wurde und andererseits dem Eigentümer eine maximale Verfügungsgewalt über die Sachen eingeräumt wurde[24]. Die Einführung der Gewerbefreiheit (1811) und die Emanzipation der Juden (1812) lagen in gleicher Richtung.

Die demokratisierenden Maßnahmen der Städteordnung, die Beseitigung des Adelsmonopols auf die Offiziersstellen[25], Versprechungen hinsichtlich künftiger Parlamentarisierung, vage Hoffnungen auf nationale Einigung, waren die politischen Gegenstücke zur Einführung der allgemeinen Wehrpflicht, die Voraussetzungen des erfolgreichen Wiederaufstiegs und der entscheidenden Siege.

Die Restauration der europäischen Staaten nach 1813 war zugleich eine Restauration alter autoritärer Gewalten, und nicht alle Blütenträume der kaum zu politischem Selbstbewußtsein erwachten liberalen Bewegung reiften. Politisch wurde das Bürgertum wieder zurückgedrängt, die Grundposition auf dem Markt (und mit Abschwächung in den Universitäten) blieb erhalten. Ja, im Gegenteil: mit Hilfe liberaler Staatsmänner und Beamter wie von Bülow, von Humboldt, von Hardenberg, von Motz, Maassen, Hoffmann, Beuth, Kunth und anderer konnte in Preußen das freihändlerische Zollgesetz von 1818 durchgesetzt werden gegen den Widerstand der altständischen Opposition der von Béguelin, von Heydebreck und anderer[26]. Die Binnenzölle wurden abgeschafft und nur Grenzzölle beibehalten, die so niedrig waren, daß die Londoner City die Welt aufrief, dem preußischen Beispiel zu folgen, daß Huskisson 1825 den englischen Exportinteressenten erklären konnte: „there is not in the whole Prussian tariff a single prohibition."[27]

Die bisher getrennten Landesteile konnten jetzt ungehindert auf einem einheitlichen Markt verkehren. Es war der große Schritt, der zu Motz' Zollvereinspolitik von 1830 führte, die Preußen bald die politische Führung in

Deutschland sichern sollte. So wurden im Augenblick, in dem den politischen Strömungen des Frühliberalismus der Garaus gemacht werden sollte, die Bahnen freigelegt für die wirtschaftliche Erstarkung des Bürgertums und die Heraufkunft des Hochkapitalismus.

Abkürzungen

Abhh.	Abhandlungen
ADB	Allgemeine Deutsche Biographie
AfGB	Archiv für Geschichte des Buchwesens
AfSG	Archiv für Sozialgeschichte
AfK	Archiv für Kulturgeschichte
AöR	Archiv für öffentliches Recht
ASS	Archiv für Sozialwissenschaft und Sozialpolitik
DW	Dahlmann-Waitz
GWU	Geschichte in Wissenschaft und Unterricht
HDSW	Handwörterbuch der Sozialwissenschaften
HSt	Handwörterbuch der Staatswissenschaften
HZ	Historische Zeitschrift
Jb.	Jahrbuch
JbSoz	Jahrbuch für Soziologie
KZfSS	Kölner Zeitschrift für Soziologie und Sozialpsychologie
RGG	Religion in Geschichte und Gegenwart
SB	Sitzungsberichte
Sp.	Spalte
VSWG	Vierteljahrschrift für Sozial- und Wirtschaftsgeschichte

Anmerkungen

Vorwort

[1] K. Mannheim, Wissenssoziologie, hg. v. K. H. Wolff, Neuwied/1970², S. 11.

[2] P. Tillich in seinen Autobiographischen Betrachtungen in: Begegnungen (Gesammelte Werke, Bd. 12), Stuttgart 1971, S. 69.

[3] Vgl. sein Buch: Neue Wege der Philosophie, Leipzig 1929.

[4] Vgl. die Sammlung seiner von 1919 bis 1933 geschriebenen Abhandlungen: Christentum u. soziale Gestaltung. Frühe Schriften zum Religiösen Sozialismus (Gesammelte Werke, Bd. 2), Stuttgart 1962.

[5] Vgl. A. Lowe, On Economic Knowledge. Toward a Science of Political Economics, New York 1965; dt. Politische Ökonomik, Frankfurt 1965 (mit Dank und Erinnerung an die Frankfurter Kollegen Franz Oppenheimer, Kurt Riezler und Karl Mannheim).

[6] Über das Institut für Sozialforschung vgl. jetzt die Darstellung – im wesentlichen aus der Sicht der Institutsangehörigen selbst – von M. Jay: The Dialectical Imagination. A History of the Frankfurt School and the Institute of Social Research, 1923–1950, London 1973 (Bibliographie: S. 355–370).

[7] Hinweis auf die hier und unten genannten Soziologen sind den diversen Gelehrtenlexika (Kürschner, Who's who usw.) zu entnehmen sowie dem Internationalen Soziologenlexikon, hg. v. W. Bernsdorf u. H. Knospe, Stuttgart 1959.

[8] Im Sommersemester 1933 sollte Hans Weil (s. u. Anm. 11) anstelle von U. Noack an der Leitung der Arbeitsgemeinschaft teilnehmen, das Seminar fand jedoch wohl nicht mehr statt.

[9] Elias, der nach England emigrierte, wo er bis heute wirkt, promovierte bei Hönigswald mit einer geschichtsphilosophischen Arbeit: Idee und Individuum – Ein Beitrag zur Philosophie der Geschichte, Breslau 1924. Die spezifischen Frankfurter Anregungen zeigen sich in seinen Büchern: Über den Prozeß der Zivilisation. Soziogenetische u. psychogenetische Untersuchungen, Basel 1939, Neuausgabe München 1969; Die höfische Gesellschaft. Untersuchungen zur Soziologie des Königtums u. der höfischen Aristokratie, Neuwied 1969. – Übrigens gehört in den Umkreis dieser von Mannheim angeregten soziologischen Untersuchungen Arnold Hausers „Sozialgeschichte der Kunst und Literatur", zuletzt München 1972.

[10] Gerth weist darauf hin, daß sie in ihrem Buch: The Origins of Totalitarianism, New York 1951, dt. Elemente u. Ursprünge totaler Herrschaft, Frankfurt 1955 u. ö., in den historisschen Passagen Anregungen aus diesem Seminar aufgenommen hat.

[11] H. Weils Dissertation „Die Entstehung des deutschen Bildungsprinzips" – angeregt von Salomon und gefördert von Mannheim und Herman Nohl in Göttingen, wo die Dissertation auch angenommen worden war, erschien 1930 in den von Mannheim herausgegebenen „Schriften zur Philosophie und Soziologie" (Bonn 1930, Nachdruck ebd. 1967). Weils Fragestellung zeigt deutlich den Einfluß der Mannheimschen Wissenssoziologie und den entschiedenen Schritt zur Verbindung von Ideen- und Sozialgeschichte: „Diese Schrift erhielt ihren Antrieb nicht erst in den Jahren, in denen gleichzeitig mit der politischen Umschichtung auch eine ‚Bildungskrise' erkannt und besprochen wurde. Ihr Anlaß ist älter. Sie wurde angeregt ..., als in der deutschen geistigen Elite noch eine feste Verbundenheit mit dem klassischen deutschen Bildungsprinzip bestand, in der Zeit, in der – kurz vor dem [ersten Welt-]Krieg – unsere Generation

zu eigenem Beobachten und Nachdenken erwachte. Damals wurde an den deutschen Universitäten, an den höheren Schulen, in den gerade entstehenden Jugendbünden, in den freien Schulgemeinden die drängende Frage nach dem, ‚was wir tun sollen' mit der Aufforderung zur Bildung der Persönlichkeit im Sinne der deutschen Klassik beantwortet. Wir spürten aber allmählich, daß diese Aufforderung keine zündende Macht mehr über uns hatte. Wir fanden, daß die Gegebenheiten unseres Daseins ein anderes Einordnungsprinzip verlangten. Es war nun zu fragen, warum der Aufforderung keine Kraft mehr innewohnte. Eine Antwort konnte aber nur gefunden werden, wenn einmal klargestellt war, welche ethische Haltung und Stellungnahme der uns führenden geistigen Generation, ihrem Bildungsstreben, zugrunde lag, und was von ihr für uns noch gültig bleiben konnte." (S. VII) Die zentralen Themen sind deutlich: „Seinsverbundenheit" des Denkens, Standortgebundenheit und spezifische Reichweite bestimmter Deutungen der sozialen Wirklichkeit, das Problem der Tradition.

Weil kündigte zwei Veranstaltungen in Frankfurt an: Übungen zur Dilthey-Schule; Soziologie der Erziehung. Dann verliert sich seine Spur nach New York, und wie im Falle der Soziologie war die historische Bildungsforschung beendet, ehe sie sich ins Werk gesetzt hatte.

[12] Vgl. M. Boveri, Wir lügen alle. Eine Hauptstadtzeitung unter Hitler, Olten 1965; dort ausführlich zu Gerths Tätigkeit, Texte von ihm sowie Mitteilungen aus brieflichen Erinnerungen an M. Boveri.

[13] Ebd., S. 493.

[14] Ebd., S. 558.

[15] Briefliche Mitteilung von H. Gerth an den Verf.

[16] Von den Arbeiten dieser Zeit seien hervorgehoben: The Nazi Party: Its Leadership and Composition, in: American Journal of Sociology 45, 1940, S. 517–541; Germany on the Eve of Occupation, in: Th. C. McCormick (Hg.), Problems of the Post war World, New York 1945, S. 391–439; From M. Weber: Essays in Sociology, übers. u. hg. mit C. W. Mills, New York 1946, reprint 1958; M. Weber: The Hindu Social System, übers. u. hg. mit D. Martindale u. einer Max-Weber-Bibliographie von H. u. H. I. Gerth, Minneapolis 1950; Karl Mannheim, Freedom, Power and Democratic Planing, hg. mit E. K. Branstedt, New York 1950; M. Weber: The Religion of China, London 1951; M. Weber: Ancient Judaism, übers. u. hg. mit D. Martindale, Glencoe, Ill. 1952; zus. mit C. W. Mills, Character and Social Structure. The Psychology of Social Institutions, New York 1953 u. ö., dt. Person u. Gesellschaft, Frankfurt 1970.

[17] Die Texte liegen jetzt in dem Anm. 1 genannten Band vor.

[18] Vgl. ebd., S. 410, Anm. 2.

[19] W. Dilthey, Gesammelte Schriften, Bde. 7 u. 8, Göttingen 1960/61[3].

[20] Ideen zur Staats- u. Kultursoziologie, Karlsruhe 1927; Kulturgeschichte als Kultursoziologie, Leiden 1935, München 1950[2].

[21] Vor allem: Der Historismus u. seine Probleme (Gesammelte Schriften, Bd. 3), Tübingen 1922, Neudruck Aalen 1961; in den Bänden 1, 2 und 4 die religionssoziologischen Arbeiten Troeltschs, deren zeitgenössischer Einfluß eher noch größer war.

[22] Vor allem: Die Wissensformen u. die Gesellschaft, Leipzig 1926 (jetzt in: Gesammelte Schriften, Bd. 8, Bern 1960.) – Vgl. die Bibliographie zur Wissenssoziologie in der ergänzenden Bibliographie zu diesem Band.

[23] Geschichte u. Klassenbewußtsein, Berlin 1923, zuletzt Neuwied 1970.

[24] Marxismus u. Philosophie, Leipzig 1923.

[25] So in der Widmung der „Einleitung in die Geisteswissenschaften" für den Grafen Yorck v. Wartenburg (Berlin 1883, jetzt Gesammelte Schriften, Bd. 1, Göttingen

1962[5]); die Nachweise im einzelnen bei: U. Herrmann, Die Pädagogik W. Diltheys, Göttingen 1971, S. 66 ff.

[26] Sie unterstellte er aber ebenfalls dem totalen Ideologieverdacht; die zeitgenössische Diskussion sei hier ausgeklammert; der Verweis auf den Artikel „Wissenssoziologie" von H.-J. Lieber und P. Fuhrt (in: HDSW, Bd. 12, 1965, S. 337 mit Bibliographie) muß hier genügen.

[27] In der in Anm. 1 genannten Sammlung, S. 372 ff.

[28] Ebd., S. 373.

[29] Ebd., S. 375 f.

[30] Ebd., S. 376 ff.

[31] Ebd., S. 378 f.

[32] Ebd., S. 383 ff.

[33] So der Titel des monumentalen und hier einschlägigen Werks von A. Rüstows, 3 Bde., Erlenbach 1950 ff.

[34] Jetzt beide in der in Anm. 1 genannten Sammlung, S. 408 ff. u. S. 509 ff.

[35] Ebd., S. 408.

[36] Ebd., S. 443 f., Anm. 57.

[37] Ebd., S. 447 ff.

[38] W. Conze, Die Strukturgeschichte des technisch-industriellen Zeitalters als Aufgabe für Forschung u. Unterricht, Opladen 1966, bes. S. 18 ff.; auf die Kritik an Conzes „Struktur"-Konzept (Groh, Wehler) kann hier nicht eingegangen werden.

[39] Nachweise, auch für die folgenden Hinweise, finden sich in der ergänzenden Biliographie am Schluß dieses Bandes.

[40] R. Koselleck, Preußen zwischen Reform u. Revolution. Allgemeines Landrecht, Verwaltung u. soziale Bewegung von 1791 bis 1848, Stuttgart 1967, S. 17; Kosellecks weitere Veröffentlichungen zu dieser Frage sind zusammengestellt und kurz skizziert in meiner Abhandlung „Emanzipation" in: Archiv für Begriffsgeschichte 18, 1974, S. 85–143, hier S. 108 ff.

[41] Dazu zuletzt Themenheft „Historische Familienforschung und Demographie" in der Zeitschrift „Geschichte und Gesellschaft" 1, 1975, H. 2/3; über Historische Sozialisationsforschung vgl. meinen Artikel „Historisch-systematischen Dimensionen der Erziehungswissenschaft", in: C. Wulf (Hg.), Wörterbuch der Erziehung, München 1974, S. 283–89, sowie den Anhang zu K. Mollenhauer, Familienerziehung, München 1975, S. 207–216.

Einleitung

[1] Vgl. insbesondere K. Mannheim, Das konservative Denken. Soziologische Beiträge zum Werden des politisch-historischen Denkens in Deutschland, in: ASS, Bd. 57, 1927, S. 68–142, 470–495; Ders., Ideologie und Utopie, Bonn 1929; Ders., Artikel „Wissenssoziologie", in: Handwörterbuch der Soziologie, hg. v. A. Vierkandt, Stuttgart 1931, S. 659–680.

[2] Vgl. Mannheim, Denken, S. 71 ff.

[3] R. H. Tawney, Religion and the Rise of Capitalism, London 1926, S. 210 f.

[4] Schiller äußert sich resignierend über die französische Revolution: „Der Moment war der günstigste, aber er fand eine verderbte Generation, die ihn nicht wert war und weder zu würdigen noch zu benützen wußte. Der Gebrauch, den sie mit diesem großen Geschenk des Zufalls macht und gemacht hat, beweist unwidersprechlich, daß das Menschengeschlecht der vormundschaftlichen Gewalt noch nicht entwachsen ist, daß das liberale Regiment der Vernunft da noch zu früh kommt, wo man kaum damit fertig wird, sich der brutalen Gewalt der Tierheit zu erwehren, und daß derjenige

noch nicht reif ist zur *bürgerlichen* Freiheit, dem noch so vieles zur menschlichen fehlt." Zitiert bei A. Stern, Der Einfluß der Französischen Revolution auf das deutsche Geistesleben, Stuttgart 1928, S. 143 f.

[5] J. F. Fries, Wissen, Glaube und Ahndung, Jena 1805, neu hg. von L. Nelson, Göttingen 1931[2], S. XIII.

[6] A. Wahl, Beiträge zur deutschen Parteigeschichte im 19. Jahrhundert, in: HZ, Bd. 104, 1910, S. 537–594 hier S. 540 f. – In Campes Wörterbuch finden wir unter „liberal" „1. freigebig, 2. billig, gütig, vorurteilsfrei oder unbefangen, mild und edel. Eins oder das Andere wird gemeint, wenn man von liberaler Behandlungsart usw. redet". (J. H. Campe, Wörterbuch zur Erklärung und Verdeutschung der unserer Sprache aufgedrungenen fremden Ausdrücke. Ein Ergänzungsband zu Adelungs und Campes Wörterbüchern, neue Ausgabe, Braunschweig 1813, S. 397).

Im Zusammenhang mit der ständischen Ehre spricht Kant von „liberaler Erziehung" (Vermischte Schriften, hg. von K. Vorländer, Leipzig 1922, S. 293), Ch. J. Kraus von „liberalen Professionen, wie der Ärzte, Sachwalter, Künstler", doch 1799 schon konstatiert er „liberale Maximen, die in unserer Staatsverwaltung mehr und mehr in Schwung kommen". (Vermischte Schriften über staatswirtschaftliche, philosophische und andere wissenschaftliche Gegenstände, hg. v. H. v. Auerswald, 5 Teile, Königsberg 1808–1812 hier Teil 2, S. 73, 82 und 167.)

[7] Vgl. J. S. Mill, On liberty (1859), hier nach d. dt. Ausg.: Die Freiheit, übersetzt und eingeleitet von E. Wentscher, Leipzig 1928.

[8] Die beste Zusammenstellung bietet L. Bergsträsser, Geschichte der politischen Parteien, Mannheim 1932[6].

[9] Die älteren Darstellungen des Liberalismus (R. Rudel, Geschichte des Liberalismus und der deutschen Rechtsverfassung, Guben 1891; O. Klein-Hattingen, Geschichte des deutschen Liberalismus, 2 Bde., Berlin 1911/12) sind heute unbrauchbar. – G. de Ruggiero, Geschichte des Liberalismus in Europa, München 1930, kann einen ersten Zugang bieten; seine Begriffe sind allerdings zu weitmaschig, um die Situation, die wir treffen wollen, einzufangen. Für die Entstehung einer Intelligenzelite um 1800 und ihre soziologische Analyse siehe H. Weil, Die Entstehung des deutschen Bildungsprinzips, Bonn 1930. – Aus der umfangreichen historischen Literatur möchten wir besonders hinweisen auf K. Lamprecht, Deutsche Geschichte, Berlin 1921–22 (hier: Bd. 7 [= Bd. 3[4] von:] Neuere Zeit, Zeitalter des subjektiven Seelenlebens; Bde. 8–10 [= Bde. 1–3[4] von:] Neueste Zeit, Zeitalter des subjektiven Seelenlebens); F. Schnabel, Deutsche Geschichte im 19. Jahrhundert, 4 Bde., Freiburg i. Br. 1929 ff.; F. Meinecke, Weltbürgertum und Nationalstaat, München 1928[7].

[10] M. Weber, Wirtschaft und Gesellschaft, 2 Bde., Tübingen 1925[2], S. 487 f.

[11] So bezeichnet von K. Mannheim in seinen soziologischen Seminaren in Frankfurt im Sommersemester 1932; ohne diesen Terminus als „leitender Gesichtspunkt" der Denkstilanalyse formuliert in „Das konservative Denken": „Bei dem Zusammenfließen zweier Denkrichtungen besteht die wissenssoziologische Aufgabe darin, jene Momente in den beiden Strömungen aufzusuchen, welche bereits *vor* der Synthese eine innere Verwandtschaft aufwiesen und dadurch die Vereinigung erst ermöglichten." (S. 117, Anmerkung 78.)

[12] Vgl. Mannheim, Das konservative Denken, S. 90 ff.; Ders., Artikel „Wissenssoziologie", S. 663.

I. Sozialgeschichtlicher Aufriß

[1] W. Sombart, Der moderne Kapitalismus. Historisch-systematische Darstellung des gesamt-europäischen Wirtschaftslebens von seinen Anfängen bis zur Gegenwart, 2 Bde.,

München 1919[3]; Ders., Die deutsche Volkswirtschaft im 19. Jahrhundert, Berlin 1903. – G. F. Knapp, Die Bauernbefreiung und der Ursprung der Landarbeiter in den älteren Teilen Preußens, 2 Bde., Leipzig 1887. – J. Kulischer, Allgemeine Wirtschaftsgeschichte des Mittelalters und der Neuzeit, 2 Bde., München 1928–29. – M. Weber, Wirtschaftsgeschichte. Abriß der Sozial- und Wirtschaftsgeschichte, aus den nachgelassenen Vorlesungen hg. v. S. Hellmann und M. Palyi, München 1923. – O. Hintze, Preußische Reformbestrebungen vor 1806, in: HZ, Bd. 76, 1896, S. 413–443. – G. Schmoller, Umrisse und Untersuchungen zur Verfassungs-, Verwaltungs- und Wirtschaftsgeschichte, besonders des preußischen Staates im 17. und 18. Jahrhundert, Leipzig 1898. – C. W. Hasek, The introduction of Adam Smith's doctrines into Germany, New York 1925.

[2] Kulischer, S. 6.

[3] C. F. W. Dieterici, Der Volkswohlstand im preußischen Staate, Berlin 1846, S. 2.

[4] K. A. Varnhagen von Ense, Fürst Leopold von Anhalt-Dessau, in: Ders., Biographische Denkmale, 1. Teil, Berlin 1825, S. 121–418.

[5] Vgl. M. Weyermann, Zur Geschichte des Immobiliarkreditwesens in Preußen mit besonderer Nutzanwendung auf die Theorie der Bodenverschuldung, Karlsruhe 1910.

[6] „Der Adel hatte, allen Ideen der Zeit zum Trotz, die Erbuntertänigkeit verteidigt, die Bürger hatten geschwiegen, die kölmischen Bauern erhoben vornehmlich ihre Stimme. Sie besaßen freilich in dieser Angelegenheit ein unmittelbares, persönliches Interesse. Die Gutspflichtigkeit und der Dienstzwang auf den Rittergütern und Domänen entzogen ihnen das Gesinde, dessen sie bedurften." – „Ungehindert habe der Adel ihre Güter aufkaufen dürfen, es gäbe daher fast kein Rittergut in Ostpreußen, zu dem nicht kölmische Ländereien gehörten. Ihnen aber sei die Hälfte der besten und einträglichsten Güter entrissen und zwar den bestehenden Gesetzen nach für immer." (H. Eikke, Der ostpreußische Landtag von 1798, Göttingen 1910, S. 42 und 47.)

[7] Vgl. ebd., S. 4 ff.

[8] Hintze, Reformbestrebungen.

[9] Kraus, Vermischte Schriften, Bd. 1 (Gutachten über die Aufhebung der Privatuntertänigkeit in Ost- und Westpreußen), S. 190 f.

[10] G. Rawitscher, Die Erb- und Zeitpächter auf den adligen Gütern der Ostküste Schleswig-Holsteins, in: Zeitschr. d. Gesellsch. f. Schleswig-Holstein. Geschichte, Bd. 42, 1912, S. 1–165, hier S. 149.

[11] J. F. Benzenberg, Die Verwaltung des Staatskanzlers Fürsten von Hardenberg, Leipzig 1821, S. 38.

[12] Naudé zeichnet ein Bild des märkischen Adels der zweiten Hälfte des 16. Jahrhunderts, das wohl auch für die späteren Zeiten gelten mag: „Ein überaus zahlreiches Krautjunker- und Kleinadeltum, rücksichtslos um sich greifend, den Nahrungsspielraum, die Fortexistenz sich erkämpfend, ganz in die wirtschaftlichen Aufgaben des Tages versenkt. Unter den Händen dieses Junkertums gedeiht die Landwirtschaft, hebt sich der Ackerbau, steigen die Preise der Güter, es sind die Zeiten, wo die Nordostdeutsche Ritterschaft den Grund gelegt hat zu allem, was sie in politischer und sozialer Hinsicht später bedeutet hat." W. Naudé u. a., Die Getreidehandelspolitik der europäischen Staaten vom 13. bis zum 18. Jahrhundert in: Acta Borussica, 3. Abt.: Getreidehandelspolitik, 4 Bde., Berlin 1896 1931, hier Bd. 2, S. 27.

[13] A. Skalweit, Höhe und Verfall der Fridericianischen Getreidehandelspolitik und Getreidehandelsverfassung, Kiel 1931, S. 10 f.

[14] F. Buchholz' weitgehend unbekanntes Verdienst ist es, diesen Zusammenhang wohl zuerst erkannt zu haben; vgl. ders., Gemählde des gesellschaftlichen Zustandes im Königreiche Preußen, bis zum 14. Oktober des Jahres 1806, 2 Bde., Berlin 1808,

1. Teil, S. 78 ff.; desgleichen H. Sieveking, Grundzüge der neueren Wirtschaftsgeschichte vom 17. Jahrhundert bis zur Gegenwart, Leipzig 1928[5], S. 43.

[15] Skalweit, Höhe, S. 16.

[16] A. Lichtner, Landesherr und Stände in Hessen-Cassel 1797–1821, Göttingen 1913, S. 64; siehe auch S. 66 f.

[17] A. Wagner, Finanzwissenschaft, Leipzig 1910[2]; 1. Buch: Steuergeschichte, S. 138.

[18] Kulischer, S. 143.

[19] K. Lamprecht, Deutsche Geschichte, 1. und 2. Ergänzungsband: Zur jüngsten deutschen Vergangenheit, Freiburg 1905–06[2], Bd. 2, 2. Halbbd., S. 295 f.

[20] A. Voigt, Handwerk und Handel in der späteren Zunftzeit. Versuch einer quellenmäßig-systematischen Darstellung der Wirtschaftsanschauungen des Gewerbes und Handels in ihrem Wandel vom Beginn des 16. bis zum Ende des 18. Jahrhunderts nach Quellen zur Wirtschaftsgeschichte der Stadt Trier, Stuttgart 1929, S. 62 und 77.

[21] M. Weber, Gesammelte Aufsätze zur Religionssoziologie, 3 Bde., Tübingen 1920–21, hier Bd. 1, S. 7.

[22] F. J. Bertuch, Über die Wichtigkeit der Landes-Industrie-Institute, in: Journal des Luxus und der Moden, Bd. 8, Weimar 1793, S. 409–417, 449–462, hier S. 451.

[23] E. C. Conte Corti, Das Haus Rothschild. Bd. 1: Der Aufstieg des Hauses Rothschild, 1770–1830; Bd. 2: Das Haus Rothschild in der Zeit seiner Blüte, 1830–1871, Leipzig 1927–28.

[24] W. Feldmann, Friedrich Justin Bertuch. Ein Beitrag zur Geschichte der Goethezeit, Saarbrücken 1902.

[25] W. Simons, Albrecht Thaer. Gedenkschrift der Gesellschaft für Geschichte und Literatur der Landwirtschaft zum 100. Todestage Thaers, Berlin 1929, S. 214, vgl. auch S. 228.

[26] W. Troeltsch, Die Calwer Zeughandlungskompagnie und ihre Arbeiter, Jena 1897, S. 39 und S. 151 ff.

II. Die Struktursituation der Intelligenz

[1] „In Deutschland verfassen die Kameralisten umfangreiche Abhandlungen darüber, wie die fürstliche Kammer am besten verwaltet werde, die sich an die Beamten, den Fürsten und seine Minister wenden. In England finden wir namentlich seit der Mitte des 17. Jahrhunderts eine Fülle von Gelegenheitsschriften (pamphlets), die sich mit Einzelfragen des Handels befassen und sich an die öffentliche Meinung der Geschäftswelt wenden." (Sieveking, S. 45)

[2] Seit den Zeiten Swifts (1667–1745) finden wir neben den Gentleman-Literaten in London eine plebejische Kaffeehausintelligenz, die in sozialem Konnex mit den bürgerlichen Schichten deren soziale und politische Sicht auslegte. Zur ihr gehören Namen wie: Addison, Steele, Goldsmith, Richardson und Defoe, den man als ihren Prototyp bezeichnen könnte.

[3] Dem ist entgegenzuhalten, daß unter bestimmten historisch-sozialen Bedingungen Intelligenzschichten, wie z. B. die chinesische bürokratische Literatenschicht, traditionalistisch eingestellt sind, vgl. die uns vorbildliche Analyse des chinesischen Literatenstandes von M. Weber, Religionssoziologie, Bd. 1, S. 395 ff.

[4] Vgl. A. v. Martin, Der Humanismus als soziologisches Phänomen. Ein Beitrag zum Problem des Verhältnisses zwischen Besitzschicht und Bildungsschicht, in: ASS, Bd. 65, 1931, S. 441–474.

[5] Unter den Mitarbeitern der Zeitschriften der letzten Jahrzehnte des 18. Jahrhunderts ist nach Johanna Schultze „der aufgeklärte Adel in bedeutend größerer Zahl vertreten ... als der ständisch befangene", vgl. J. Schultze, Die Auseinandersetzung zwi-

schen Adel und Bürgertum in den deutschen Zeitschriften der letzten drei Jahrzehnte des 18. Jahrhunderts (1773–1806), Berlin 1925, S. 20.

[6] *Dem protestantischen Klerus entstammten* (einschließlich Superintendent, Kantor, Diakonus usw.): J. F. Benzenberg, H. C. Boie, F. Buchholz, G. N. Fischer, G. Forster, F. Gedike, K. v. Hase, J. G. Herder, G. J. Ch. Kunth, J. v. Müller, J. Ch. Nachtigall, F. E. Rambach, K. F. Reinhard, Jean Paul, F. R. Rickleffs, F. W. J. Schelling, A. und W. Schlegel, A. L. Schlözer, Ch. F. D. Schubart, L. T. Spittler, G. W. Starke, F. Th. Vischer, W. L. Wekherlin, G. und Th. Welcker, G. F. A. Wendeborn, C. M. Wieland.

Dem Beamtentum, der Professorenschaft, Rektoren und Lehrern, fürstlichen oder ständischen Berufspolitikern entstammten: F. Brandes, F. C. Dahlmann, A. Feuerbach, K. und P. Follen, W. und J. Grimm, G. W. F. Hegel, F. H. Hegewisch, J. F. Herbart, Th. G. Hippel, E. F. Klein, Ch. L. A. Massenbach, C. Meiners, J. Möser, F. und K. Murhard, B. G. Niebuhr, K. L. Posselt, A. G. F. Rebmann, H. A. O. Reichard, A. W. Rehberg, C. v. Rotteck, J. Schulze, F. L. Weidig.

Dem gewerblichen oder kommerziellen Bürgertum entstammten: K. Bertuch, J. E. Biester, L. Börne, Ch. Garve, F. Gentz, H. Heine, F. H. Jacobi, Ch. F. Nicolai, K. E. Oelsner, Ph. O. Runge.

Dem Handwerk, Bedientenkreisen (Perückenmacher) entstammten: J. B. Basedow, J. G. Fichte, Ch. G. Heyne, F. List, J. W. Streithorst, J. H. Voss, F. Zelter, I. Kant.

Vom Lande stammten die Pächtersöhne: E. M. Arndt, W. T. Krug, G. J. D. Scharnhorst und der Winzersohn Weitzel.

Dem Adel entstammten: H. v. Bülow, H. Ch. E. v. Gagern, H. v. Held, A. und W. v. Humboldt, Frhr. v. Knigge, Frhr. v. Stein, Ch. und F. v. Stolberg, G. v. Stolberg, G. v. Struve, K. v. Dalwigk.

[7] H. Schöffler, Protestantismus und Literatur. Neue Wege zur englischen Literatur des 18. Jahrhunderts, Leipzig 1922. – J. F. v. Schulte stellte fest, daß „861 von den 1600 in der Allgemeinen Deutschen Biographie angeführten berühmten Männern aus dem Pfarrhaus hervorgingen". Vgl. J. F. v. Schulte, Herkunft und Alter von deutschen Gelehrten aller Art, in: Ders., Lebenserinnerungen, Bd. 3: Geschichtliche, soziale, politische und biographische Essays, Giessen 1909[3], S. 271–279. – Vgl. auch H. Werdermann, Der evangelische Pfarrer in Geschichte und Gegenwart. Ein Rückblick auf 400 Jahre evangelisches Pfarrhaus, Leipzig 1925, S. 117 f.

[8] Vgl. die von Mitgau aufgestellte typische Aufstiegsreihe: Küster – Lehrer – Pfarrer – Staatsbeamter oder Gelehrter, in: Ders., Familienschicksal und soziale Rangordnung. Untersuchungen über den sozialen Aufstieg und Abstieg, Leipzig 1928, S. 76.

[9] „Dem neuen Stande kamen bald neue Kräfte zu, vor allem aus dem Lehrer- und Küsterstand, aber auch viele Buchdrucker, die durch ihren Beruf mit der neuen Lehre bekannt geworden waren und viele Tuchmacher, deren Gewerbe in Deutschland besonders blühte. Fast ganz fehlte der Zuzug aus dem Bauern- und Adelsstand." (P. Drews, Artikel „Pfarrer", in: RGG, Bd. 4, Tübingen 1909[1], Spp. 1427.) Der Artikel „Pfarrer" von Schian (in: RGG, Bd. 4, Tübingen 1931[2], Spp. 1121–1131) bietet für unsere Zusammenhänge nichts Neues über Drews' Arbeiten hinaus.

[10] Zum Beispiel waren in der Familie David Hansemanns der Großvater väterlicherseits Oberpostmeister, mütterlicherseits Bürgermeister, die beiden Onkel väterlicherseits Oberpostmeister, ein Onkel mütterlicherseits Architekt. (Vgl. A. Bergengrün, David Hansemann, Berlin 1901, S. 1 f.)

[11] Nachweise für die Provinz Brandenburg bei O. Fischer, Bilder aus der Vergangenheit des evangelischen Pfarrhauses, in: Jb. f. Brandenburgische Kirchengeschichte, Bd. 21, 1926, S. 12–21, hier S. 19.

[12] „... nie war das Pfarrhaus leer von Verwandten, näher oder ferner stehenden

Bekannten, sei es, daß sie zum Besuch dort weilten, oder Schutz und Unterkommen suchten und fanden.“ (Bergengrün, S. 3)

[13] Max Weber weist auf die „so auffallend häufige Erscheinung“ hin, „daß aus Pfarrhäusern kapitalistische Unternehmer großen Stils“ hervorgingen. Vgl. ders., Religionssoziologie, Bd. 1, S. 26; die Untersuchung von J. Hashagen, Der rheinische Protestantismus und die Entwicklung der rheinischen Kultur, Essen 1924, enthält weitere Belege.

[14] P. Drews, Der evangelische Geistliche in der deutschen Vergangenheit, Jena 1905, S. 135.

[15] „Wenn nicht die weltliche Obrigkeit den Pfarrern auf dem Lande vielfach erzwang, was ihnen zukam, so kürzten Adel und Bauernschaft nur zu gern dem Pfarrer sein geringes Einkommen.“ (Drews, Artikel „Pfarrer“, Spp. 1427 f.)

[16] Weber, Wirtschaft und Gesellschaft, Bd. 2, S. 701. – „Das Anstellungsverfahren bildet einen Krebsschaden des ganzen Landes bis ins 19. Jahrhundert hinein. Galt doch der Pfarrer nicht als unabsetzbar, sondern gar mancher wurde, machte er sich mißliebig, wie ein Knecht von seinem adligen Patronen entlassen. Dieser hatte oft die ganze Existenz eines Pfarrers in der Hand.“ (Drews, Artikel „Pfarrer“, Sp. 1428; vgl. ders., Geistliche, S. 137 f.)

[17] „Der Schleifwege zum geistlichen Schafstalle sind soviel, daß jemand dieser Gegend sehr kundig sein muß, wenn er es unternehmen will, sie alle, oder doch nur die meisten davon zu beschreiben. Eines der sichersten und gewöhnlichsten Mittel ist dieses, wenn sich der Kandidat durch das Kammermädchen dem Herrn darstellen läßt. Ich glaube nicht, daß jemand so abergläubig sein und hierbei etwas bedenkliches finden wird. Wider das Recht der Natur läuft es wenigstens nicht, und die Kirchengeschichte unserer Zeit rechtfertigt den Gebrauch.“ (G. W. Rabener, Satiren, 4 Bde., neueste Ausgabe Leipzig 1764, hier Bd. 3, S. 34 f.)

[18] „Die Einkünfte des geistlichen Standes, die in protestantischen Ländern immer sehr mäßig waren, sind seit einem halben Jahrhundert, um wenig zu sagen, auf die Hälfte ihres Wertes herabgesunken, während an ihm nicht bloß die alten, sondern weit höhere Forderungen gemacht werden.“ So Friedrich Jacobs in Gotha 1822, wiedergegeben bei Drews, Geistliche, S. 138; vgl. auch H. Werdermann, Pfarrer, S. 75.

[19] Siehe die Schilderung von Pastor Roller, zu dem Wilhelm von Kügelgen gesandt wurde, da er in Dresden „für den einzigen gläubigen Theologen der Umgegend galt“. (W. v. Kügelgen, Lebenserinnerungen eines alten Mannes, München 1922, S. 262.)

[20] „... mein häusliches und eheliches Leben ... stellte in persönlicher Hinsicht den Himmel auf Erden dar, so daß es mitunter Neid erregte. Aber unsere äußeren Verhältnisse ließen viel, sehr viel zu wünschen übrig, denn es fehlte uns gerade das, was der *Konsistorialrat* Grimm in seinem poetischen Hochzeitsgeschenk uns so schön wie treffend zugelegt hatte, nämlich *die geliebten Kleinen,* in deren froher Mitte wir beneidenswert, doch neidesfrei am eigenen Herd, in eigener Hütte leben sollten! Unsere Ehe war bis dahin kinderlos gewesen ... Namenlos waren die Kränkungen, die wir deshalb von ihr und ihrem Manne zu erdulden hatten. Wo wir bei festlichen Gelegenheiten in und außer unserer friedlichen Wohnung auch nur irgend auftreten mochten, überall machten uns beide schonungslos zur Zielscheibe grober erotischer Witzeleien, worin denn nicht selten bald alle Anwesenden einstimmten. Die Folge davon war verzehrender Gram, gräßliche Verstimmung, Vergiftung aller Lebensfreude! Unseren Gedanken überlassen, saßen wir nach solchen Auftritten oft noch eine Stunde lang schweigend in unserem Schlafgemach, bis wir endlich lautlos einander in die Arme sanken und unsern verhaltenen Schmerz in Tränen ausströmten.“ Dies geschah P. E. Müllensiefen, ähnlich wie Hansemann, ein Selfmade-Man des jungen rheinischen Unternehmertums. Vgl.

P. E. Müllensiefen, Ein deutsches Bürgerleben vor 100 Jahren. Selbstbiographie des P. E. Müllensiefen, hg. v. F. v. Oppeln-Bronikowski, Berlin 1931, S. 154 f.

[21] Friedrich Buchholz, ein Berliner liberaler Journalist, zum Beispiel war „das achte unter dreizehn Kindern". (K. Bahrs, Friedrich Buchholz, ein preußischer Publizist. 1768–1843, Berlin 1907, S. 4.) – Der Vater David Hansemanns, Pfarrer in Finkenwerder bei Hamburg, hatte von zwei Frauen elf Kinder, von denen fünf starben. Als die älteste Tochter Charlotte früh verwitwet und mittellos nach Haus zurückkehrte, brachte sie drei Kinder mit, „deren Versorgung nun gleichfalls den Eltern zur Last fiel". (Bergengrün, S. 4) – Der Vater des liberalen G. J. Ch. Kunth war Pfarrer in Schlesien. Er „war viermal verheiratet. Obgleich aus den drei ersten Ehen vier Kinder am Leben waren ... entschloß er sich, im 56sten Lebensjahre noch einmal zu heiraten". Kunth schreibt in seiner Selbstbiographie: „Diese Ehe war nicht die glücklichste. Vier zum Teil schon ziemlich erwachsene Kinder aus den ersten drei Ehen meines Vaters waren vorhanden; noch vier kamen hinzu, die meine Mutter alle selbst nährte." (F. und P. Goldschmidt, Das Leben des Staatsrats Kunth, Berlin 1881, S. 4 f.)

[22] Ein Vertreter des bürokratisch-merkantilen Rationalismus auf der Kanzel ist z. B. Ch. L. Hahnzog in Weschleben bei Magdeburg. In seinen „Patriotischen Predigten oder Predigten zur Beförderung der Vaterlandsliebe für die Landleute in den preußischen Staaten" (Halle 1785) versucht er zu begründen, daß alles auf die Kanzel gehöre, was die Landleute moralisch und physisch besser mache; u. a. handelt er in einer Predigt über den Stuhlgang neugeborener Kinder und die Gesundheitsschädlichkeit der Pelzmützen. Vgl. über ihn G. Holstein, Die Staatsphilosophie Schleiermachers, Bonn 1923, S. 15.

[23] „Vor allem leidet es der Staat nicht, daß sich der Pfarrer um staatliche Dinge kümmert und sich eine Kritik darüber anmaßt. Schon Friedrich Wilhelm I., der Soldatenkönig, ließ zwei Prediger, allerdings nur zum Schein, absetzen, die sich unterstanden hatten, gegen die Werbung zu deklamieren." (Drews, Geistliche, S. 128 f.)

[24] Ebd., S. 129.

[25] „Eine geistliche Obrigkeit gab es nicht mehr, die Folge war ..., daß jeder Pfarrer tun und lassen konnte was er wollte ... zumal auch die Geistlichen der Aufklärung im Gegensatz zu denen des Pietismus keine nähere Verbindung miteinander pflegten ... Jeder stand für sich." (Ebd., S. 139.)

[26] In den behördlichen Reskripten wurde „allen gemeinen Handwerkern und Bauern als auch sonst den niedern herrschaftlichen und Kommun-Bedienten (Förstern, Dorf-Schulzen, Bürgermeistern, Schulmeistern, Krämern) und überhaupt allen Personen, die nicht zur eigentlichen Klasse der Honoratioren gerechnet werden können", verboten, ihre Söhne Theologie studieren zu lassen, außer bei besonders hoher Begabung (ebd., S. 140).

Ähnliche Studienverbote bestanden in Kurhessen: „Welche die freie Entwicklung der aufkommenden Mittelschichten hemmen sollten, damit die klare Übersicht über das nach der hessischen Rangordnung wohlgegliederte Volk der Untertanen dem allmächtigen Herrn auf dem Weissenstein [der Wilhelmshöhe bei Kassel] nicht etwa abhanden kam. So war es den Söhnen von ‚gemeinen Untertanen' schon seit 1774 untersagt, ohne besondere landesherrliche Genehmhaltung eine Universität zu beziehen; auch die Pfarrer durften nur ihre ältesten Söhne studieren lassen." (H. Hermelink u. S. A. Kähler, Die Philipps-Universität zu Marburg 1527–1927, Marburg 1927, S. 462.)

Über die soziale Zusammensetzung des Tübinger Stifts vgl.: J. K. Risbeck, Reisen eines Kurländers durch Schwaben 1787. Nachtrag zu den Briefen eines reisenden Franzosen, o. O. 1784, S. 155 ff., insbesondere S. 163. Über den Verfasser siehe Weil. Trotz der Studiensperre für die unteren Schichten bestand ein Überangebot an Amtskandidaten für Württemberg. „Die Württembergischen Klöster und das theologische Stipendium in

Tübingen ziehen mehr junge Theologen zu, als man in diesem Herzogtum zu versorgen im Stande ist; und manche ihrer Zöglinge suchen daher ihr Glück auswärts, und sind für das Land verloren." (Ch. Meiners, Über die Verfassung und Verwaltung deutscher Universitäten, 2 Bde., Göttingen 1801–02, hier Bd. 1, S. 78.)

[27] Belege bei W. Lütgert, Die Religion des deutschen Idealismus und ihr Ende, Gütersloh 1923.

[28] So schreibt zum Beispiel der Hofprediger in Detmold J. L. Ewald in seiner Schrift „Was sollte der Adel jetzt tun? Den privilegierten deutschen Landständen gewidmet" (Leipzig 1793): „Das Volk ist lange genug unmündig gewesen und wie Unmündige behandelt worden ... Seine Mündigkeit ist gekommen, und es wird sich selbst für majorem erklären, wenn die Regenten ... es nicht dafür erklären wollen. Der Jüngling läßt sich nicht behandeln wie man den Knaben behandelt." (S. 76) „Ja wenn Stolz auf hohe Geburt, Erziehung und Beispiel so viel beim Adel wirkt, daß er sich über die Bürgerlichen durch *wirkliches Verdienst* erhebt, so ziehe man ihn vor. Aber nicht darum, weil er Adel ist, sondern weil er Verdienst hat. Und doch ists auch alsdann politisch klug, ja für den wahren Vorteil des Adels gehandelt, manchmal einen verdienstvollen Bürgerlichen vorzuziehen, damit ihm bleibe der Sporn, und er behalte sein Verdienst. Je mehr Wettrenner im Zirkus sind; je leichter jeder übertroffen werden kann, desto mehr wird Eifer erregt, nicht übertroffen zu werden." (S. 56 f.) – Vgl. auch J. Hashagen (Das Rheinland und die französiche Herrschaft. Beiträge zur Charakteristik ihres Gegensatzes, Bonn 1908) über den ehemaligen Mönch und späteren französischen und preußischen Verwaltungsbeamten J. J. Stammel (1765–1845), S. 398 f., über J. B. Geich ebd., S. 473 ff. – Über Eulogius Schneider siehe E. C. Zeim, Die rheinische Literatur der Aufklärung [Köln und Bonn], Jena 1932, S. 102. – Vgl. die Schicksale von G. F. A. Wendeborn (1742–1811), des anglophilen Predigers, in seinen „Erinnerungen aus meinem Leben. Von ihm selbst geschrieben", hg. von C. D. Ebeling, 2 Bde., Hamburg 1813. G. Forster empfiehlt eine seiner Schriften dadurch, „daß er frei, wie ein Britte denkt und schreibt. Wie mancher gute Schriftsteller hätte sich genannt, wenn die Toleranz in Deutschland und England dieselbe wäre!" Die Schrift erschien anonym: Beiträge zur Kenntnis Großbritanniens vom Jahre 1779 aus der Handschrift eines Ungenannten, hg. v. G. Forster, Lemgo 1780 (Vorerinnerung des Herausgebers, S. 3).

[29] „Unter Friedrich Wilhelm II. (1786–1797) folgte auf den freisinnigen Minister von Zedlitz Wöllner, dessen Religionsedikt von 1788 und dessen ‚erneuertes Zensuredikt' die Entwicklung der Presse eindämmen sollten." Vgl. H. H. Houben, Hier Zensur – wer dort? Antworten von gestern auf Fragen von heute, Leipzig 1918, S. 47 ff. – Landgraf Wilhelm IX. von Hessen, als Kurfürst Wilhelm I. (1785–1820), wollte „umstürzlerische Ideen ... mit allen Mitteln", wie H. Brunner sagt, bekämpfen. Er versuchte, alle Eigenlebendigkeit von unten zu unterbinden. Zum Beispiel verbot er, von der ständischen Kleiderordnung zu der neuen bürgerlichen Mode überzugehen; zur Abschreckung wurden Sträflinge, die als Straßenkehrer fungierten, modisch gekleidet: sie trugen Zylinder, lange Hosen und zopflose Haartracht. Über das Verbot, im Theater ohne besonderes Zeichen Serenissimi zu applaudieren, Versammlungsverbote für Zünfte und Gilden usw. vgl. H. Brunner, Geschichte der Residenzstadt Cassel 913–1913, Cassel 1913, S. 185. – Über die Zensur und das Verbot ausländischer Zeitungen siehe Ph. Losch, Kurfürst Wilhelm I., Landgraf von Hessen. Ein Fürstenbild aus der Zopfzeit, Marburg 1923, S. 185. – Die Kant-Vorlesung Berings in Marburg durfte nicht angekündigt werden. Da die Fakultät darin übereinstimmte, „daß Freiheit zu denken ein unschätzbares Kleinod einer jeden Universität sei", wurde eine Surveillance-Kommission eingesetzt, in der sich der theologische Primarius Arnoldi, der Jurist Erxleben und C. Curtius zum ‚Spitzeldienst' zusammenfanden. (Hermelink, S. 429 ff.

und 442 f.) „Schon im September 1798 erhielten die hessischen Pfarrer die Weisung, in ihren Predigten ‚die Untertanen in dem schuldigen Gehorsam gegen die Obrigkeit zu befestigen'." (Ebd., S. 441.)

[30] „In den Schatten der Kirche flüchten sich ... alle vom Kapitalismus und der Macht des Bürgertums gefährdeten traditionalistischen Schichten, das Kleinbürgertum, der Adel und – nachdem das Zeitalter des Bündnisses der ihrer Macht sicheren Fürstengewalt mit dem Kapitalismus verflossen ist und die Herrschaftsgelüste des Bürgertums gefährlich zu werden drohen – auch die Monarchie." (Weber, Wirtschaft, Bd. 2, S. 805.)

[31] Seit Beginn des 19. Jahrhunderts erfolgt eine „allmähliche Umwandlung der Naturalleistungen in bare Zahlungen zur Übertragung des Pfründeeinkommens auf die *Gemeinde*, die daraus eine festgeregelte Summe entweder an den Pfarrer oder an einen *Zentralfonds* zu entrichten hat". (Schian, Artikel „Pfarrereinkommen", in: RGG, Bd. 4, Tübingen 1931², Sp. 1423.)

[32] P. A. Sorokin, Social Mobility, New York 1927, S. 188.

[33] F. Paulsen, Geschichte des gelehrten Unterrichts auf den deutschen Schulen und Universitäten vom Ausgang des Mittelalters bis zur Gegenwart, hg. von R. Lehmann, 2 Bde., Leipzig 1919–21³, hier Bd. 2, S. 79 ff.

[34] Die Ritterakademien wie zum Beispiel diejenigen in Brandenburg und Liegnitz dienten traditionell höfischer Bildung des Adels. „Die Zöglinge wurden in höfischen Sitten und Künsten, im Reiten und Tanzen unterrichtet, wogegen die Wissenschaften stark zurücktraten." Bürgerliche Intellektuelle, die dort Lehrstellen innehatten, mochten ähnlich wie Pfarramtskandidaten und Informatoren unter Verachtung des Leistungswissens durch den Adel eine Zugangschance zum Liberalismus gewinnen: so zum Beispiel F. Buchholz, der in Brandenburg 1781 eine Lehrstelle bekam, als er das Studium in Halle – Vermögensschwierigkeiten seines Vaters wegen – aufgeben mußte (Bahrs, S. 5). Die Militärakademien wie die Hohe Karlsschule in Stuttgart, an der v. Massenbach 1782 Professor der Mathematik, Taktik und Strategie wurde, oder die in Hannover, an der Scharnhorst im folgenden Jahre eine Lehrstelle erhielt, betonten mehr militärisches, besonders artilleristisches Leistungswissen. Sie mochten Bürgerlichen aus diesem Grund eher offen stehen, standen doch Artillerie- und Ingenieurskorps bis weit in das 19. Jahrhundert hinein „in einem merkwürdigen krassen Gegensatz zur Infanterie und Kavallerie. Hier im allgemeinen eine ausgesprochene Bevorzugung des Adels, und dort waren die Söhne von Briefträgern, Forstkondukteure, Steueraufseher, Toreinnehmer, verunglückte Studenten, Postschreiber usw. nicht selten vorhanden; die Artillerie war das willkommene Ablager aller der Individuen, welche bei den anderen Waffen keine Aufnahme finden konnten". (K. Demeter, Das deutsche Offizierskorps in seinen historisch-soziologischen Grundlagen, Berlin 1930, S. 21; vgl. auch Paulsen, Bd. 1, S. 514 ff.)

[35] Ebd., S. 608.

[36] Ebd., S. 607.

[37] Zedlitz in seinen „Vorschlägen zur Verbesserung des Schulwesens in den Königlichen Landen", die 1787 angenommen wurden. Zitiert bei Paulsen, Bd. 2, S. 79.

[38] „Um 1740 sind die Schulen auf dem tiefsten Stand der öffentlichen Schätzung gesunken, den sie überhaupt erreicht haben ... Der alt-humanistische Schulbetrieb mitsamt seinem Ziel, der lateinischen Poesie und Eloquenz, war tot; und alle Beredsamkeit der Professoren der Eloquenz und alles Klagen und Schelten der Gymnasialpädagogen konnte ihn nicht wieder zum Leben bringen." (Paulsen, Bd. 1, S. 622 f.)

[39] Den Schlußpunkt der staatlichen Monopolisierung der Zugangschancen zu den Universitäten setzte das Abitur in Preußen im Jahre 1834. „Bei Rethwisch [C. Rethwisch, Der Staatsminister Freiherr von Zedlitz und Preußens höheres Schulwesen im

Zeitalter Friedrichs des Großen, Berlin 1886²] wird die Anzahl der Lateinschulen in den preußischen Ländern um die Mitte des 18. Jahrhunderts auf etwa 400 angegeben. In dem auf mehr als das Doppelte der Bevölkerung angewachsenen Staat betrug im Jahre 1818 die Zahl der anerkannten Gymnasien nur 91. Bei einer Generalvisitation im Jahre 1792 hatte Meierotto in Ostpreußen 60 Schulen gefunden, welche zur Universität entließen; früher war die Zahl größer gewesen und die der Lateinischen überhaupt ... erheblich größer." (Paulsen, Bd. 2, S. 290.)

[40] F. F. Vogel, Wilhelm Traugott Krug, in drei vertraulichen Briefen an einen Freund im Auslande biographisch-literarisch geschildert, Neustadt a. d. O. 1844, S. 25.

[41] J. Weitzel, Sohn einer armen Winzerswitwe, verließ die Karmeliterschule in Kreuznach „nach Verlauf eines Jahres aus eigenem Entschluß". (G. Zedler, Der nassauische Publizist Johannes Weitzel, in: Annalen des Vereins für Nassauische Altertumskunde und Geschichtsforschung, Bd. 33, 1899, S. 143–192, hier S. 144.)

Lessing schreibt 1750 an seinen Vater (Gesammelte Werke, 10 Bde., Leipzig 1841): „Ich habe es in Meissen schon geglaubt, daß man vieles daselbst lernen muß, was man in der Welt gar nicht brauchen kann und jetzt sehe ich es noch viel deutlicher ein." (2. November 1750, Bd. 10, S. 25) „Dem guten Herrn Conrektor hat es gefallen seinen Groll gegen mich auch noch in diesem Briefe ein wenig zu verraten. Er kann aber nichtsdestoweniger versichert sein, daß ich alle Hochachtung gegen ihn habe, ob es mich gleich gar nicht reut, daß ich ihm nicht in allem gefolgt bin. Ich weiß wohl, daß es seine geringste Sorge ist, aus seinen Untergebenen vernünftige Leute zu machen, wenn er nur wackre Fürstenschüler aus ihnen machen kann, das sind Leute, die ihren Lehrern blindlings glauben, ununtersucht, ob sie nicht Pedanten sind." (8. Februar 1751, Bd. 10, S. 29) Weitere Belege und Urteile von Zeitgenossen Lessings bei Paulsen, Bd. 1, S. 610 ff.

Der in Göttingen arrivierte Philologe Heyne, Sohn eines armen Leinewebers aus Chemnitz, tritt 1780 gegen die Lateinschulen auf, um den Zustrom ungeeigneter Elemente zu den Universitäten einzudämmen. Er klagt darüber, „daß es so viele lateinische Schulen gibt, und an Orten wo keine hingehören und keine bestehen können; daß dagegen die Zahl der nützlichen Bürgerschulen so gering ist ... Vergebens erwartet man geschickte Männer und gute Humanisten für eine Schule, wo der erste Lehrer die Elemente der Latinität, mit dem Livius und dem Homer, zugleich den Tag zehn Stunden über lehren und nebenher in Dürftigkeit und Verachtung hinschmachten soll ... *Eben diese Menge von lateinischen Schulen veranlaßt ferner zum großen Teil den Zufluß von so vielen untauglichen Studierenden,* die zum größten Nachteil für sie selbst, für den Staat, für den Gelehrtenstand und für die Gelehrsamkeit den bürgerlichen Studien entzogen werden. Hätten sie in den kleinen Städtchen, wo sie ihre erste Erziehung erhielten, gute praktische Kenntnisse gesammelt und eine Anleitung erhalten, die für die künftige Erlernung einer Kunst, eines Handwerks, des Landbaus, der Kaufmannschaft brauchbar und nützlich sein könnte: so wären sie in bürgerlichen Ständen glückliche Menschen geworden. Unseligerweise war Latein der Hauptunterricht; und freilich, wer Latein gelernt hat, hält sich für eine bürgerliche Profession zu gut. Schulen, worin sich künftige Studierende bilden sollten, man nenne sie lateinische Schulen, Lyceen, Gymnasien, große Schulen, wie man will, braucht ein Land kaum zwei oder drei". (Aus Heynes „Nachricht vom Pädagogium zu Ilfeld" [1780], zitiert bei Paulsen, Bd. 2, S. 60 ff.; Hervorhebung vom Verf.)

[42] „Denn das muß auch zu Ehren jener Pfarrergenerationen [der Aufklärung] gesagt werden, daß lebhaftes pädagogisches Interesse unter ihr vorhanden war. Und zwar galt dieses Interesse sowohl den höheren Schulen wie der Einrichtung und Hebung der Volksschulen. Viele unterrichteten selbst, andere schrieben Reformschriften oder verfaßten Lehrbücher, wie die allermeisten Schulbücher jener Zeit von Geistlichen

geschrieben sind. Auch Salzmann ist aus dem Pfarrerstand hervorgegangen, und ebenso der Schulmann F. A. Dinter." (Werdermann, Der evangelische Pfarrer, S. 76.)

[43] Vogel, S. 25.

[44] W. Klüver, Franz Hermann Hegewisch, ein Vertreter des älteren Liberalismus in Schleswig-Holstein, in: Nordelbingen. Beiträge zur Heimatforschung in Schleswig-Holstein, Bd. 4, 1925, S. 368–466.

[45] B. G. Niebuhr, Briefe, hg. v. D. Gerhard und W. Norvin, Bd. 1, Berlin 1926.

[46] Goldschmidt, S. 7.

[47] Paulsen, Bd. 1, S. 564 ff.

[48] Kunth schildert in seiner Autobiographie die Tagesordnung auf dem Pädagogium: „Um 3/4 auf 6 Uhr wurde zum Aufstehen geläutet. Fleißige warteten das Zeichen nicht ab. Von 7–8 Uhr hatten wir eine lateinische Stunde. Die Stunde von 8–9 Uhr war zum Anziehen, Frühstücken, überhaupt zur Besorgung der Geschäfte des kleinen Hauswesens eines Jeden bestimmt. Von 9–10 Uhr war Unterricht in der Religion, von 10–11 in der Geographie und Geschichte, doch war, wie mich dünkt, jener oder dieser auf 3 oder 4 Stunden wöchentlich beschränkt, um die anderen für die deutsche Sprache und Deklamationsübungen zu gewinnen. Von 11–12 wurde die ersten drei Tage der Woche im Winter Physik, im Sommer Botanik gelehrt oder Unterricht im Französischen, besonders in Sprachen gegeben, von einem Sprachmeister, der aus der Stadt kam – er hieß Blanchot ... Jedem Scholaren (so hießen wir, vielleicht um uns, die vornehmer gehalten wurden, ... von den Schülern des Waisenhauses zu unterscheiden) stand frei, ... den Unterricht auf diese drei Stunden zu wählen ... Zwischen 12 und 1 wurde gegessen; die Stunde von 1–2 diente zur Erholung. Man ging auf den Höfen, ... spazieren, auch mit Lehrern; oder spielte Federball [!], oder lernte Glasschleifen oder Drechseln [!] ... Von 2–3 war die gewöhnliche französische Stunde nach den verschiedenen Klassen; ... Von 3–4 war mathematische Stunde, von 4–5 wieder lateinische Stunde ... in den beiden obersten Klassen Disputierübungen in aller Form. Von 5–7 studierte jeder für sich ... Darauf ging im Sommer die eine oder andere Stubengenossenschaft (chambrée) mit ihrem ... Lehrer ... spazieren oder es wurde Ball gespielt." Die Abendstunden waren Gebet- und Gesangstunden oder privater Lektüre überlassen. „Zweimal im Jahre ... sollte das ganze Haus laxieren ... Darauf folgte der Nachlaxiertag ... Dieser war ganz frei, es wurden dann größere Exkursionen, zu Wagen, auch wohl zu Pferde, mehrenteils zu Fuß ... unternommen ... die meinigen hielten sich immer in der Nähe und von den Scholaren ziemlich entfernt." Der arme Pastorensohn Kunth bekennt sich also zu einer relativen Outsider-Stellung. (Goldschmid, S. 11 ff.) – Vgl. auch Paulsen, Bd. 1, S. 575, Anmerkung. – Ähnliche pietistische Institute bestanden in Niesky und Barby, die Schleiermacher von 1783 bis 1785 und von 1785 bis 1787 besuchte, wie der um fünf Jahre jüngere in Barby geborene J. F. Fries.

[49] Anstelle der Imitation und autoritärer Zucht sollte zwanglose Übung und Erwekkung der Eigenlebendigkeit treten. Die Namen der Mitarbeiter Basedows zeigen die Bedeutung der Bewegung an: Wolke, Campe, Salzmann, Crome. In Salzmanns Erziehungsanstalt Schnepfenthal im Thüringischen setzte mit Gutsmuths die neue gymnastische Körperbildung ein. Neben ihm ist A. Vieth und später F. L. Jahn zu nennen, bei dem sich gymnastisches Erziehungsprogramm zu Mut und Selbstvertrauen, Organisationswille und nationaldemokratische Gesinnung zusammenfinden. Vgl. C. A. E. Bogeng (Hg.), Geschichte des Sports aller Völker und Zeiten, Bd. 1, Leipzig 1926, S. 93 ff.; ebenso Paulsen, Bd. 1, S. 52 ff.

[50] I. Kant, Über Pädagogik, hg. v. F. Th. Rink, Königsberg 1803, zitiert nach: Vermischte Schriften, hg. v. K. Vorländer, Leipzig 1922, S. 204.

[51] Goldschmidt, S. 13 f.

[52] Paulsen, Bd. 1, S. 574.
[53] Goldschmidt, S. 10.
[54] J. B. Basedow, Vorstellung an Menschenfreunde und vermögende Männer über Schulen und Studien und ihren Einfluß in die öffentliche Wohlfahrt. Mit einem Plane eines Elementarbuchs der menschlichen Erkenntnis, Hamburg 1768; Neuausgabe v. Th. Fritzsch, Leipzig o. J., S. 7 der Einleitung.
[55] Bahrs, S. 25.
[56] L. G. v. d. Knesebeck, Das Leben des Obersten C. L. A. Reichsfreiherrn von und zu Massenbach, Leipzig 1925, S. 10.
[57] Paulsen, Bd. 1, S. 597.
[58] „Mein guter Vater, Georg Heyne, war aus dem Fürstentum Glogau in Schlesien gebürtig aus dem kleinen Orte Gravenschütz. Seine Jugend war in die Zeiten gefallen, da die Evangelischen den Bedrückungen und Verfolgungen der römischen Kirche in diesem Lande noch bloßgelegt waren. Auch seine Familie, die das Glück der Zufriedenheit in einem niedrigen aber unabhängigen Leben genoß, sah durch den Bekehrungseifer ihre Ruhe gestört. Einige gingen zur römischen Kirche über. Mein Vater verließ seinen väterlichen Aufenthalte und suchte als Leineweber durch seiner Hände Fleiß sich in Sachsen den nötigen Unterhalt zu verschaffen ... Eine Reihe von widrigen Vorfällen setzte ihn aber selbst unter die Grenzen eines mäßigen Glücks herab. Sein Alter war daher der Armut, und nun ihrer Gefährtin, der Kleinmütigkeit und Zaghaftigkeit gänzlich überlassen. Die Fabriken fielen damals zusehens zu Sachsen; und das Elend in dem Nahrungsstand ward an den Orten, wo Leinwandmanufakturen waren, ungemein groß." (A. H. L. Heeren, Ch. G. Heyne, in: Ders., Historische Werke, 6. Teil, Göttingen 1823, S. 1–430, hier S. 10; vgl. auch S. 15.)
[59] „Verfolgt man die Bewegung der Studentenzahlen während des 19. Jahrhunderts, so zeigen sich sehr deutlich zwei Kulminationspunkte: im Jahre 1830 und im Jahre 1890, beide folgend auf einen bis dahin ungeahnten Anstieg der Studentenzahlen. Die Abhängigkeit von tiefgreifenden, das soziale Leben erschütternden wirtschaftlichen Depressionserscheinungen ist in beiden Fällen offensichtlich." „Mit der allmählichen Besserung der wirtschaftlichen Lage setzt jeweils wieder die Abwendung vom Studium ein." (S. Riemer, Sozialer Aufstieg und Klassenschichtung, in: ASS, Bd. 67, 1932, S. 531–560, hier S. 556 f.)
[60] In Preußen sah man zur Zeit Friedrich Wilhelm I. „die Universität oder auch einige vom König begünstigte Schulen als eine Zuflucht vor den Werbungen und dem noch viel weitergehenden Enrollement an". (J. D. Michaelis, Raisonnement über die protestantischen Universitäten in Deutschland, 4 Bde., Frankfurt 1768–76, hier Bd. 3, S. 166; vgl. auch Paulsen, Bd. 2, S. 94, 96.)
[61] Siehe unten das Kapitel „Bürokratie", S. 72 ff.
[62] Als J. Weitzel das Gymnasium und die Universität zu Mainz besuchte, verdiente er durch Privatunterricht die Mittel zum Lebensunterhalt; vgl. Zedler, S. 145; dgl. Heyne, siehe Heeren, S. 13 und S. 23. – Vgl. unten das Kapitel „Der Hofmeister", S. 51 ff.
[63] Paulsen, Bd. 2, S. 94.
[64] Siehe oben Anmerkung 26; vgl. auch Paulsen.
[65] Paulsen, Bd. 2, S. 127.
[66] Zum Beispiel gingen ein: Bützow in Mecklenburg 1788, Köln 1791, Trier 1797, Mainz 1798, Dillingen 1804, Altdorf 1807. Das 1807 unter Jérôme zum Königreich Westfalen vereinigte Territorium hatte bei zwei Millionen Einwohnern sechs Universitäten: Marburg, Halle, Göttingen, Rinteln, Helmstedt und Paderborn. 1809, als J. v. Müller das Unterrichtswesen leitete, wurden Rinteln, Helmstedt und andere Stiftungen aufgehoben. Die akademische Gerichtsbarkeit wurde beseitigt, neue Lehrkräfte

wurden nach Marburg berufen, die Marburger Bibliothek wurde durch die Bestände von Kloster Corvey und Rinteln vergrößert. „Im Jahre 1806 hatten 21 Professoren im ganzen 8 271 Rth an Besoldung bezogen; dieselben Männer erhielten im Jahre 1813 den Betrag von 11 496 Rth [die Gehälter der Professoren und Beamten waren auf den Staatshaushalt übernommen worden]; der Gesamtaufwand aller *Universitätsbesoldungen* belief sich im Jahre 1806 auf 16 435 Rth, im Jahre 1813 auf 21 360 Rth. Mithin verausgabte die westfälische Regierung an Gehältern ein Mehr von 4 925 Rth. Noch auffallender wirkt sich der Unterschied aus im Haushalt der *Aufwendungen* für die *Institute*; hier steht einer Summe von 2 615 Rth im Jahre 1806 der Betrag von 9 356 Rth also ein Mehr von 6 741 Rth im Jahre 1813 gegenuber. Der landfremde Generaldirektor hatte für die Stiftung Philipps in drei Jahren kräftigere Nachhilfe geschaffen als der ‚angestammte' Fürst in einer zwanzigjährigen Regierung." (Hermelink, S. 505; siehe auch S. 484 ff. und 498 ff.) Über das Sinken der Besucherzahlen um die Jahrhundertwende siehe F. Eulenburg, Die Frequenz der deutschen Universitäten von ihrer Gründung bis zur Gegenwart, Leipzig 1904, S. 269, 273, 298 f. Im Verlauf der preußischen Universitätsreform wurden geschlossen: Frankfurt a. d. Oder 1811, Paderborn 1819; vgl. Paulsen, Bd. 2, S. 248.

67 Feuerbach berichtet 1804 über Kiel seinem Vater und gibt einen interessanten Einblick. „Mangel an Brotneid und Eifersucht; keine Parteien im Senat ... dagegen überall zuviel Phlegma, wissenschaftliche Kälte und Trägheit. Schriftstellerverdienst ist wenig geachtet; das Dozieren treibt man, weil es die Bestallung auferlegt, keine Seele kümmert sich darum, wie der Professor liest ... Zerrütteter Zustand in den akademischen Geschäften. Keiner im Consistorium kennt die akademischen Gesetze und Statuten; daher kommt es, daß oft Entdeckungen in dem Statutenbuche gemacht werden. Neulich wies der Stadtmagistrat das Consistorium zurecht und lehrte es, welche Personen unter seiner Jurisdiction stehen. An der Spitze der Universität steht als Curator der Graf von Reventlow, der sich mit der Akademie als Amusement beschäftigt und sich erst dann recht für sie interessiert, wenn er despotisch etwas durchsetzen will. Er ist ein talentvoller Kopf, der aber die Kenntnisse nicht hat, die zu diesem Geschäft gehören. Literaturkenntnisse hat er gar nicht ... Die medizinische Fakultät ist des Curators Steckenpferd ... die juristische Fakultät, die nächst der theologischen die meisten Studenten zählt, wird nur als das Accessorium der Akademie betrachtet. Trendelenburgs und meinen Abgang will man der Ersparung wegen mit einem Einzigen ersetzen. Die dänische Regierung geht immer mehr in Despotismus über. Die Privilegien, deren Genuß der König mit eigener Hand und Siegel ... verspricht, nimmt er beliebig weg. Für jede Spanne Raum, die ein Professor bewohnt, muß er in Zukunft dem König Steuer geben, und vorigen Sommer legte der Kronprinz den Professoren Soldaten in die Häuser." (L. Feuerbach [Hg.], Paul Johann Anselm Ritter von Feuerbachs Leben und Wirken aus seinen ungedruckten Briefen und Tagebüchern, Vorträgen und Denkschriften, Leipzig 1852, Bd. 1, S. 91 f.)

68 Paulsen, Bd. 2, S. 10 und S. 127 f.

69 Siehe oben Anmerkung 66, ähnliche Zahlen lassen sich aus Paulsen zusammenstellen.

70 „Sie hatte ein stattliches Gebäude und mehrere besoldete Beamte." In der Bibliotheksverwaltung arbeitete lange Zeit Heyne. Über seine Tätigkeit und Organisation der Bibliothek vgl. Heeren. „Die Hallische Bibliothek erhielt erst 1778 ein eigenes Gebäude ... Ihr gesamtes Einkommen, das bisher 2–300 Tlr. betragen hatte, erhielt 1787 eine Vermehrung von 500 Tlrn." (Paulsen, Bd. 2, S. 141 f.)

71 A. Lotz, Geschichte des deutschen Beamtentums, Berlin 1909, S. 449 ff.

72 Paulsen, Bd. 2, S. 159.

73 Ebd., S. 131.

[74] Meiners, Bd. 2, S. 10 f.

[75] C. v. Rotteck, Gesammelte und nachgelassene Schriften mit Biographie und Briefwechsel, hg. v. H. v. Rotteck, 5 Bde., Pforzheim 1841–43, hier Bd. 1, S. 9.

[76] Hermelink, S. 426, Anmerkung 1; vgl. über Gedike von R. Fester, „Der Universitätsbereiser“ Friedrich Gedike und sein Bericht an Friedrich Wilhelm II., Berlin 1905, S. 2 und S. 36–41.

[77] Von Rottecks Überlegung möge belegen, was sich durchgängig in der Literatur über Universitätswesen jener Zeit findet. Er schreibt 1804 aus Freiburg an seinen Bruder: „Durch die Universität kommen *alljährlich beträchtliche Summen* in Umlauf. *Da nur ein Drittel ihrer Einkünfte im Breisgau, die anderen beiden Drittel im Badischen und schwäbischen Österreich sich befinden,* so kann man zwei Drittel der universitätischen Besoldungen, Pensionen und übrigen Ausgaben als *baren Gewinn* für das Land ansehen ... Bei der Abwesenseit eines *äußerlichen Handels,* bei einem Mangel an Fabriken etc. kann das Land diesen *gewohnten* jährlichen Geldzufluß (200 Gulden jährlich pro Student, 400 Studenten = 80 000 Gulden) unmöglich entbehren, und Hauseigentümer, Gastwirt, Schneider, Schuster, Kaufmann etc. müßten verarmen, wenn ihnen diese Einnahmequelle entginge.“ (Rotteck, S. 8 f.)

[78] In der Opposition gegen Fichte fand Feuerbach die Unterstützung seines Freundes Hufeland. 1799 schreibt er: „Hufeland ist schon strenger Anhänger meiner kriminalistischen rigoristischen Ketzereien.“ (Feuerbach, Bd. 1, S. 33 und S. 56.) Über Hufelands Stellung zu Smith vgl. W. Roscher, Geschichte der Nationalökonomie in Deutschland, München 1874, S. 660 ff.

[79] Hermelink, S. 471 f.

[80] Feuerbach, Bd. 1, S. 77 f. an den Vater 16. November 1802.

[81] Ebd., S. 86, an den Vater 2. Oktober 1803.

[82] Ebd., S. 87.

[83] „Bloß unter den Rechtsgelehrten gelingt es bisweilen diesem oder jenem, aus der akademischen Laufbahn in die Laufbahn des geschäftigen Lebens versetzt, und zu den ersten Stellen in kleinen Ländern, oder auf die gelehrte Bank höherer Gerichte befördert zu werden. Durch die Ausschließung akademischer Lehrer von den höheren öffentlichen Ämtern und Geschäften hat der Staat nicht weniger als der gelehrte Stand verloren.“ (Meiners, Bd. 2, S. 52.)

[84] „Am 5. Januar 1807 hat er seine Vorlesungen dort eröffnet und man muß gestehen, daß er hier ein Verständnis zunächst nicht gefunden hat, auch nicht bei der Studentenschaft. Er mußte sich durchsetzen und er hat es auch getan, obwohl hier sein Verhältnis zu Universitäten, Studenten und Professoren niemals ein freudiges geworden ist. Die höhere Besoldung, die er erhielt, erregte eine gewisse Feindseligkeit. Den Geist, den er in diese theologische Zunft hineintrug, vertrugen die Herren am allerwenigsten.“ (R. Graf Du Moulin-Eckart, Geschichte der deutschen Universitäten, Stuttgart 1929, S. 192.)

[85] „Mußte es nicht als schlimmes Zeichen gedeutet werden, daß Dahlmanns Waterloo-Rede von der Kieler studentischen Jugend, der sie doch vor allem gegolten hatte, abgelehnt wurde? ‚Ach, wie die meisten Menschen hier noch verstockte Dänen sind,‘ klagte damals seine spätere Gattin Julie Hegewisch [eine Schwester des malthusianischen Arztes und Professors], und besonders die Studenten, das ist zu traurig ... Aber was noch das ärgste ist und fast unglaublich, daß die Studenten aufgebracht auf die Rede sind, zu deutsch zu *frei*! Die Schleswiger Studenten lachten, knirschten mit den Zähnen, als er von der Verbrüderung der Schleswiger und der Holsteiner sprach.‘ Eine Vorlesung Dahlmanns über deutsche Geschichte konnte damals nicht zustande kommen.“ (O. Brandt, Geistesleben und Politik in Schleswig-Holstein um die Wende des 18. Jahrhunderts, Kiel 1927², S. 376 f.)

[86] Ch. Garve, Über Gesellschaft und Einsamkeit, 2 Bde., Breslau 1797–1800, hier Bd. 2, S. 227.
„Der Ruhm akademischer Lehrer ist ein sehr ungewisses Ding. Manche Männer hatten auf einer Universität, wo sie sich zuerst hoben, einen großen Beifall, und verloren diesen Beifall, sobald sie auf eine andere hohe Schule verpflanzt wurden.“ „Der blendende Glanz eines berühmten Abkömmlings verdunkelt die übrigen oft sehr verdienten Lehrer, und macht sie mit ihrer Lage unzufrieden, die Einen verlassen die Universität, wo man einen Kollegen so hoch über sie weggesetzt hat, sobald als möglich.“ (Meiners, Bd. 1, S. 60 f.)

[87] Feuerbach, S. 95 f., an den Vater, Landshut 1801.

[88] Ebd., S. 96.

[89] Siehe unten das Kapitel „Bürokratie“, S. 72 ff.

[90] Feuerbach, Bd. 2, S. 221 ff.

[91] Hippel, der arme Rektorsohn aus Gerdauen, brachte es 1780 bis zum „dirigierenden Bürgermeister und Polizeidirektor zu Königsberg“; durch Veranlassung des mit ihm befreundeten von Schrötter wurde er mit der Organisation des Danziger Stadtwesens betreut. „Er hinterließ bei seinem Tode ... über 140 000 Thaler. Er, der mit nichts angefangen hatte, in seiner Jugend darben mußte etc.“ Th. G. v. Hippel, Über die Ehe [1774], mit einer Einleitung von G. Moldenhauer, Leipzig o. J., S. 8. – G. Hufeland (1760–1817) ging 1808 von Landshut nach Danzig, bis 1812 war er 1. Bürgermeister seiner Vaterstadt, dann ging er zurück nach Landshut; vgl. Eisenhart, Artikel „G. H. Hufeland“, in: ADB, Bd. 13, 1881, S. 296–298. – L. H. Jakob (1759–1827) ging von Halle nach Petersburg, wurde dort Mitglied einer Finanzkommission, und als sein Gönner Speransky gestürzt und nach Sibirien verbannt worden war, folgte er gern einem Ruf nach Halle; vgl. C. v. Prantl, Artikel „Ludwig Heinrich von Jacob“, in: ADB, Bd. 13, 1881, S. 689 f.; vgl. Roscher, Nationalökonomie, S. 86 ff. – Desgleichen sei an Niebuhrs Laufbahn erinnert.

[92] „Man gestatte mir folgende Digression: ich forschte einen halben Tag in meiner Bibliothek und unter den Nachrichten von den öffentlichen Lehrern des hiesigen Gymnasiums nach, wer von ihnen gegen seinen Landesfürsten rebelliert habe. Ich kann aber zu meiner unbeschreiblichen Freude melden, daß sowohl die größten Philologen und Humanisten – ein Mamerarius, Millenius, Danz, Ernesti, der ciceroianische Sprachwerkzeuge und römische Sprachwellen besaß, Herr Heyne, die Chrestomathen Stroth und andere usw. – als auch besonders die verstorbene Saison hiesiger Schuldienerschaft von den Rektoren bis zu den Quintussen (inclus.) niemals tumultiert haben. Männer spielen oder defendieren nie Insurgenten gegen Landesväter und -mütter, Männer, die sämtlich fleißig und kränklich in ihren verschiedenen Klassen von acht bis elf Uhr docieren und die zwar Republiken erheben, aber offenbar nur die zwei bekannten auf klassischen Grund und Boden, und das nur wegen der lateinischen und griechischen Sprache.“ (Jean Paul, Des Rektors Florian Fälbels und seiner Primaner Reise nach dem Fichtelberg, in: Ders., Werke, hg. v. K. Freye, Berlin 1910, Bd. 1, S. 24 f.)
Mit dem Erstarken einer selbstbewußt-bürgerlichen Moral wuchs im öffentlichen Urteil eine soziale Kontrollinstanz heran, die den „sozialen Überläufer“ kritisierte. Friedrich Perthes, der vom Leipziger vermögenslosen Buchhandelslehrling zum größten deutschen Sortimentsbuchhändler aufgestiegen war, schreibt: „Schimpfen tun die niederen Klassen und die Gelehrten wohl auf die ‚Despoten‘ und ‚Aristokraten‘: aber, lächelt ihnen einer zu, so vergessen sie alle Menschenwürde und sind Speichellecker, und glückt es einem höher zu steigen, so wird er ein ärgerer Aristokrat, als die geborenen sind.“ (C. Th. Perthes, Friedrich Perthes Leben, 3 Bde., Gotha 1872[6], hier Bd. 1, S. 30.)
Doch soll der Frankfurter Arzt und Stadtphysikus J. Ch. Senckenberg nicht uner-

wähnt bleiben, der sich mit der „Senckenbergischen Stiftung“ (1763) um den Aufbau der Universität verdient machte. „Der Stifter ..., ein Mann von altbürgerlichem Schrot und Korn, verfügte in der Stiftungsurkunde, daß wenn einem von den an dem Institut angestellten Ärzten ‚*die Torheit einfallen möchte, sich adeln zu lassen*‘, er damit *von selbst ausgeschlossen sein sollte.*“ (G. L. Kriegk, Die Brüder Senckenberg. Nebst einem Anhang über Goethes Jugendzeit in Frankfurt, Frankfurt 1869, S. 252; Hervorhebung vom Verf.).

[93] Der oben erwähnte G. Schrader, seit 1790 Professor in Kiel und Sekretär der „Fortwährenden Deputation der Schleswig-Holsteinischen Prälaten und Ritterschaft“, machte sich durch sein Wissen unentbehrlich. „Es ist erstaunlich, mit welch eindringendem Scharfsinn dieser ... Gelehrte sich in die verwickelten Rechtsverhältnisse Schleswig-Holsteins eingearbeitet hat, so daß er schließlich die erste Autorität auf diesem Gebiete wurde.“ (Brandt, S. 273.)

[94] S. o. Anmerkung 67.

[95] Noch 1831 klagt F. Murhard: „Aber ist denn der Bewohner eines deutschen Landes Fremder und Ausländer in einem anderen deutschen Lande? Soll der bisherige Zustand in Deutschland noch länger dauern? Will man fortfahren, trotz der in der Bundesakte klar und deutlich enthaltenen Bestimmungen, chinesische Mauern im Innern des gemeinsamen Vaterlandes gegen dessen eigene Söhne aufzurichten?“ (F. W. A. Murhard, Was gebieten in einem konstitutionellen Staate Recht und Politik hinsichtlich der Behandlung der Fremden? Eine publizistische Diatribe, mit besonderer Anwendung auf Kurhessen, Kassel 1831, S. 34 f.)

[96] Meiners, Bd. 1, S. 133.

[97] Neben Forster sind zu nennen Wedekind, Hofmann, Dorsch, Metternich u. a. m. Über G. Forster: P. Zincke, Georg Forsters Bildnis im Wandel der Zeiten. Ein Beitrag zur Geschichte des öffentlichen Geistes in Deutschland, Freiburg i. Br. 1925.

[98] Ch. F. D. de Villers, Coup-d'oeil sur les universités et le mode d'instruction publique de l'Allemagne protestante, en particulier du Royaume de Westphalie, Cassel 1808, S. 73.

[99] Paulsen, Bd. 2, S. 129.

[100] „Jetzt können die größten protestantischen Universitäten Deutschlands nicht mehr als 500–700 Studierende aufweisen; und solche hohen Schulen also, wo weniger als 250 studieren, sollten klein genannt werden. Nichtsdestoweniger würden es manche Universitäten, die etwas mehr als 200 Studenten haben sehr übel nehmen, wenn man sie in die Klasse der kleinen bringen wollte.“ (Meiners, Bd. 1, S. 30 f.)

[101] C. v. Tiedemann, Aus sieben Jahrzehnten. Erinnerungen, 2 Bde., Leipzig 1905–09, hier Bd. 1, S. 2.

[102] K. Jansen, Uwe Jens Lornsen. Ein Beitrag zur Geschichte der Wiedergeburt des deutschen Volkes, Kiel 1872; vom gleichen Verfasser der Artikel „Uwe Jens Lornsen“, in: ADB, Bd. 19, 1884, S. 200–202.

[103] „Sie begriff zuerst gewisse Exemtionen und Vorrechte, die den Studierenden in den Gesetzen selbst waren zugestanden, dann aber zweitens auch solche Rechte und Befugnisse, welche gegen die Gesetze durch einen langwierigen, oder zweifelhaften Brauch waren erworben, oder wenigstens von den Studierenden in Anspruch genommen worden.“ (Meiners, Bd. 1, S. 142, vgl. auch S. 144.)

[104] Paulsen schätzt das Durchschnittsalter der Studenten auf 16 bis 22 Jahre (Bd. 2, S. 130).

[105] M. Weber, Gesammelte politische Schriften, München 1921, S. 309.

[106] „... es waren aber auch neben blutjungen Burschen ältere, gereifte Männer. Diese Mischung hat auf das Studentenleben ihre Wirkung auszuüben nicht verfehlt; neben harmlos lustigen Streichen finden wir auch so manche Abenteuer verzeichnet, die ein

blutiges Ende herbeiführten ... Von Geschlecht zu Geschlecht aber pflanzte sich der Hader mit den Handwerksgesellen fort. Die Studenten neckten und verhöhnten die Arbeiter zum Beispiel wurden die Kürschner Katzenschinder, höflich Kazedonier ... die Schneider mit dem Bock und dem Peterflecken verspottet, bis dann den Gesellen die Geduld riß und es zu einer handgreiflichen Auseinandersetzung kam, bei der nicht selten Totschläge und schwere Verwundungen sich ereigneten." (A. Schultz, Das häusliche Leben der europäischen Kulturvölker vom Mittelalter bis zur zweiten Hälfte des 18. Jahrhunderts, München 1903, S. 210.)

[107] S. das Material bei Lütgert im 3. Teil, S. 7 ff.

[108] „Überall, nach allen Seiten hin übten die kölnischen Studenten eine geradezu blutige Tyrannis aus. Noch im Jahre 1774 fielen 300 Studenten in der Pfalz ein und im Jahre 1778 tumultierten sie gegen preußische Werbeoffiziere, die von ihnen mißhandelt wurden." (Du Moulin-Eckart, S. 75) – Rotteck schreibt 1804 aus Freiburg von dem „lauten, einstimmigen Geschrei" der Bürgerschaft, „welches bei Gelegenheit der jüngsthin vorgefallenen Irrungen zwischen Studenten und Militär sich erhob, wie sich daraus einige üble Folgen für die hohe Schule vermöge der Äußerungen verschiedener Regierungsmitglieder befürchten ließen". (Rotteck, Bd. 1, S. 9.)

[109] Ebd., S. 12.

[110] C. Brinkmann, Der Nationalismus und die deutschen Universitäten im Zeitalter der deutschen Erhebung (SB der Heidelberger Akademie der Wiss., phil.-histor. Kl. 22, 3), Heidelberg 1932, S. 8 f. Die inhaltsreiche Arbeit unternimmt unseres Wissens als erste die *soziologische* Situationsanalyse.

[111] Ebd., S. 15 ff.

[112] „Gebildete junge Leute sehen selbst ein, daß da am wenigsten Freiheit herrschte, wo die sogenannte akademische Freiheit am größten ist, und daß man da am freisten lebe, wo man die sogenannte akademische Freiheit gar nicht oder selten nennt." (Meiners, Bd. 1, S. 151) Vgl. ebd. auch S. 144, wo Meiners in „Ansehung des Pennalismus" bemerkt, daß er, „wie das Tragen von Degen, mehr oder eben so sehr durch veränderte Denkart und Sitten, als durch obrigkeitlichen Befehl abgeschafft wurde."

[113] Vgl. die frappanten Bemerkungen M. Webers über das Couleurwesen und die Rolle des Pennalismus als der „Propädeutik für die Disziplin im Amt", in: Gesammelte politische Schriften, S. 309 ff.

[114] Vgl. Du Moulin-Eckart, S. 91 f.; im Unterschied zu Preußen, wo der Hofmann geringes Gewicht hatte neben dem Militär und der Bürokratie, spielte er in Sachsen die erste Rolle.

[115] Zum Beispiel: F. und E. Brandes, A. H. L. Heeren, H. Luden, J. v. Müller, L. Oken, J. Gruner, A. Thaer, L. Winter, der spätere badische Verwaltungsbeamte; H. v. Bülow, D. H. Hegewisch und sein Sohn F. H. Hegewisch, F. und K. Murhard, J. G. Büsch, Ch. J. Kraus, F. Benzenberg, J. Weitzel, F. A. Wolf, J. H. Voss, Sartorius, Lüder, Hufeland, F. L. W. P. Vincke u. a. m. – Nach Pütter waren bis 1788 inskribiert: 11 Prinzen, 148 Grafen und 14 828 „andere Personen". (J. S. Pütter, Selbstbiographie, 2 Bde., Göttingen 1798, hier Bd. 2, S. 374; vgl. Paulsen, Bd. 2, S. 12.) – Die Bedeutung der englischen Besucher erhellt auch daraus, daß Lichtenberg im Wintersemester 1777/78 eigens für Engländer angekündigte Kollegs las. (Roscher, Nationalökonomie, S. 599.)

[116] Besonders sei auf das Haus Ch. G. Heynes hingewiesen; er war eng befreundet mit der Familie Brandes; seine Tochter Therese heiratete Georg Forster, der mit siebzehn Jahren seinen Vater auf der Cookschen Weltumsegelung begleitet hatte. Als A. v. Humboldt 1789 in Göttingen studierte und „im Heyneschen Haus aus- und einging, ... trat er auch in nähere Verbindung mit dem noch jungen Manne, der erst sechsunddreißig Jahre alt, bereits so ungeheuer viel von der Welt gesehen ... hatte". (S. Günther, Alexander von Humboldt, L. von Buch, Berlin 1900, S. 20.) – Humboldt

verabredete mit Forster eine Reise nach Holland, Belgien und England, im Frühjahr 1790 fuhren sie zu Schiff von Mainz rheinabwärts bis Amsterdam. Auf der Reise entstanden Forsters „Ansichten vom Niederrhein, von Brabant, Flandern, Holland, England und Frankreich" (3 Bde., Berlin 1791–94). Sie sind bedeutsam in der Verschränkung subjektiv-psychologischer Landschaftsdeutung, politischen Ideeierens und naturwissenschaftlicher Reflexion, und sie fanden bald Nachfolge durch K. Rhine [i. e. J. A. Mercy], Reise einer französischen Emigrantin durch die Rheingegend im Jahr 1793, hg. v. E. J. Koch, Berlin 1793. Sie schrieb aus dem Wunsch, daß „doch unser deutsches Vaterland endlich auch solche fein beobachtende gefühlvolle und überhaupt moralisch gebildete Weiber aufstellen möchte, welche Frankreich und Britannien schon längst und fast bis zum Überdrusse, wenn dieser hier möglich sein könnte, erzeugt hat". (S. VIII der Einleitung.)

[117] „Göttingen war die Universität der Russen. Hier haben alle diejenigen, die auf die russische Entwicklung Einfluß genommen haben, studiert, und es bestand geradezu ein persönlicher Zusammenhang zwischen Göttingen und Moskau." (Du Moulin-Eckart, S. 325.)

Wenn F. Murhard, ein Schüler des Mathematikers Kästner, der 1797 im Alter von neunzehn Jahren Assessor der königlichen Societät der Wissenschaften wurde und als solcher berechtigt war, Vorlesungen zu halten, eine Osteuropa-Reise unternahm, so verdankte er diese Ostorientierung dem Kreis seiner russischen Freunde. Sein Bruder Karl studierte bei Schlözer, der selbst in Petersburg gewesen war. Vgl. W. Weidemann, F. Murhard (1778–1853) und der Altliberalismus, in: Zeitschrift des Vereins für hessische Geschichte und Landeskunde, Bd. 55 (= N. F. 45), 1926, S. 229–276; desgleichen die zugrunde liegende Frankfurter Dissertation: Friedrich Wilhelm August Murhard (1778–1853). Ein Publizist des Altliberalismus, Diss. phil. Frankfurt a. M. 1924.

Schlözer (1735–1809) ging 1761 nach Petersburg, 1762 wurde er dort Adjunkt der Akademie der Wissenschaften, erst 1769 ging er nach Deutschland zurück und wurde Professor der Politik zu Göttingen. Der Göttinger Historiker Heeren schreibt: „Als junger Mann führten ihn seine Schicksale nach Petersburg; und daß sein Aufenthalt in Rußland seinem politischen, literarischen Charakter seine Bildung gab, wird niemand, der ihn gekannt hat, bezweifeln. Er, in dessen Brust der tiefste Haß gegen Willkür lag, kam hier auf den Schauplatz der willkürlichen Gewalt; und geriet in Verhältnisse verschiedener Art, wo er persönlich dies fühlte. Dadurch wurde bei ihm der *Geist des Widerspruchs geweckt*: er blieb fortdauernd die Muse, die ihn begeisterte. So bildete Schlözer die *Opposition* in der historisch-politischen Literatur seiner Zeit." (Heeren, S. 499 f.) Vgl. Anmerkung 91 über L. H. Jakob.

[118] Rehberg, der zu dem „aristokratischen Klub des tiers-état in Hannover" (G. Forster) gehörte, schildert die Überlegenheit des Gentleman über untertänige Devotheit und würdelose Fremdbrüderlichkeit deutscher Pfahlbürger in seiner Schrift „Über den deutschen Adel", Göttingen 1803.

[119] „Wenn Söhne aus vornehmen Familien auch keine anderen Vorteile von dem Aufenthalte an Universitäten hätten, als daß sie lernen, sich in andere zu schicken, und daß sie mit allen den Fehlern bekannt werden, welche man ihnen weder im väterlichen Hause, noch auf Reisen oder am Hofe gesagt hätte, so würde man sie bloß aus diesem Grunde einige Jahre unter die akademische Jugend schicken müssen. Wie viele Fürsten und Herren haben hier in Göttingen ihre unfeinen Spottereien und unfeinen Neckereien abgelegt, welche sie von Höfen mitbrachten: Wie viele sind hier, wo keiner ihrer besonders zu schonen, oder ihnen zu schmeicheln brauchte, von einer widerlichen Prahlerei oder von einer erkünstelten Originalität, und von anderen Gebrechen, welche man bis dahin über die Gebühr getragen oder genährt hatte, von Grund aus geheilt worden! Nicht weniger heilsam als der Zwang, den die jungen Leute sich untereinan-

der auflegen, ist die angemessene Freiheit, welche die Studierenden während ihres Aufenthaltes auf hohen Schulen genießen ... Junge Leute, die auf gut eingerichteten Universitäten mit ihren Lehrern und deren Familien genau umgegangen sind, können ohne Bedenken in die besten Gesellschaften aufgenommen werden; und sie werden diesen Gesellschaften gewiß keine Schande machen." „Hohe Schulen sind keine Höfe, und man kann also auch billigerweise nicht erwarten, daß junge Leute auf Universitäten wie Hofleute gebildet, und zu den Manieren der *großen*, der *feinen* Welt gezogen werden sollten. Wenn es auch möglich wäre, Studierende auf hohen Schulen zu Hofleuten umzuschaffen, so würde man dies aus allen Kräften zu verhüten suchen müssen, weil der größte Teil von jungen Leuten, welche hohe Schulen besuchen, ganz andere Bestimmungen haben, als am Hofe und in der großen Welt zu glänzen." (Meiners, Bd. 1, S. 27; Bd. 2, S. 6.)

[120] „In unserem Vaterlande [Hannover] behauptet unter den verschiedenen Fächern der Gelehrsamkeit die Rechtswissenschaft unleugbar den ersten, die Arzneikunde den zweiten, die Gottesgelehrtheit den dritten, und die Philosophie den vierten Platz." (Meiners, Bd. 2, S. 58) – Recht interessant ist auch Meiners Angabe der Königsberger Rangordnung: „In Königsberg folgen die fürstlichen Räte unmittelbar auf den Dekan der juristischen Fakultät und gehen vor den übrigen ordentlichen Lehrern der Rechtsgelehrsamkeit her. Auch haben die Bürgermeister der drei Städte Königsberg den Rang vor dem Dekan und den ordentlichen Lehrern der Weltweisheit." (Ebd., S. 67) – Der Bürgermeister und Kriegsrat Hippel, der mit Kant befreundet war und in populärer Form auch dessen Gedanken in seine Schriften einflocht, rangierte höher als der „alles zermalmende" Philosoph. Hippel hatte es sich auch zur Gewohnheit gemacht – ebenso wie später Varnhagen von Ense und Massenbach – „sich alles zu notieren, was andere in der Wärme des Gesprächs an originellen und bemerkenswerten Gedanken laut werden ließen". (Hippel, Einleitung S. 11) – Über Massenbach vgl. Knesebeck, S. 71; über Varnhagen v. Ense vgl. C. Misch, Varnhagen von Ense in Beruf und Politik, Gotha 1925.

[121] In Preußen wurden 1770 Prüfungen für die Amtsanwärter des höheren Verwaltungsdienstes eingeführt, die das juristisch-kameralistische Studium voraussetzten; vgl. O. Hintze, Der Beamtenstand, Dresden 1911, S. 54. – Selbst wenn durch Konnexion eine Anstellung unter Umgehung der Prüfung zu erlangen war – der Adel war natürlich weitgehend dispensiert von solchen Qualifikationsnachweisen –, so ist die Einführung der Prüfung doch symptomatisch zu werten.

[122] „Man hielt die Kameralwissenschaft offenbar für eine Naturwissenschaft und hielt den für geeignet zum Vortrag ihrer Lehren, der Physik, Botanik, Zoologie usw. beherrschte. Eine Bekanntschaft mit der von Adam Smith angebahnten Richtung erachtet man in weiten Kreisen selbst 22 Jahre, nachdem sein epochemachendes Werk erschienen war, noch nicht für erforderlich. Der Lehrstuhl sollte einmal im wesentlichen dem Betriebe der Landwirtschaft dienen, die man durch anerkannte wissenschaftliche Grundsätze in den Naturwissenschaften zu fördern und zu entwickeln sich bestrebe. Ferner aber hielt man es augenscheinlich für sehr nützlich, den künftigen Verwaltungsbeamten, da man nicht wußte, in welchem Zweige der Verwaltung er einst tätig sein werde, mit allen Naturwissenschaften vertraut zu machen." (W. Stieda, Zur sächsischen Gelehrtengeschichte, in: Berichte über die Verhandlungen der Kgl. Sächsischen Gesellschaft der Wissenschaften zu Leipzig, philol.-histor. Kl., Bd. 62, Leipzig 1910, S. 27–59.) – Die folgenden Bemerkungen können nur die bekannten Daten über Smith's Einfluß auf Deutschland wiederholen. Eine eingehende soziologische Analyse der Aufnahme und des Bedeutungswandels seiner Gedanken in Deutschland ist im Rahmen dieser Arbeit unmöglich, so notwendig auch diese Hinsicht auf den Frühlibe-

ralismus ist, stellt sich doch in spezifisch *ökonomischen* Markttheorien liberales Denken am unmittelbarsten dar.

[123] E. Salin, Artikel „Germany“, in: Encyclopaedia of the Social Sciences, hg. v. E. R. A. Seligman und A. Johnson, Bd. 1: The Social Sciences as Disciplines, III, London 1930, S. 258–265, hier S. 258.

[124] W. Stieda, Die Nationalökonomie als Universitätswissenschaft, Leipzig 1906, S. 107 f. und S. 65 ff. Wenn Salin für das gleiche Jahr 22 Hochschulen angibt, so handelt es sich wohl um ein Versehen.

[125] „Die Akademie hatte großen Zulauf aus ganz Europa; unter den Nichtdeutschen wogen Engländer und Schotten der Zahl nach beträchtlich vor.“ (Günther, S. 24.)

[126] „Unter Büsch hatte er angefangen die Mathematik zu lernen; er, der älteste und zugleich ausgezeichneteste von allen Schülern dieses Gelehrten ward später und blieb sein herzlicher Freund.“ (B. G. Niebuhr, Carsten Niebuhrs Leben, in: Ders., Briefe und Schriften, ausgewählt und eingeleitet von L. Lorenz, Berlin o. J., S. 230.)

[127] Ebd., Einleitung S. 17.

[128] K. Zielenziger, Artikel „Johann Georg Büsch“, in: Encyclopaedia of the Social Sciences, hg. v. E. R. A. Seligman und A. Johnson, Bd. 3, London 1930, S. 79 f.

[129] 1804 trat der 52jährige Mann in preußische Dienste, auf seinem neuen Besitz Möglin in der Nähe von Berlin baute er sein Institut wieder auf. 1810 wurde er Professor an der Berliner Universität, er lebte auf Möglin bis zu seinem Tode 1828. Vgl. Simons.

[130] Vgl. Roscher, Nationalökonomie, S. 600 f.; vgl. auch G. Mayer, Die Freihandelslehre in Deutschland. Ein Beitrag zur Gesellschaftslehre des wirtschaftlichen Liberalismus, Jena 1927, S. 37. Er sieht in den „wenigen Sätzen“ der Kritik an Smith – Feder hat Bedenken gegen die Aufgabe der ökonomischen Politik des merkantilen Protektionismus – „das erst sechzig Jahre später erschienene Listsche nationale System bereits in nuce enthalten“. „The review reflects a keen interest in and knowledge of English affairs together with the prevailing Cameralistic attitude of mind.“ (Hasek, S. 647.)

[131] 1776/78 erschien die erste von J. F. Schiller bei Weidemann in Leipzig, die zweite stammt von Ch. Garve, der u. a. auch A. Fergusons „Grundsätze der Moralphilosophie“ (1772) übersetzt hat. Vgl. P. Müller, Christian Garves Moralphilosophie und seine Stellungnahme zu Kants Ethik, Borna 1905.

[132] G. Sartorius, geboren 1766 zu Kassel, seit 1783 stud. theol. et hist. zu Göttingen, machte dort eine stetige Universitätskarriere vom Accezist der Bibliothek (1786) zum ordentlichen Professor (1802) und Nachfolger Schlözers (1814). 1827 kaufte er das Lehensgut Waltershausen in Bayern, ein Jahr darauf starb er als Freiherr von Waltershausen. – Der Titel seines Buches lautet vollständig: Handbuch der Staatswirtschaft zum Gebrauch bei akademischen Vorlesungen, nach Adam Smith's Grundsätzen ausgearbeitet, Berlin 1796. – Sartorius war überzeugt davon, daß Smith „die Wahrheit“ gefunden habe und hielt es für „seine Pflicht“ zur Verbreitung derselben das Seinige beizutragen (S. IV der Vorrede). Vgl. Roscher, Nationalökonomie, S. 615 und Schmidt, Artikel „G. Sartorius“, in: HSt, hg. v. J. Conrad u. a., Bd. 6, Jena 1901², S. 498–500.

[133] Göttingische Gelehrte Anzeigen, 29. November 1794, S. 1901. – In gleichem Sinne äußert sich A. F. Lüder, Über Nationalindustrie und Staatswirtschaft. Nach Adam Smith bearbeitet, 3 Bde., Berlin 1800–04, hier Bd. 1, Vorwort S. 12.

[134] A. F. Lüder, geboren 1760 zu Bielefeld, gestorben 1819 zu Jena, studierte in Göttingen, wurde 1786 Professor der Geschichte am Carolinum zu Braunschweig, 1797 Hofrat, 1810–1814 Professor der Philosophie zu Göttingen und 1817 zu Jena. Vgl. Leser, Artikel „August Ferdinand Lüder“, in: ADB, Bd. 19, 1884, S. 377 f.; ferner: Hasek, S. 78 ff.; Roscher, Nationalökonomie, S. 623.

[135] Ch. J. Kraus, geboren 1753 zu Osterode in Ostpreußen, gestorben 1807 zu Königsberg, studierte 1770–1779 Theologie und Philosophie in Königsberg, im folgenden Jahr begleitete er als Reisehofmeister seine Zöglinge nach Göttingen, dort hörte er Heyne, Feder und Schlözer. 1780 promovierte er an der Universität Halle und erhielt einen Ruf nach Königsberg als Professor der praktischen Philosophie und Kameralistik. Er pflegte wie Kant den Umgang mit Geschäftsleuten, Gutsbesitzern und Kaufleuten. Vgl. G. H. Pertz, Das Leben des Ministers Freiherrn vom Stein, 5 Bde., Berlin 1849–54, hier Bd. 2, S. 13; Hasek, S. 84 ff.; C. v. Prantl, Artikel „Christian Jacob Kraus“, in: ADB, Bd. 17, 1883, S. 66 ff.; B. Dobbriner, Christian Jacob Kraus. Ein Beitrag zur deutschen Wirtschaftsgeschichte, Lucka 1926.

[136] Garve war nicht im gleichen Sinn primär an der ökonomisch-theoretischen Thematik interessiert. Er stand unter dem Eindruck der schottischen moralpsychologischen Schule; bei aller Verehrung Smith's war ihm die Übersetzung im Rahmen seiner philosophischen Interessen eher willkommene Erwerbschance. Vgl. Ch. Garve, Briefe an Weisse, und einige andere Freunde, 2 Bde. Breslau 1803, Bd. 2, S. 12, S. 36 ff.; Hasek, S. 67 ff.

[137] „Such a distinction with its emphasis on policy is entirely explainable from Cameralistic practice and was followed by the later adherents of Smithian thought in Germany.“ (Hasek, S. 74.)

[138] Im Sinne Hegels, vgl. dessen Rechtsphilosophie (Grundlinien der Philosophie des Rechts, hg. v. G. Lasson, Leipzig 1921[2]).

[139] „At a time when political economy was literally national housekeeping with a despotic ruler as sole and only housekeeper, economic thought proved to be a body of theory which consisted largely of maxims, of wise saws and modern instances, directed toward the control of the national household.“ (Hasek, S. 3.)

[140] Gentz an Garve, 5. Dezember 1790, in: F. v. Gentz, Briefe von und an Friedrich von Gentz, hg. v. F. K. Wittichen und E. Salzer, München 1909–13, Bd. 1, S. 181 f.

[141] Dörrien, Oberpostkommissar in Leipzig, übersetzte beträchtliche Teile des letzten Teils. Vgl. W. Roscher, Die Ein- und Durchführung des Adam Smith'schen Systems in Deutschland, in: Berichte über die Verhandlungen der Kgl. Sächsischen Gesellschaft der Wissenschaften zu Leipzig, philol.-histor. Kl., Bd. 19, Leipzig 1867, S. 21.

[142] Ebd., S. 21.

[143] J. Voigt, Das Leben des Professors Ch. J. Kraus, aus den Mitteilungen seiner Freunde und seinen Briefen dargestellt, Königsberg 1819, S. 388.

[144] Lüder, Nationalindustrie.

[145] Hasek, S. 75 und S. 78.

[146] Während Lüder in seiner „Kritischen Geschichte der Statistik“ (Göttingen 1817) es auf „die Vernichtung der Statistik und der mit der Statistik innigst verbundenen Politik“ (S. 3) absah, im Kampf gegen die kameralistischen „Tabellenknechte“ (S. 231) als „Verderbern des Volkscharakters“ (S. 444) das Kind mit dem Bad ausschüttete, versicherte Kraus: „Es wird eine Zeit kommen, wo man die Fruchtpreise und Preise anderer Produkte aus allen Ländern ebenso nützlich zu brauchen lernen wird wie jetzt die Sterbe- und Geburtslisten.“ (Schriften, 2. Teil, S. 104 ff.)

Die Auflösung aller qualitativ besonderen Dinge in Quanten einer einheitlichen Arbeitssubstanz durch die Smith'sche Lehre vom Tauschwert akzeptierte er als Grundlegung der Gesetzmäßigkeiten erforschenden Staatswissenschaft. „Eigentliche Kapitalien sind nichts als angesammelte Erzeugnisse der Arbeit. – Wenn man also zur Produktion überhaupt erfordert Arbeit und Kapitalien, so erfordert man eigentlich gegenwärtige Arbeit und Resultate vergangener Arbeit.“ (Ebd., S. 118, vgl. auch S. 107 ff.) „Die Einheit oder das Maß des Tauschwerts, das Smith erfunden hat, ist so wichtig für die Staatswirtschaft, als die von Galilaei erfundene Einheit für Geschwindigkeit in der

Physik. Und die Vorstellung, daß man Arbeit als absoluten Werth und Grundmaß des Werths aller Dinge ansieht, verhält sich zu der gewöhnlichen Vorstellung, da Geld als absoluter Werth und Grundmaß des Werthes von allen Dingen, auch von der Arbeit, angesehen wird: wie die Kopernikanische oder Newtonsche Astronomie, zu der gemein sinnlichen, nach welcher die Erde im Mittelpunkt der Welt steht, und Sonne und Sterne sich um sie herumdrehen." (Ebd., S. 102 f.) Die Redeweise erinnert an die Bedeutung der Naturwissenschaften als der vorbildlichen Wissenschaft der Aufklärung; unter dem Eindruck von Newtons Formulierungen gesetzmäßiger Naturabläufe stand die Forschung des 18. Jahrhunderts, nicht zuletzt Kraus' Freund und Kollege Kant. Es sei erinnert daran, wie enthusiastisch die Beherrschbarkeit der Natur durch Erfassung ihrer regelhaften Abläufe in Maß und Zahl erlebt wurde. Die Geomanten und Astrologen waren endgültig abgelöst durch methodisch-rationale Forschung. Mit Lavoisiers und Priestleys Entdeckungen neuer Gase war die aristotelische Elementenlehre zusammengebrochen und der analytischen Chemie die Bahn freigelegt. Leibnizens Entdekkung der Infinitesimalrechnung und die Aufklärung der Himmelsmechanik durch D'Alembert, Euler, Bernoulli, die Bahnen der Planeten und Kometen, die gegenseitigen Störungen der Weltkörper, die ellipsoidische Gestalt der Erde und anderer Gestirne, das Steigen und Sinken der Ozeane in den Gezeiten hatte man weitgehend aufgehellt; und schließlich, die genaue Vermessung des Pariser Meridianquadranten zwecks Festlegung unseres Maßsystems und der Bestimmung des Meters, jenes Umspannen des Globus in ein meßbares Koordinatensystem ist ebenso Kind der französischen Revolution wie der Rechtsformalismus des Code Civil, der den Lebensstoff in Form subsumierbarer „Fälle" homogen und normierbar machte.

147 Seine bedeutsamsten Werke wurden nach seinem Tode veröffentlicht: Ch. J. Kraus, Die Staatswirtschaft, hg. v. H. v. Auerswald, 5 Bde., Königsberg 1808–11, sowie die „Vermischten Schriften".

148 Roscher, Ein- und Durchführung, S. 29.

149 „Seine Vorträge waren fast wörtliche Übertragungen aus Adam Smith's Werken, mit Aufnahme der politischen Ideen von David Hume, und mit Beispielen und Anwendungen aus preußischen Verhältnissen. Kraus hatte fortdauernd sehr volle Auditorien; er fand allgemeine Anerkennung und Achtung bei seinen Zuhörern und dem gebildeten Publikum. Und wie in den Behörden die Referendarien, Assessoren und jungen Räthe ganz in diesen Ansichten lebten und wirkten, so waren hochgestellte Staatsmänner mit Kraus eng befreundet, und mit eigener und lebhafter Überzeugung Vertheidiger und Anhänger seiner Ansichten und der Ideen Adam Smith's. So insbesondere Schroetter und Auerswald." (Dieterici, S. 45.) „Er stand in vielfacher Verbindung mit Geschäftsmännern [Beamten], Landbesitzern, Handelstreibenden, hatte ein eindringendes scharfes Urtheil und eine klare Darstellungsgabe. Der Ort seines Wirkens, eine Handelsstadt, welche mit England in lebhaftem Verkehr stand, der Mittelpunkt der Provinz Preußen, wo die meisten Beamten ihre Bildung erhielten, begünstigte das Eindringen seiner Grundsätze. Das thätigste Mitglied der Immediat-Commission Herr von Schön, Minister von Schrötter, der Regierungspräsident von Auerswald waren seine Schüler." (Pertz, Bd. 2, S. 13.)

150 S. o. Kapitel I, S. 20 ff.

151 C. Brinkmann, Die preußische Handelspolitik vor dem Zollverein und der Wiederaufbau vor 100 Jahren, Berlin 1922, S. 7.

152 J. Voigt, S. 381.

153 Vgl. Paulsen, Bd. 2, S. 9.

154 Aus einer Denkschrift zitiert bei Paulsen, ebd., S. 249.

155 Buchholz 1808.

156 Er forderte Bürgergymnasien „zur höheren Bildung des Fabrikanten- und Kauf-

mannsstandes", in denen vor allen Dingen neuere Sprachen und Naturwissenschaften gelehrt werden sollten; vgl. Goldschmidt, S. 141 ff.

[157] Vgl. die Schilderung der grand tour Leopolds von Dessau nach Italien bei: Varnhagen von Ense, Fürst Leopold von Anhalt-Dessau.

Parallel dem Eindringen bürgerlich-merkantiler Elemente in die Reihen des englischen Adels wuchs die Bewegung des „antiquarianism" seit Beginn des 18. Jahrhunderts, der in musealer Schaustellung historischer Relikte die Verbundenheit der Aristokratie mit der Überlieferung demonstrierte. Seit 1707 bildete sich ein Diskussionszirkel von Liebhabern von Antiquitäten, 1717 gründeten sie einen Club; die Sammlung Sir Hans Sloanes (1660–1753), jetzt im Sloane-Museum, London-Bloomsburry, ist wohl eine der merkwürdigsten der Zeit. Er vermachte seine Bücher, Drucke, Zeichnungen, Bilder, Münzen, Siegel und andere Kuriositäten dem Staate für „£ 20 000, which was good deal less than the collection". Artikel „Antiquary", in: The Encyclopaedia Britannica, Bd. 2, 1910[11], S. 134; desgl. L. Stephen, History of English Thought in the 18th Century, 2 Bde., London 1927[3], S. 171.

Die historische Architektur, die mit dem kleinen gotischen Schlößchen auf Strawberry Hill (1750) eingeleitet wurde, fand auch bald in Deutschland Aufnahme. Baron Caspar von Voght, ein reicher Hamburger Kaufmannssohn, besuchte mit neunzehn Jahren auf seiner Europareise Hannover: „In Hannover widerfuhr mir sehr viel Angenehmes, aber tief fühlte ich mit bangem Ahnden, welch eine Kluft den roturier von der guten Gesellschaft trenne. Einer meiner Vettern war Hofmeister des jetzigen hannoverschen Oberstallmeisters ... gewesen und hatte mir ... eine gar freundliche Aufnahme verschafft ... Er hatte natürlicherweise die Disposition über den königlichen Marstall, fuhr mich im sechsspännigen königlichen Wagen nach Herrenhausen, dem damals so berühmten Walmodenschen Garten, dem Marienwerder, wo zuerst in Deutschland, in Nachahmung Lord Temple's ein englischer Park mit künstlichen Anhöhen, Seen und Flüssen, türkischen Kiosks, chinesichen Glockenhäuschen, persischen Bädern, griechischen Tempeln, gotischen Kapellen, Einsiedeleien, Inschriften auf jeder Bank, jeder merkwürdigen Stelle, viel sentimentale Szenen, wie z. B. Yorik's Grabmahl, angebracht waren." (Baron C. v. Voght, Lebensgeschichte, Hamburg 1917, S. 20 f.). Vgl. auch das Reisetagebuch des jungen Schopenhauer oder Georg Forsters Tagebuch seiner Reise von Kassel nach Warschau, in der wiederholt bedeutende Münz- und Kupferstichsammlungen erwähnt werden. E. Brandes konnte als Siebenjähriger die Kupfer seines Vaters besehen. Mit Winckelmanns und Goethes Italienreisen wurde endgültig die Kavaliertour älteren und aristokratischen Stils abgelöst von der „Bildungsreise", in der Landschaft und überlieferte Kultur zu „Bildungserlebnissen" reflektiert, der Persönlichkeitsentwicklung zugeordnet wurden.

[158] Wir meinen damit die aktuellen Geistesströmungen, wie sie unsystematisiert und nicht begrifflich rationalisiert im alltäglichen Lebenszusammenhang auftreten und oft neue Wissenschaften fundieren, wie zum Beispiel die Kennerschaft des Kunstliebhabers und Sammlers der Kunstkritik und Ästhetik ‚vorausgeht', oder wie die Geschäftspraxis der Marktinteressenten mit ‚ihren Gesichtspunkten' die Nationalökonomie ‚begründete'.

[159] Dahin möchten wir Pütter verstehen, wenn er schreibt: „Belesenheit, Literatur, Philologie, Kritik, Historie, Erfahrung, Gebrauch der Quellen und Mathematik mit einer gesunden Philosophie zu verbinden, und auf solche Art die höheren Wissenschaften (die oberen Fakultäten) gründlich und brauchbar zu machen: daran hat vielleicht Göttingen einigen Anteil. Was hingegen möglich gewesen, in allen Teilen der Wissenschaften gleich aufs *Praktische* zu führen, das ist von jeher ein vorzügliches Augenmerk dieser Universität gewesen. Und wenn es möglich wäre, alles Pedantische von der Gelehrsamkeit zu verbannen, so wird man Göttingen den Ruhm lassen, daß es auch dazu das seinige beigetragen habe." (Zitiert bei Paulsen, Bd. 2, S. 15.)

[160] J. M. Gesner, geboren zu Roth in Franken, studierte in Jena, war Lehrer in Weimar, 1730 wurde er Rektor der Thomasschule in Leipzig. In Göttingen (1734–1761) hat er „als der erste in Schriften und Organisationen dem *althumanistischen Betrieb den neuhumanistischen entgegengesetzt*". (Paulsen, Bd. 2, S. 16 ff.)

[161] J. A. Ernesti, geboren zu Tennstädt in Thüringen, gebildet zu Schulpforta und den Universitäten Wittenberg und Leipzig, war seit 1731 Gesners Kollege an der Thomasschule, 1734 wurde er sein Nachfolger. Er hatte das Rektorat 28 Jahre lang inne, seit 1742 war er außerordentlicher, seit 1756 ordentlicher Professor der Eloquenz, dazu übernahm er 1759 eine Professur der Theologie. (Paulsen, Bd. 2, S. 30 ff.)

[162] W. Herbst, Johann Heinrich Voss, 2 Bde., Leipzig 1872–76, hier Bd. 1, S. 70.

[163] „Nur im alten *Griechenland* findet sich, was wir anderswo fast überall vergeblich suchen, Völker und Staaten, welche die Grundlagen eines zu echter Menschlichkeit vollendeten Charakters ausmachen; Völker von so allgemeiner Reizbarkeit und Empfänglichkeit, daß nichts von ihnen unversucht gelassen wurde, wozu sie auf dem natürlichen Wege ihrer Ausbildung irgendeine Anregung fanden, und diesen ihren Weg unabhängig von der Einwirkung der andersgesinnten Barbaren und länger fortsetzten, als es in nachfolgenden Zeiten und unter veränderten Umständen möglich gewesen wäre; die über den beengten und beengenden Sorgen des Staatsbürgers den Menschen so wenig vergaßen, daß die bürgerlichen Einrichtungen selbst zum Nachteil vieler und unter sehr allgemeinen Aufopferungen die freie Entwicklung menschlicher Kräfte überhaupt bezweckten, die endlich mit einem außerordentlich zarten Gefühle für das Edle und Anmutige in den Künsten nach und nach einen so großen Umfang und soviel Tiefe in wissenschaftlichen Untersuchungen verbanden, daß sie unter ihren Überresten neben dem lebendigen Abdrucke jener seltenen Eigenschaft zugleich die ersten bewundernswürdigsten Muster von idealen Spekulationen aufgestellt haben. In diesen und anderen Rücksichten ist dem Forscher der Geschichte der Menschheit unter allen Nationen keine so wichtig, ja man darf sagen, so heilig als die griechische. – Nur hier wird uns das Schauspiel einer organischen Volksbildung zuteil." (Zitiert bei Paulsen, Bd. 2, S. 213.)

[164] Heeren, S. 185 ff.

[165] Der Breslauer Färbereibesitzerssohn Garve schreibt: „Wir, die wir bemerkten, wie sich der Weltmann vor niemandem scheut, und allenthalben am rechten Ort ist, und allen gefällt, der Gelehrte hingegen, der Philosoph, der Künstler, der Dichter, vor dem Weltmanne schüchtern stehen, und durch eine gewiße Überlegenheit desselben gedrückt werden; wir sahen diesen Werth des feinen gebildeten Gesellschafters, des Weltmanns als das schmeichelhafteste Ziel unseres Ehrgeizes an." (Über Gesellschaft und Einsamkeit, Bd. 2, S. 55) Er beobachtet scharf den „Charakter des ächten Landjunkers" als „ein Gemisch von kleinstädtischen Sitten, mit denen, welche der Stolz auf eine angeerbte Würde angibt" (ebd., S. 318 f.) und schneidet von ihm „viele Adliche, die sich auf ihren Landsitzen zu Weltleuten sowohl als Philosophen bilden". Er hypostasiert die aristokratische Kultivation und beschreibt den Adel ähnlich wie Goethe in „Wilhelm Meisters Lehrjahren". „Der Mann von freien Sitten weiß ohne Affektation gefällig, ohne Weitschweifigkeit in seinem Vortrage deutlich, ohne Künstelei beredt zu sein. Er wechselt mit dem Tone und seinem Anstande ab und paßt ihn den Personen und Umständen, unter welchen er sich befindet, an. Er ist nie verlegen, noch unbescheiden dreist, stets aufmerksam auf andere Wünsche, doch unbekümmert und sorglos, wohl bemüht, zu gefallen, doch unbefangen und natürlich. Dieses natürliche Wesen, diese Abwesenheit alles Zwanges und aller Spur von Verlegenheit, die Leichtigkeit, ein Gespräch anzufangen, die anscheinende Gelassenheit und Ruhe auch bei der sorgfältigsten Achtsamkeit auf seine Worte, Gebärden, Handlungen, die mit Respekt verbundene Freimütigkeit gegen Höhere, die Höflichkeit gegen Niedere, welche der

Würde nichts vergibt, diese Eigenschaften kennzeichnen genügend den Menschen angespanntester Beherrschung, die doch ganz freie, schimmernde Form und darum höchste Kultur ist.“ (Zitiert bei J. Schultze, S. 10.)

Wie Goethes Apotheose der Persönlichkeit sich eher an den schönen Schein als das Wirkliche anschließt, zeigt W. Wittich, Der soziale Gehalt von Goethes Roman „Wilhelm Meisters Lehrjahre“, in: Hauptprobleme der Soziologie. Erinnerungsgabe für Max Weber, hg. v. G. v. Schulze-Gaevernitz und M. Palyi, Bd. 2, München 1923, S. 279 ff.; bes. S. 285 f., S. 290 und S. 292 f.

[166] F. Medicus, Fichtes Leben, Leipzig 1914, S. 35.

[167] F. A. Wolf, geboren 1759 zu Heinrode bei Nordhausen, studierte 1777 bis 1779 Philologie in Göttingen, dann versah er verschiedene Schulämter in Ilfeld und Osterode; seit 1783 war er Professor in Halle, das durch ihn „die Pflanzschule der neuen Philologie für ganz Deutschland wurde“. Von 1807 bis 1824 lebte er in Berlin. Vgl. Paulsen, Bd. 2, S. 211.

[168] Ebd., S. 210.

[169] F. Nietzsche, Über die Zukunft unserer Bildungsanstalten, in: Ders., Werke, Leipzig 1899 ff., 2. Abt., Bd. 9, S. 295–438, hier S. 348; vgl. ebd. S. 268 zu den Entwürfen und Gedanken zur „Geburt der Tragödie“.

[170] Fichte wurde durch seine „Kritik aller Offenbarung“ (1792) schnell berühmt, zudem man Kant als den anonymen Autor vermutet hatte; umso rühmlicher war es für ihn, daß Kant es „für Pflicht“ hielt, in einer Erklärung die „Arbeit des geschickten Mannes“ anzuerkennen und „die Ehre derselben dem, welchem sie gebührt, hiermit ungeschmälert zu lassen“. (Jenaische Allgemeine Literaturzeitung, Nr. 102, 22. August 1792; I. Kant, Schriften, S. 301 f.) 1794 wurde er nach Jena berufen und hatte mit 500 Hörern das größte Kolleg an der Universität. (Medicus, S. 62) Der glücklich Angekommene fand es unpassend, seinen aufstiegslustigen Bruder in sein Haus zu nehmen, ehe seine Sitten „mehr Feinheit“ hätten. Er gibt ihm vorerst Ratschläge für weltkluges Verhalten, angefangen von dem kleinstädtischen Komplimentierbüchlein und der Tanzstunde über den Rat zu weiblichem Umgang bis zur Empfehlung einer „anständigen Freimütigkeit und einer gewissen Leichtigkeit“. Schließlich versichert er: „Der Gelehrtenstand fängt an, sich auf eine immer höhere Stufe emporzuarbeiten; und ehe du auftrittst, wird die Sache wieder weit höher getrieben sein. Wem es in diesem Punkte [dem feineren Betragen] fehlt, den macht man lächerlich, eben darum, weil man die Übermacht des Gelehrten unwillig mitansieht.“ (Medicus, S. 3 f.)

[171] Die Gründung legte organisatorisch fest, was seit 1800 aus freier Vortragstätigkeit sich gebildet hatte. Seit 1801 hielt Fichte, der erste Philosoph der neuen Universität, öffentliche Vorlesungen in Berlin. Es sei erinnert an seine „Reden an die deutsche Nation“, deren Titel über die Breite des Publikums und des Einflusses täuschen kann; vgl. F. Meinecke, Fichte als nationaler Prophet, in: Ders., Preußen und Deutschland im 19. und 20. Jahrhundert. Historisch-politische Aufsätze, München 1918, S. 134–149, hier S. 136; desgl. R. Körner, Die Wirkung der Reden Fichtes, in: Forschungen zur Brandenburgischen und Preußischen Geschichte, Bd. 40, 1927, S. 65–87, hier S. 65 ff. – Allerdings besaß Fichtes Stimme Gewicht bei der Reformbürokratie, und seine Ideen gingen in Altensteins Denkschrift ein. Seit 1807 wirkte Schleiermacher rivalisierend neben ihm und in seinen „Gedanken über Universitäten“ gibt er dieser auf zu beweisen, „daß Preußen den Beruf, den es lange geübt hat, auf die höhere Geistesbildung vorzüglich zu wirken und in dieser seine Macht zu suchen, nicht aufgeben, sondern vielmehr von vorn anfangen will, daß Preußen, das wohl eben soviel wert ist, sich nicht isolieren will, sondern auch in dieser Hinsicht mit dem gesamten natürlichen Deutschland in lebendiger Verbindung zu bleiben wünscht“. (Gelegentliche Gedanken

über Universitäten im deutschen Sinn [1808], in: Ders., Sämtliche Werke, 3. Abt., Bd. 1, Berlin 1846, S. 535–644, hier S. 625.)

[172] „In den ersten drei oder vier Jahrzehnten sind es vor allem die großen Philosophen und Philologen, deren Name einer Universität Ruf und Glanz verleiht. Dann treten daneben die großen Historiker und Naturforscher hervor." (Paulsen, Bd. 2, S. 264) Die Philologie war vertreten durch F. A. Wolf und seine Schüler Heindorf, Bekker, Boekh u. a. m. Niebuhr, der als Mitglied der Akademie seine Vorlesungen über Römische Geschichte las, schrieb: „Wir übertreffen alle Universitäten Deutschlands für die philologischen Studien; diese Vortrefflichkeit muß bald allgemein anerkannt werden. Sie wird und muß unseren Ruf gründen und noch mehr das eigentümliche Verdienst, welchem der Ruf doch zuletzt gehorcht und welches mehr als er wert ist." (Zitiert bei Paulsen, Bd. 2, S. 251.)

[173] Hegel, § 303, S. 248.

[174] Selbst die Minister von Zedlitz und von Reitzenstein, der Reformator oder nahezu Neugründer der Universität Heidelberg (1803), lernten noch Griechisch (Paulsen, Bd. 2, S. 441 und 78). In den Jahren nach 1810 stellte sich allerdings schon mangelnde Aufnahmebereitschaft bei der Studentenschaft heraus. „Als Lachmann im Jahre 1816 der Fakultät sein Habilitationsgesuch einreichte, sprach Bekker sich dagegen aus: es fehle an Lehrern der Philologie keineswegs, wohl aber den Lehrern an Zuhörern; sogar das Seminar könne nicht vollständig besetzt werden, wiewohl es Emolumente biete" (ebd., S. 253). Neben den von R. Körner (S. 67) angeführten zustimmenden Äußerungen über Fichtes Reden, neben Beyme, der von der „Größe und Wahrheit des Vortrags stark und tief ergriffen" war, neben den Altenstein, Schlichtegroll u. a. m. ist besonders auch Rahel Varnhagen zu nennen: sie schrieb an Rebekka Friedländer am 3. 1. 1808: „Fichtes Stunde mein einziger Trost, meine Hoffnung, mein Reichtum" und am 7. Juli 1807 an Ludwig Robert, ihren Bruder: „wenn der Große [Fichte] sich irrt, so ist das höchstens der optische Verstand; und vor Gott kann der immer treten mit dem reinen ehrlichen Herzen und dem Feuerstreben." (Varnhagen-Archiv, Staatsbibliothek Berlin. Den Hinweis und die Zitate verdanke ich Dr. Hannah Stern-Arendt.) Savigny hörte Niebuhrs „Römische Geschichte" und schrieb: „Niebuhr trat zum ersten Male als Lehrer auf, auch durch Schriften hatte er noch keinen Namen erworben, und so mußte sich die Achtung und das Ansehen, welches er allerdings schon genoß, auf den engen Kreis persönlicher Bekanntschaft beschränken. Er selbst sagte mir damals, er habe nur Studenten und in kleiner Anzahl als Zuhörer erwartet und würde sich durch diese völlig befriedigt gefunden haben. Es fanden sich aber neben vielen Studenten auch Mitglieder der Akademie, Professoren, Beamte und Offiziere aller Grade in bedeutender Anzahl ein, die den Ruf der Vorlesung weiter verbreiteten und immer mehrere hinzuzogen. Es war die schönste Vorbedeutung, die der jungen Lehranstalt zuteil werden konnte." (Niebuhr, Briefe und Schriften, Einleitung S. 28.)

[175] Über den selektiven Verdrängungsmechanismus gibt W. Stok gute Analysen (Geheimnis, Lüge und Mißverständnis. Eine beziehungswissenschaftliche Untersuchung, München 1929, dort S. 11): „Andererseits wird gerade die Rauschbeziehung mit besonders großer Wahrscheinlichkeit zur Verdrängung jenes Seelischen kommen, das sich von anderen Lebenskreisen her widersprechend einmengen will." – K. v. Hase berichtet: „Nach einem modernen und gerade Leipziger Sitten sehr fremden Einfall der Burschenschaft wollten wir ein allgemeines Sich-duzen unter den Studenten einführen. Zumal der sächsische Adel beklagte sich bitter deshalb. ‚Ich kann doch', sagte mir einer aus diesem Kreise, ‚mich nicht du nennen mit dem Sohne meines Schneiders oder Schusters!' Ich antwortete: ‚Das kannst du halten wie du willst, wir aber nennen jeden von euch, den wir für ehrenhaft halten, du; ihr könnt uns meinetwegen Euer Gnaden nennen.'" (Ideale und Irrtümer [Jugenderinnerungen], Leipzig 1891^4, S. 49 f.)

[176] H. H. L. v. Held, geboren 1764 zu Auras bei Breslau, studierte Jura in Frankfurt/Oder, Halle und Helmstedt. Er trat in die preußische Zollverwaltung ein, 1793 wurde er Oberrevisor und Zollrat in Posen. Mit Vorwissen seines Gönners, des Ministers Struensee, schrieb er Pamphlete gegen Graf Hoym: er wurde verhaftet und erhielt Festungsstrafe. Als er sie 1803 abgebüßt hatte, wurde er auf Wartegeld gesetzt. Unter Hardenberg wurde er 1812 als Salzfaktor in Berlin wieder eingestellt. Vgl. K. A. Varnhagen von Ense, Hans von Held, in: Ders., Biographische Denkmale, 7. Teil, Leipzig 1873[3], S. 169–325.

[177] Brinkmann, Nationalismus, S. 11.

[178] W. Meyer (Hg.), Die Briefe F. L. Jahns, hg. v. M. Schwarze und W. Limpert, Bd. 5, Dresden 1930, S. 493 f.

[179] P. Wentzke, Geschichte der deutschen Burschenschaft, 1. Bd. Vor- und Frühzeit bis zu den Karlsbader Beschlüssen, Heidelberg 1919; G. Heer, Die Demagogenzeit. Von den Karlsbader Beschlüssen bis zum Frankfurter Wachensturm (1820–1833), Heidelberg 1927.

[180] Brinkmann, Nationalismus, S. 12.

[181] Weber, Wirtschaft, Bd. 1, S. 272. – Die demokratisierende Tendenz kam in der politischen Uniform des „deutschen Rockes" ebenso zum Ausdruck wie in der grau-leinenen Turntracht der Jahnschen Berliner Turnerschaft. „Das Turnen war gesinnungsbildend ... die grau-leinene Turntracht war nicht nur sehr zweckmäßig, sondern sie war eine prunklose Uniform, die geeignet war, den Unterschied der Stände vergessen zu machen ... Aus allen Berufen standen sie hier in Reih und Glied, redeten sich mit Du an, trugen die gleiche Kleidung, turnten dieselben Übungen und schwärmten in gleicher Weise für Volk und Vaterland. Die Gemeinschaft der Turner sollte gleichsam die Keimzelle der Volksgemeinschaft sein." (Schnabel, S. 435.)

[182] Karl Ludwig Sand inszenierte eine „Ruetli-Verschwörung": „Schließlich kam doch alles zusammen, und er weihte bei Fackelschein den Platz mit einer großen Rede ein, die er wegen der vorhergegangenen Erregung ablesen mußte. Schließlich wird noch ein großes Feuer angezündet, Lieder werden gesungen, der gefüllte Birkenmaier kreist in der Runde, mit Fackeln ziehen sie um die Flammen, Wein wird herbeigeholt und zum Claudius'schen Liede getrunken, Mond und Sterne schauen durch die hohen Bäume auf sie herab, während sie nicht müde werden, um die verlöschende Glut zu tanzen, bis der Morgen graut." (K. A. v. Müller, Karl Ludwig Sand [Stern und Unstern, Bd. 5], München 1925, S. 68 f.)

[183] Weber, Wirtschaft, Bd. 2, S. 416 f.

[184] F. Bacon of Verulam, Essays (1597), hg. v. E. A. Abbott, London 1876 (hier „On Friendship").

[185] W. Stok, Isoliertheit und Verbundenheit, in: Kölner Vierteljahreshafte für Soziologie, Jg. 11, 1932/33, S. 169–181, S. 350–365.

[186] Bei der seelischen Transformation, die der Abbau der ständisch-distanzierenden Einstellung bedeutete, wurden alle Grenzen der Intimität aufgehoben. „Es war überhaupt eine so allgemeine Offenherzigkeit unter den Menschen, daß man mit keinem einzelnen sprechen oder an ihn schreiben konnte, ohne es zugleich an mehrere gerichtet zu betrachten. Man spähte sein eigen Herz aus und das Herz des anderen." (J. W. v. Goethe, Sämtliche Werke in 40 Bänden, Stuttgart 1840 ff., hier: Bd. 22: Dichtung und Wahrheit, S. 134.) Erst allmählich wurden neue Grenzen gefunden und neue seelische Verkehrsformen geprägt; welche Mühe gerade der Aufbau neuer Distanzierungsformen den schwärmenden Jünglingen bereitete, zeigt ein Konflikt K. v. Hases: „Am Tage meiner Rückkehr traf mich ein großes Leid. Es war üblich, wenn wir nach den Ferien wieder zusammenkamen, zumal unter Bekannten, daß sie sich umarm-

ten und küßten. Robert und ich fanden daran keinen Gefallen und wir hatten unter uns ausgemacht, daß wir einander nur die Hand geben wollten. Eben zurückgekommen, stand ich im Garten des Burschenhauses, umgeben von einem munteren Kreise, da kam Robert, eilt auf mich los und will mich umarmen. Ich eingedenk unserer Übereinkunft mache eine ablehnende Bewegung, er mißversteht das und in seinem tollen Jähzorn schlägt er mich ins Gesicht. Wir standen einen Moment alle wie erstarrt, und er selbst. Er mußte nach dem gesetzlichen Brauch ausgeschlossen und mit Verruf belegt werden, aber auch auf mir drohte der empfangene Schlag zu lasten. Ich hielt meine Hand zurück, erklärte sofort aus der Verbindung zu treten und nicht mehr Student zu sein, ließ Müller auf Pistolen fordern und ging nach Hause. In meinem Tagebuch steht: Mit Robert auf Pistolen! Er oder ich, ist's möglich beide. Oh Gott, daß es so weit kommen mußte! Aber ich kann nicht anders, er schlug mich, ich soll den herrlichen Jungen in Verruf thun lassen! Und alle Wünsche, Hoffnungen künftiger Taten? Der Freund des Freundes Mörder! Was darf der Mann danach fragen, geradeaus schreitet er seine Bahn, wie Pflicht und Ehre gebietet. Für's andere mag Gott walten!" (Hase, S. 44.)

[187] „Das erste Jünglingsalter ist offenbar die günstigste Zeit zur Bildung persönlicher Freundschaften ... Unter uns Studierenden gab es damals viele Freundschaftsbündnisse, deren jedes seine besondere Geschichte, die alle einen gemeinsamen Charakter hatten. Wohl hatten wir ein jeder mehrere Freunde, aber vorzugsweise schlossen sich doch je zwei aufs Innigste zusammen. Der Freund suchte den Freund, und hinwieder im vertrauten Verkehr mit diesem, sich selber zu erkennen, ihn und sich auszubilden. Der Freund wurde von dem Geschicke seines Freundes mitgetroffen und nahm den wärmsten Anteil an seinen Kämpfen, an seinen Freuden und Leiden. Zuweilen gab es auch eine Verstimmung unter ihnen, und das Band der ewigen Treue und Liebe, welche sie sich gelobt hatten, drohte zu zerreißen. Für beide war diese Gefahr nie schweres Unglück, und nicht selten kostete solche Bedrängnis bittere Tränen und andauernde Sorgen." (J. K. Bluntschli, Denkwürdiges aus meinem Leben, hg. v. R. Seyerlein, Nördlingen 1884, S. 39.)

Die vagierende Schauspielergruppe der Beil, Beck und Iffland hielt im Zeichen des Genius und der Freundschaft zusammen. „Rede und Frage, Streit und Resultat, Zweifel und Gewißheit über Kunst und Künstler – Genuß an diesem allem, Genuß der Dichtung, Leben und Weben in Kunst und Phantasie, in Natur, Freundschaft und Freude – das war unser liebliches Tagewerk. Manchmal standen wir nachts auf, über Kunstgegenstände zu reden. Wir stritten, ohne streiten zu wollen, die Nachbarn glaubten uns in unversöhnlichem Hader und wir feierten mit lauter Stimme ein gefundenes Resultat ... Wir kümmerten uns nicht um die Menschen, die uns begegneten, fragten nicht nach den Namen der Dörfer, die wir durchzogen, nicht nach dem Wetter, das uns sengte, durchnäßte und wieder trocknete, bis wir an einen Berg kamen oder in einen Wald!" (A. W. Iffland, Über meine theatralische Laufbahn, Leipzig 1915, S. 57 ff.) Man identifizierte sich nicht mehr mit seiner Bühnenfigur, der reflektierende „Darsteller" wurde zur neutralen Instanz gegenüber seinen „Rollen"; so wie man zwischen dem Bürger und dem Menschen schied, so schied man zwischen Schauspieler und dem Menschen. „So ist auch ein gewisser Zunftgeist verscheucht, der sonst überall, auch selbst im Privatleben der Schauspieler, besonders von Älteren gegen Jüngere, zu walten pflegte. Bei unserem Anfange spukte dies Phantom, eine Mischung von Handwerkshochmut und hängengebliebenen Staatsaktionen, noch gewaltig. Manchen jungen Künstler hatte dieses Unwesen scheu gemacht, hatte ihn bittere Tränen gekostet. Wir ehrten das Talent mit Innigkeit, aber jene Unform, jene tote tragische Larve, wenn eine Blähung sie ins Privatleben übertrug, wollten wir an dem bedeutenden Manne nicht bemerken, wir verspotteten und verlachten sie laut, wenn ein Wicht darin zu erscheinen wagte. Die Vernunft gewann, der Ton änderte sich.“ (Ebd., S. 67 f.)

[188] S. Anmerkung 193.

[189] Zum Beispiel die Brüder Follen, H. Heine, K. Immermann, G. Eisenmann, W. Weitling und A. Wirth.

[190] E. Dietz, Die Teutonia und die Allgemeine Burschenschaft zu Halle, in: Quellen und Darstellungen zur Geschichte der Burschenschaft und der deutschen Einheitsbewegung, hg. v. H. Haupt, Bd. 2, Heidelberg 1911, S. 215–305, hier S. 217.

[191] F. Münch, Das Leben von Paul Follenius, in: Ders., Gesammelte Schriften, St. Louis (USA) 1902, S. 93.

[192] K. Immermann, Die Epigonen (Werke, hg. v. W. Deetjen, Bd. 3/4), Berlin 1911, S. 40. An anderer Stelle läßt Immermann eine „Rektorin“ erzählen, „daß ihr ältester Sohn, ein wilder siebzehnjähriger Bursche, mit dem der Vater nie zurecht kommen konnte, im Jahre Zwölf ihnen fortgelaufen und der Fahne des Eroberers nach Rußland gefolgt sei. Bis Smolensk, ja bis zur Moskwa habe er, da er bald seinen Schritt bereut, noch Nachricht gegeben. Nachher sei er verschollen“. (S. 164)

[193] „Wo der Nahrungsspielraum sehr knapp ist, pflegt der nicht mehr physisch Arbeitsfähige lediglich lästig zu fallen. Wo der Kriegszustand chronisch ist, sinkt im allgemeinen die Bedeutung des Alters gegenüber dem Wehrfähigen und entwickelt sich oft eine ‚demokratische‘ Parole der Jungmannschaft gegen sein Prestige ... Ebenso in allen Zeiten ökonomischer oder politischer, kriegerisch oder friedlich revolutionärer Neuordnung und da, wo die praktische Macht der religiösen Vorstellungen und also die Scheu vor der Heiligkeit der Tradition nicht stark entwickelt oder im Verfall ist ... Die Depossedierung des Alters als solchem erfolgt aber regelmäßig nicht zugunsten der Jugend, sondern zugunsten anderer Arten sozialen Prestiges.“ (Weber, Wirtschaft, S. 609.)

[194] „Der junge Mensch ist überhaupt nicht kompromißbereit, sondern radikal, und daher für die bürgerliche Gesellschaft viel weniger tauglich als der ‚gereifte Mann‘, für den der Mechanismus der Willensbildung in dieser Gesellschaft nichts Besonderes mehr hat; und zweitens ist ‚das Interesse der anderen‘ eine ... gleichsam anonyme Autorität, daß gegen ihre ... Normen viel leichter verstoßen wird als gegen die Befehle eines Vaters, die Verbote eines Lehrers ... Bis zu einem gewissen Grade steht der junge Mensch der bürgerlichen Gesellschaft mit der staunenden Verwunderung des Primitiven gegenüber, der nicht begreifen kann, daß alle Menschen frei und gleichzeitig alle Menschen gebunden sind.“ (A. Meusel, Das Kompromiß, in: JbSoz, Bd. 2, 1926, S. 212–246, hier Anm. 242.)

[195] F. G. Welcker (1784–1868) war in Gießen der erste humanistische Lehrer. 1803 wurde er am Pädagogium angestellt, kurz darauf promovierte er und wurde Dozent an der Universität. 1806 ging er nach Rom, er verkehrte im Kreise des ihm befreundeten Wilhelm von Humboldt. 1809 ging er nach Gießen zurück als Professor der griechischen Literatur und Archäologie. 1812 richtete er ein philologisches Seminar ein, 1816 ging er nach Göttingen und 1819 nach der neugegründeten Universität Bonn. Vgl. R. Kekulé, Das Leben Friedrich Gottlieb Welckers, nach seinen eigenen Aufzeichnungen und Briefen, Leipzig 1880.

[196] Friedrich Münch, der Freund Paul Follens, schreibt: „Es bildete sich zwischen uns eine Jugendfreundschaft von seltener Innigkeit, welche an die von den Alten erwähnten Freundschaftsbündnisse erinnert und ungeschwächt, obzwar natürlich in ihrem Wesen verändert fortbestanden hat bis zum Tode. – Die Jünglinge jener Zeit, welche sich der Sache der Freiheit gewidmet hatten, erhielten – besonders auf der Universität Gießen – überhaupt unter sich ein innigeres Verhältnis, als gewöhnliche Studentenfreundschaften zu sein pflegen. Dabei gab es aber noch besondere Freundes-

paare, welche in einer Art von Todbrüderschaft lebten und für welche Schillers ‚Bürgschaft' gar nichts Außerordentliches enthielt ... Nicht als ob wir in unserem Wesen einander sehr ähnlich gewesen wären, – es war vielmehr das *gleiche Streben,* das uns verband und verbunden hielt; die Verschiedenheit machte uns einander unentbehrlicher." (Münch, S. 93.)

[197] Karl Follen, geboren 1796 als Sohn eines Advokaten zu Romrod in Hessen, studierte seit 1813 Jura, 1818 habilitierte er sich in Gießen. Er reiste nach Jena und Paris und flüchtete vor der Demagogenverfolgung in die Schweiz. Dort wurde er Lehrer an der Kantonschule in Thur. 1821 wurde er an die Universität Basel berufen; aus der Schweiz ausgewiesen, flüchtete er 1824 nach Amerika. Er wurde Professor an der Harvard-Universität in Boston, seit 1828 war er Sektenprediger. Er heiratete, erwarb das amerikanische Bürgerrecht und verspießerte; 1840 kam er bei einem Schiffsuntergang ums Leben. Über ihn vgl. Münch; ferner H. Haupt, Karl Follen und die Gießener Schwarzen, Gießen 1907.

„In diesem engeren Vereine zeigte Karl Follen eine solche geistige Höhe und übte einen solchen unwiderstehlichen Einfluß auf die Gemüter seiner Freunde, wie dies selten in der Welt vorkommt. Es war bei der ruhigen Besonnenheit, in der man ihn stets erblickte, etwas Schwärmerisches in seinem Wesen, das besonders die Jüngeren unwiderstehlich mit sich fortriß ... Eine Hoheit, eine Würde entfernte die Art von Vertraulichkeit, in welcher auf etwas Gemeines oder Unziemendes auch nur hingedeutet werden könnte. Er war wie ein Prophet unter seinen Jüngern, über die er sich nicht selbst stellte, sondern die ihn ehrten wie einen älteren Bruder und ihm vertrauten fast wie einem, der sich nicht irren kann ... Seine Lebensansicht und seine Grundsätze des Handelns waren, durchdacht bis ins Kleinste, so vollständig fertig in seinem Innern, daß in der Besprechung er niemals einen Zweifel oder ein Bedenken an den Tag legte, niemals eine Behauptung zurückzunehmen genötigt werden konnte." (Münch, S. 45; vgl. Haupt, S. 127 und S. 149 f.)

[198] I. Kant, Beobachtungen über das Gefühl des Schönen und Erhabenen, Königsberg 1764, in: Ders., Schriften, S. 13. – Follen „beschäftigte hauptsächlich der Gedanke, den für die fortgeschrittene Zeit nicht mehr passenden, rohen Corpscomment- und Commersgeist der Studenten zu beseitigen und ein brüderliches Zusammenleben aller Studierenden in edler Sitte und beseelt von dem Geiste der Freiheit und echten Vaterlandsliebe an dessen Stelle zu setzen". (Münch, S. 43.)

[199] Beide Follen waren gute Fechter und wußten im Duell ihren Mann zu stehen. „Auf einem von der Stadt uns bewilligten Turnplatze tummelten wir uns in der Woche tüchtig, hatten Fecht- und Schwimmübungen." (Ebd., S. 52; vgl. auch Brinkmann, Nationalismus, S. 52.)

[200] „Alle seine Reden und seine verschiedenartigsten Handlungen ... waren nur Strahlen aus der einen Überzeugung, daß die ganze große Menschenfamilie eine durch allseitiges Wohlwollen verbundene Brüderschaft von solchen sein sollte, welche gleiche Aufgaben und gleiche Ansprüche haben." (Ebd., S. 82.)

[201] In dem „großen Liede" wurden apokalyptische Stimmungen in das Pathos Schillerscher Rhythmen gefaßt. Ohne einen durchgängigen Sinnzusammenhang dienen die aneinandergereihten Bilder als Stichworte der Affektentladung (ebd., S. 54):

„Es zieht eine Schar von Männern sich
Herab zum dunklen Haine
Beim dämmernden Fackelscheine
Still ist ihr Blick, aber schauerlich
Nachtschwarz ihr Gewand einfältiglich
        Nichts Glänzendes siehst du an solchen
        Als den Glanz von geschliffenen Dolchen.

Und dort, wo die Tannen und Eichen im Rund
Zum erhabenen Dome sich türmen,
Gottes Orgel braust in Stürmen,
Wie ein Altar aufsteigt der Felsengrund,
Dort traf man zusammen zur Mitternachtsstund.
Und hervor aus dem heiligen Kreise
Dumpf schauerlich tönte die Weise:
Nacht und kein Stern!
Zündet des Opfertods Kerzen
Braust in die Segel der Herzen."

Weiter unten heißt es:

„Und die Todbrüder treten zum Altar hin,
Zu empfahn in heiliger Entflammung
Was uns Heil bringt oder Verdammung.
Mit dem König der Märt'rer ein Blut und ein Sinn
So nehmen die Märtyrer Weihe sie hin
Und weih'n sich der ew'gen Erbarmung
Mit Opfergesang und Umarmung.

Ihr die mit mir zugleich den Glaubenstrank genossen,
Der Tugend Bund geschlossen
Für Kreuz und Schwert und Eich',
Ein Herz, ein Arm, ein Blut sind wir geworden,
Der ew'gen Freiheit heil'ger Märt'rer Orden.
Stehn wir nun treu beisammen,
Wird uns der Liebe Heil'genschein umflammen ..."

Es folgt ein Anruf des alttestamentlichen Zebaot,
der „Baals Thron und Frohn" zerstörte:

„Zu dir fleht unsere Schar
Am Vaterlandsaltar mit Herz und Munde
Dein Opfer harrt; fach an zum Flammenbunde
Die deutschen Hochgebirge!
Dann, Volk, die Molochpriester würge! würge!"

Charakteristisch ist für „diesen ganz formlosen Verein", in dem man „allein auf die Macht der gleichen Gesinnung vertraute, ohne daß alle in dem, was sie von der nächsten Zukunft erwarteten, oder was geschehen müsse, übereinstimmten"; charakteristisch ist für ihn die scharfe Trennung zwischen Binnen- und Außenmoral; die pathetische Sittenstrenge den „Genossen" gegenüber – so redete man sich an – fand ihr Pendant in einer Aggressivität etwa gegen „die giftigen Nattern des verdorbenen Auslandes" in Deutschland, die an Sadismus grenzt. So schreibt Sand in seinem Tagebuch: „Wenn ich sinne, so denke ich oft, es sollte doch einer mutig über sich nehmen, dem Kotzebue oder sonst einem solchen Landesverräter das Schwert ins Gekröse zu stoßen!" (K. A. v. Müller, S. 198 f.)

[202] In Amerika zum Beispiel wechselte er häufig seine Stelle, immer wieder bestrebt, eine Gemeinschaft zu finden, in der ethische Unmittelbarkeit verwirklicht sei, ohne Rücksicht auf organisatorische oder ökonomische Fragen. So gab er seine erste unitarische Predigerstelle nach eineinhalb Jahren wieder auf, „weil er bemerkte, daß einige Mitglieder der Gemeinde feindselig gegen ihn gestimmt waren, obwohl die Mehrzahl ihm die höchste Achtung und Anhänglichkeit bewies". (Münch, S. 81.)

[203] K. L. Sand, geboren 1795 als Sohn des Justizamtmanns von Wunsiedel im Fichtelgebirge, studierte seit 1814 zu Tübingen, Erlangen und Jena. 1817 nahm er am Wartburgfest teil, 1819 erstach er Kotzebue, 1820 wurde er in Mannheim hingerichtet. (H. Baumgarten, Artikel „Karl Ludwig Sand", in: ADB, Bd. 30, 1890, S. 338 f.)

[204] Zitiert bei K. A. v. Müller, S. 88.

[205] Auf einer Reise nach St. Gallen, wo er seinen ältesten Bruder Georg besuchte, der „im kaufmännischen Berufe" tätig war, erlebte er eine große Enttäuschung. „Er hatte erwartet, in den Schweizern die Enkel des Schillerschen ‚Tell' zu treffen. Wenigstens noch die Grundzüge jener alten Schlichtheit der Sitten, wenigstens die Reste noch von jener männlichen Offenheit und Aufrichtigkeit ... Allein von diesem allem fand ich in der rauhen Wirklichkeit, ich durfte sagen, gar nichts." Dummstolz, ungebildet habe er sie angetroffen, „von äußerst üppigen Kaufmannssitten, voller Spuren baldiger völliger Verfranzösisierung". (Ebd., S. 37) – Follen umgekehrt stellte auf seiner Reise nach Amerika durch Frankreich in Rouen „mit besonderem Interesse Erkundigungen nach dem Leben der Jungfrau von Orleans an" und gewann „die ihm freudige Überzeugung, daß Schillers Auffassung von dem patriotischen Charakter des Mädchens die richtige sei. Konnte doch kein anderer Fund ihn so glücklich machen, als wenn er das Edlere, Menschlichere gerettet sah". (Münch, S. 65.)

[206] Bedeutsam für diesen Rigorismus ist auch die strenge Askese und Verdrängung aller erotischen Motive: „In Follens Liedern findet sich nicht – wie sonst durchgehends bei jungen Dichtern – die leiseste Hindeutung auf Frauenliebe. Äußerst fein in seinem Benehmen gegen Damen und von allen begünstigt, verlor er sein Herz an keine und träumte von keinem eigenen Familienglück; das volle Anrecht des Vaterlandes an alles, was er vermochte und war, sollte durch kein anderes Band, das er knüpfen mußte, geschmälert werden. Eine ähnliche Stimmung hatte er in seinen Freunden erweckt; es war von Liebesverhältnissen unter uns niemals die Rede." (Ebd., S. 63.)

[207] Die bedeutsamste Formulierung stellt der sogenannte „Grundsatz" dar. Es heißt da: „... ein freies und veredeltes Volkswesen. Ohne ein solches ist unser ganzes menschliches Treiben wertlos, ja, des Bestehens unwürdig. Denn wir sind auf den innigsten [!] Verkehr mit anderen Menschen angewiesen. Es ist freilich das Natürlichste, Menschlichste und dem Gesitteten das Liebste, ein solches Volksleben zustande zu bringen auf friedlichem Wege, d. h. allein durch die Verbreitung der besseren Überzeugung, ohne irgend jemandem Zwang anzutun oder Schaden zuzufügen; aber wenn dies nicht sein kann, so verliert dadurch unsere Verpflichtung nichts an ihrem strengsten Ernste. Es ist am Ende bloße Feigheit oder doch Gefühlverweichlichung [!], wenn wir von *rechtmäßigen* Mitteln zur Erlangung der Volksfreiheit reden wollen, weil ja niemand ein Recht haben kann, sie vorzuenthalten; wir *müssen* sie erlangen durch *jedes* Mittel, welches nur immer sich uns bietet. Aufruhr, Tyrannenmord und alles, was man im gewöhnlichen Leben als Verbrechen bezeichnet und mit Recht bestraft, muß man einfach nur zu den Mitteln zählen, durch welche, wenn andere Mittel fehlen, die Volksfreiheit zu erringen ist, zu den Waffen, welche gegen die Tyrannen allein uns übrig bleiben, gegen unser sogenanntes rechtliches Handeln wissen sie vielleicht für immer sich zu schirmen – sie müssen vor unseren Dolchen erzittern lernen. – Wer aus Feigheit oder Selbstsucht eines der genannten Mittel ergreift, ist verächtlich, – wer es mit der inneren Gewißheit tut, daß er das eigene Leben und alles Teuerste dem Wohle des Vaterlandes jeden Augenblick zu opfern bereit ist, steht sittlich umso höher, je mehr er nötigenfalls ein natürliches Gefühl gegen die genannten Taten in sich niederzukämpfen vermag." (Zitiert bei Münch, S. 49.)

[208] Im Gegensatz zu der „aufgeklärt" gemäßigten Strömung sah man im Fürsten nicht nur den gütigen Herrscher, dem nur durch die dunklen Intrigen und Machenschaften seiner Diener und Höflinge der Blick verstellt ist, sondern er galt als „Des-

pot", der jene als Trabanten an sich kettete. Die Fremdheitsgefühle, die durch das Kriegserlebnis entstanden waren, wurden jetzt gerichtet gegen den „inneren Feind". (K. A. v. Müller, S. 108.)

[209] Man nannte sich die „Unbedingten", da man ohne Rücksicht auf Konsequenzen, ‚gesinnungsethisch', um mit Max Weber zu reden, die Situation meistern zu können glaubte. „Was Karl Follen seinen Freunden zuerst deutlich machte, war, daß jeder Mensch die Aufgabe hat, eine *Überzeugung* in sich auszubilden und dieser in allem ausnahmslos nachzuleben. Er gestattete auch nicht die kleinste Abweichung von dem als recht und vernünftig Erkannten und forderte dessen unbedingte [!] Durchführung in allen Lebensverhältnissen bis zum vollsten und äußersten Maße von Kräften, die je dem gegeben sind, und ohne Rücksicht auf die Folgen für den Handelnden selbst. Damit hoffte er, eine neue Ordnung der Dinge herzustellen in einer Welt, die bisher noch niemals zu ihrem menschlichen Bewußtsein gekommen sei." (Münch, S. 46.)

[210] Das Wort „Überzeugung" spielte damals eine bedeutende Rolle; als Widerhall von Follens Lehre kann man die folgende Strophe eines in jener Zeit von Ch. Sartorius verfaßten Liedes betrachten:

„Über jede Schicksalsbeugung
Hebt uns uns're Überzeugung;
Gottgetrost packt Schwerter an,
Haut durch alle Teufel Bahn!"

(Münch, ebd.; vgl. auch Brinkmann, Nationalismus, S. 70 f.)

[211] Über den Zusammenhang von selbstgewähltem Märtyrertod und politischem Bund vgl. R. Behrendt, Politischer Aktivismus. Ein Versuch zur Soziologie und Psychologie der Politik, Leipzig 1932.

[212] Bekannt ist, daß die Identifikationen mit dem Vorbild bis zur Verwechslung führen konnte. „Zur genaueren Schilderung der Stimmung jener Zeit gehört noch die Erwähnung einer Idee, welche Karl Follen längere Zeit beschäftigte; es war der Gedanke, die für die Freiheit begeisterten Jünglinge, bevor sie nach allen Seiten hin sich zerstreuten, durch einen feierlichen Akt zu ihrem Märtyrerberufe einzuweihen und einen unlösbaren Bund von Todesbrüdern zu stiften. Ihm schwebte dabei die Szene vor, da Christus mit den Jüngern zum letzten Male versammelt war. Die Idee eines Christus, wie Follen sie faßte, des Fleckenlosen, auf dem Gipfel des Menschentums Stehenden, welcher der eigenen Überzeugungstreue sein Leben opfert und liebend für die Sache der Menschheit sich hingibt, hatte früh auf die ganze Entwicklung seines Wesens den tiefsten Einfluß gehabt. Schon in einem seiner früheren Gedichte kommt die Stelle vor:

‚Dir bist du, Mensch, entflohn;
Ein Christus sollst du werden,
Wie du ein Kind der Erden
War auch des Menschen Sohn.'

Wichtig ist, daß diese revolutionäre ‚Romantik', wenn man diesen unpräzisen Titel gebrauchen darf, nichts mit dem kirchlich organisierten Christentum gemein hatte. Wir waren alle ‚christlich' im höchsten Sinne, obzwar wir an dem uns umgebenden Christentum nicht den geringsten Anteil nahmen, d. h. weder die Stadt- noch Universitätskirche in Gießen besuchten, weil wir die dortigen Prediger als befangene und unfreie Menschen ansahen. Follen dachte an eine *Abendmahlfeier*, wie sie allein ihm würdig schien und malte sie sich bereits in dem ‚großen Liede' aus, dessen Bedeutung ohne dies nicht zu verstehen wäre." (Münch, S. 53 f.) Neben der Vorbildlichkeit des Propheten und seiner Jüngerschaft war für den Bund christliches Erbe bedeutsam für die Verbindung der revolutionären Intelligenz mit dem Volk. In biblischer Sprache rief man es auf, und in Katechismen formulierte man Prinzipien. Das gilt für E. M. Arndts „Katechismus für den deutschen Kriegs- und Wehrmann, worin gelehrt wird, wie ein christlicher Wehrmann sein und mit Gott in den Streit gehen soll" (Breslau 1813), für W. Schulz' und G. Büchners revolutionäre Pamphlete wie für Cl. H. de Saint-Simons „Catéchisme des industriels" (2 Hefte, Paris 1823–24), und schließlich knüpfte auch F. Engels in den „Grundsätzen des Kommunismus" (1847), seinem Entwurf des „Kommunistischen Manifestes", an die katechetische Weihe der kommunistischen Handwerkersekten an.

[213] W. Benjamin, Ursprung des deutschen Trauerspiels, Berlin 1928, S. 114 f.

[214] Münzers Ausdruck „wird meist, des Abschreckens halber, als dem eines großen Räubers ähnlich geschildert. Doch haben sehr viele revolutionäre Volkshelden, schließlich auch in der ihnen freundlichen Erinnerung, Züge des großen Räubers erhalten. Hecker und manche andere Führer der 48er Bewegung scheinen äußerlich sogar die bewußte Copie des Bandenhauptmanns als des primitiven Rächers und Schatzverteilers an die Armen geliebt zu haben". (E. Bloch, Thomas Münzer als Theologe der Revolution, München 1922, S. 170.) Auch Nietzsches weitgehend ‚unbekannter' Hinweis trifft diesen Zusammenhang: „Mit der gleichen Miene der stolzesten Empörung erhob er sich [der Burschenschaftler], mit der sein Friedrich Schiller einst ‚Die Räuber' vor den Genossen rezitiert haben mochte: und wenn dieser seinem Schauspiel das Bild eines Löwen und die Aufschrift ‚In Tyrannos' gegeben hatte, so war sein Jünger selbst jener zum Sprunge sich anschickende Löwe: und wirklich erzitterten alle ‚Tyrannen'. Ja, diese empörten Jünglinge sahen für den scheuen und oberflächlichen Blick nicht viel anders aus als Schillers ‚Räuber': ihre Reden klangen dem ängstlichen Horcher wohl so, als ob Sparta und Rom gegen sie Nonnenkloster gewesen wären." (Nietzsche, S. 415.) Vgl. K. v. Hase, S. 69; K. Glossy (Hg.), Literarische Geheimberichte aus dem Vormärz, Wien 1912, S. X und XIII.

[215] F. Münch, der Intimus und Schwager Paul Follens, berichtet von dem Bundesleben folgendes: „... wir hatten Fecht- und Schwimmübungen, tranken abends in dem Loos'schen Saal ein sehr bescheidenes Glas Bier, wobei Unterredung und Gesang wechselten, hielten dort zu Zeiten auch ein sogenanntes Gelag bei ziemlich saurem Weine, wobei patriotische Trinksprüche fielen, Follen aber meistens eine begeisternde Anrede hielt, machten auch Ausflüge auf die benachbarten Orte, da man dann die schwarze Schar von weitem ziehen sehen und von ferne ihren Gesang hören konnte, und immer war Follen die Seele des Ganzen. Das Bedeutendste jedoch geschah in Follens eigener Stube in einem Hintergebäude der Wohnung seines Vaters, die ... mehr Raum als gewöhnliche Studentenstuben hatte. Dies war die Hauptstätte der damals soviel besprochenen ‚demagogischen Umtriebe', der Tempel der neuen in Wahrheit ‚rot-republikanischen' Lehre." (Münch, S. 52.) – Das sozial-revolutionäre Moment, das Brinkmann (Nationalismus, S. 72 f.) gegenüber einigen in dieser Hinsicht blinden Dissertationen der Vorkriegszeit betont, findet also auch hier seine Bestätigung. Wenn auch in wachsendem Maße Verbindungen zu ‚nichtakademischen' Kreisen hergestellt wurden, so scheint uns Brinkmann doch die ‚volksmäßige Breite' und Tiefe der ‚demagogischen' Bewegung (S. 74) zu überschätzen. Gewiß gab es seit dem Ausgang des 18. Jahrhunderts mancherorts Revolten der unter Agrarkrisen, Kriegs- und Steuerdruck verzweifelnden Bauernschaft, deklassierter proletaroider Handwerkerschichten und lamentierender Bürokratie. Für die Einschätzung der revolutionären Situation des damaligen Deutschland scheint uns jedoch neben den von Brinkmann angeführten Momenten der neuen Zollpolitik die Errichtung einzelstaatlicher Parlamente wie zum Beispiel in Baden 1819/20 besonders bedeutsam. Sie gaben der Opposition erstmals Gelegenheit, ihre Leidenschaften zu ventilieren. J. Weitzels Urteil – Börne nannte ihn einen „der besten und klarsten politischen Köpfe Deutschlands" –, daß durch die „Vertretung des Volks bei der Gesetzgebung, Öffentlichkeit, Freiheit der Sprache" usw. „die Besorgnis

der Gemüter beruhigt und der Friede der Zukunft gesichert" sei, scheint uns zutreffend für diese Jahre. „Mit der Anerkennung dieser Grundsätze ist die europäische Revolution, die an vielen Orten so große Furcht erregt, durch die wohltätigste Reform geschlossen." (J. Weitzel, Hat Deutschland eine Revolution zu fürchten? Wiesbaden 1819, S. 103 f.)

[216] S. u. Anmerkung 242.

[217] „Mag man indessen die Stimmung und Ansicht, aus welcher jene Tat [Sands Attentat] hervorging, schwärmerisch nennen, so dürfen die Leser es doch mir glauben, daß die Tat ebenso kühl ausgedacht war, wie sie mit entschiedenem Willen vollführt wurde, und daß alle Folgen, die sich daran knüpfen sollten, berechnet und überlegt waren und zwar nicht in Sands Innerem allein. Eine Revolution direkt zu machen, ging nicht an. Aber einen allgemein als Verräter an der deutschen Ehre und Freiheit gebrandmarkten Menschen in der möglichst auffallenden Weise zu strafen und aus dem Wege zu schaffen, dadurch die ganze Nation zum Gefühle der Schmach mächtig aufzuregen, Tausende anzufeuern, daß sie dem gegebenen Beispiele folgend auch ihre Dolche blitzen ließen, wonach dann das Volk zu den Waffen greifen und alle seine Plager totschlagen würde. Das war erreichbar und tunlich und es verstand sich also nach dem Grundsatz von selbst, daß es getan würde." (Münch, S. 56 f.)

[218] Weber, Wirtschaft, S. 290.

[219] Bei Jahn kommen besondere Reprimitivierungserlebnisse der Kriegszeit dazu. „Selbst im Kriege, im Freicorps der Lützower, war er unbrauchbar, konnte sich nicht einordnen und wollte nur mit Säbel, Lanze und Axt kämpfen, da ihn Schießpulver anwiderte." (Schnabel, S. 306.) Börne stellt in Schlegel und Arndt den vornehmen Intellektuellen und den bürgerlichen „Volksmann" gegenüber. „Schlegel ist, wie ich mir dachte und wie er mir geschildert worden ... sehr elegant gekleidet und ebenso im Hause eingerichtet. Eine geschmeidige Köchin meldete mich dem Kammerdiener und dieser dem Herrn, und so ging es wieder zurück. Er ist artig, spricht aber sehr langweiliges und unbedeutendes Zeug. ... Unsere Unterhaltung war wie ein Schachspiel; wir zogen langsam und bedächtig hin und her und hörten auf, weil wir plötzlich merkten, daß wir beide schon längst matt waren ... Der geniale Mensch ist er nicht mehr, der er ehemals gewesen." „Arndt ist ein ganz anderer Mann, oder nein, ein Mann ... Arndt sieht aus wie ein Pächter und spricht auch so. Die Hand wurde mir beim Kommen und Gehen gar zu altdeutsch gedrückt. Er spricht gerade heraus, so unbesonnen habe ich noch keinen reden hören. Der ist mir unausstehlich, der ist ein schlechter Kerl, sagte er mir ganz unaufgefordert. Die Tat Sands erscheint ihm auch als etwas Großes (wie auch dem Görres) ... Die Wände des Zimmers hängen voll alter Kurfürsten mit langen Berücken und den dazugehörigen Prinzessinnen. Auf dem Tische, der auch etwas Lämmermayerisch aussah, stand eine silberne Dose mit zwei Kammern und zwei Deckeln darauf, damit es nicht hineinregnet, mit zwei verschiedenen Salzsorten gefüllt. Altdeutsch, bürgerlich." (An Jeanette Wohl, 20. September 1819, in: L. Börne, Werke, hg. v. L. Geiger, 9 Bde., Berlin 1911–18, hier Bd. 9, S. 73 f.)

[220] „Zu unseren Versammlungen in jener Stube kamen mitunter auch ältere Männer, zum Beispiel Kriminalrichter Snell ..., Weidig und andere." (Münch, S. 52) Neben Weidig aus Butzbach („dem Unermüdlichsten von allen") erwähnt er den Advokaten H. Hoffmann aus Darmstadt (ebd., S. 93; vgl. Brinkmann, Nationalismus, S. 72.)

[221] S. o. 1. Kapitel, S. 20 ff.

[222] Vgl. Conte Corti, Bd. 1, S. 225 ff.

[223] Brinkmann, Nationalismus, S. 12.

[224] Die Jenaer Oken und Fries nahmen am Wartburgfest teil, Hegewisch in Kiel sandte eine Adresse.

[225] Nietzsche, S. 415.

[226] W. Büngel, Der Philhellenismus in Deutschland 1821–1829, Diss. phil. Marburg 1917.

[227] G. Büchner, Der Hessische Landbote (1834), in: Ders., Gesammelte Werke, hg. v. W. Hausenstein, Leipzig o. J., S. 209–225, hier S. 211 f.

[228] Ebd., S. 225.

[229] Für diesen Abschnitt vgl. insbesondere F. Neumann, Der Hofmeister, ein Beitrag zur Geschichte der Erziehung im 18. Jahrhundert, Halle 1930; Neumann gibt eine dankenswerte Materialsammlung ohne soziologische Durchdringung.

[230] Um noch einige Namen zu nennen, man könnte leicht aus der ADB mehr zusammenstellen: C. F. Bahrdt, J. B. Basedow, F. J. Bertuch, Büsch, J. H. Campe, Gleim, G. Hamann, D. H. Hegewisch, W. Heinse, Herder, Ch. G. Heyne, Th. G. v. Hippel, J. G. Hoffmann, Lenz, Luden, S. Maimon, J. v. Müller, J. Schulze, J. H. Voss, Wagner, Wendeborn, Winckelmann.

[231] Zum Beispiel studierten Theologie: E. M. Arndt, Bahrdt, Basedow, Benzenberg, Buchholz, Büsching, Büsch, Campe, Gleim, Hegel, Hebel, Herder, Heyne, Hölderlin, Schleiermacher, Jean Paul Richter, Wendeborn, J. v. Müller u. a. m. „Für junge Theologen, welche sehr häufig Hofmeister wurden, war die Aussicht auf die Erlangung einer Dorfpfarre für die Entschließung ausschlaggebend." (Neumann, S. 23 f.)

[232] Dinter erzählt aus seiner Familie: „Herr M. Stölzner, der meinen älteren Bruder aufs Gymnasium vorbereitete, erhielt außer freier Station an barem Geld jährlich 36 Thaler. Als er abging, weil er von meinem Vater empfohlen, Pfarrer ... wurde, so gab mein Vater, weil seine Einnahmen gestiegen waren, dem neuen Informator, Herrn Stecher ... ein höheres Gehalt von 40 Thalern, das hieß ansehnlich bezahlt. So ändern sich die Zeiten und Bedürfnisse. Wenn ich jetzt einem Literatus so viel als Hauslehrer anbieten wollte, ich würde ausgelacht. Kein Literatus ging dafür." (G. F. Dinter, Leben von ihm selbst beschrieben, Neustadt a. d. O. 1830, S. 22) Mit dem sozialen Aufstieg, den Dinters letzte Sätze bezeugen, werden wir uns weiter unten befassen. – Hamann war in Kurland mit 100 Thalern und den Neujahrsgeschenken zufrieden. 1775 bekam er in derselben Familie 150 Albertusthaler. „Als Ausgleich für geringe Besoldung, gewissermaßen als Trost darüber wurde vielen Hofmeistern ein Amt in Aussicht gestellt, gewöhnlich eine Anstellung als Pfarrer, da die Brotherren vielfach Kirchenpatrone waren." (Neumann, S. 52) Wir gehen nicht näher auf die Gehaltsfrage ein, da bei der Unzahl der Münzsorten in Deutschland im 18. Jahrhundert und bei der Verschiedenheit der Preise und Geldwerte eine vergleichende Betrachtung erst nach Errechnung gemeinsamer Maßstäbe möglich ist. Zudem sind wir nicht der Meinung Neumanns, daß die Besoldung den „Gradmesser für die Behandlung des Hofmeisters, für ihre Einstufung in eine bestimmte Gesellschaftsklasse" bildete (S. 58). Aufstiegschancen, die sich durch die Vermittlung des Brotherrn oder des Zöglings boten, die durch viele Imponderabilien bedingte Stellung in der Familie scheinen uns gewichtigere Faktoren, die nicht so oft im ‚Gehalt', das mehr einem Taschengeld glich, in Erscheinung traten. „Eine Stelle von 100 Thalern auf dem Lande, und eine ebenso hohe in Berlin, Liefland, Kurland, Hamburg, Kopenhagen usw. sind sehr verschieden." (A. H. Niemeyer, Ansichten der deutschen Pädagogik und ihrer Geschichte im 18. Jahrhundert, Halle 1801, S. 113.)

[233] A. F. Büsching, Unterricht für Informatoren und Hofmeister, Leipzig 1794, S. 9.

[234] Ebd., S. 23.

[235] M. Cruziger, Leipzig im Profil. Ein Taschenwörterbuch für Einheimische und Fremde, Solothurn 1799, S. 123.

[236] J. G. Fichte, Leben und litterarischer Briefwechsel, hg. v. I. H. Fichte, 2 Bde., Leipzig 1862², hier Bd. 1, S. 46.

[237] Ebd., S. 211.
[238] Ch. F. Weisse, Selbstbiographie, hg. von dessen Sohn Ch. E. Weisse und dessen Schwiegersohn S. G. Frisch, Leipzig 1806, S. 290.
[239] H. A. O. Reichard, Seine Selbstbiographie, hg. v. H. Uhde, Stuttgart 1877, S. 115.
[240] Jean Paul (Friedrich Richter), Levana oder Erziehlehre (1807), hg. v. K. Lange, Langensalza 1886, S. 128 f.
[241] A. H. Niemeyer, Grundsätze der Erziehung und des Unterrichts für Eltern, Hauslehrer und Erzieher (1796), Reutlingen 1835⁹, S. 116.
[242] Neumann, S. 72.
[243] C. Varrentrapp, Johannes Schulze und das höhere preußische Unterrichtswesen in seiner Zeit, Leipzig 1889.
[244] Neumann, S. 1.
[245] Büsching, S. 28.
[246] A. Steiger, Hans Christoph Ernst von Gagern. Ein deutscher Staatsmann und Publizist. Diss. phil. Frankfurt/M. 1924, S. 6.
[247] Goldschmidt, S. 7.
[248] S. o. S. 28.
[249] Zu diesen Unterscheidungen siehe Sorokin.
[250] Neumann, S. 23.
[251] Knesebeck, S. 10.
[252] Vgl. insbesondere L. L. Schücking, Die Familie im Puritanismus. Acht Studien über Familie und Literatur in England im 16., 17. und 18. Jahrhundert, Leipzig 1929, S. 163 ff. und S. 169. Über den Einfluß des englischen Vorbildes auf die bürgerlichen Schichten des Kontinents, ebd., S. 195.
[253] Neumann, S. 58.
[254] A. Freiherr v. Knigge, Über den Umgang mit Menschen [17], Leipzig 1927, S. 13.
[255] Ebd., S. 194. – „Wem ist es nicht bekannt, daß diejenigen, welche in einem Hause angenommen werden, die Kinder zu unterrichten und sie zu guten Sitten anzuführen, von den meisten als die geringsten Kreaturen von der Welt angesehen werden? Der schlechteste Bediente wird zuweilen höher gehalten als der Informator." (J. F. May, Die Kunst einer vernünftigen Kinderzucht, 2 Bde., Helmstedt 1752, S. 204.)
[256] Neumann, S. 62.
[257] Cruziger, S. 134.
[258] J. G. Hamann, Schriften, hg. v. F. Roth, 7 Bde., Leipzig 1821–25.
[259] Herbst, Bd. 1, S. 47. – Boyens Urteil über den preußischen Adel zu Ausgang des Jahrhunderts zeigt, daß der Konflikt mit der Hausherrin kein individuell zufälliger war: „Der Landadel jener Zeit lebte übrigens damahlen im allgemeinen noch sehr einfach, aber recht gastfrey. Für bessere Erziehung ihrer Kinder zeigte sich hin und wieder ein rühmliches Streben, doch kann man nicht behaupten, daß die gnädigen Fräuleins oder die Herren Junker von den gewöhnlich etwas unerfahrenen Hauslehrern beym Lernen zu sehr angestrengt wurden; darüber wachte die ängstliche Zärtlichkeit der Mutter. Standesvorurteile schlossen den Kreis der Gesellschaften sehr enge. Nur der Landadel und die Offiziere der nächsten Garnison traten zu Winterbällen zusammen." (H. v. Boyen, Erinnerungen aus dem Leben des General-Feldmarschalls Hermann von Boyen, hg. v. F. Nippold, 3 Bde., Leipzig 1889–90, hier Bd. 1, S. 24.)
[260] Neumann, S. 67.
[261] Fichte, Leben, S. 72.
[262] Diese Liebe gab ihm Anlaß zu seinem Roman „Hildegard von Hohenthal" (3 Bde., Berlin 1795–96).
[263] Er fährt fort: „einen Sinnenreiz ..., welcher den bezaubert, der ihn hat, und der

ihn nicht hat – welcher die Gestalt und jedes Wort ausschmückt – und der so lange unverwelklich bleibt (länger kann nichts dauern), als ein weibliches Wesen spricht – gar keinem Geburtsorte dienend ... ich sag' euch – um die Sache auf einer wichtigeren Seite zu zeigen – Volksaussprache erinnert immer ein wenig an Volksstand; weil im ganzen je höher hinauf, je besser ausgesprochen (nicht eben gesprochen) wird." (Jean Paul, Levana, S. 170.)

[264] Fichte, Leben, S. 210.

[265] Ebd., S. 384.

[266] K. Joel, Antibarbarus. Vorträge und Aufsätze, Jena 1914.

[267] J. I. Weitzel war 21 Jahre, als er eine Hauslehrerstelle annahm, Kunth kam mit 20 Jahren in das Humboldtsche Haus, K. Ritter wurde mit 19 Jahren Hauslehrer, J. H. Voss mit 18 Jahren. Durchschnittlich wird man ein Alter von 20 bis 26 Jahren vermuten dürfen; das schloß nicht aus, daß man auch einen 70jährigen Hauslehrer finden mochte; vgl. Neumann, S. 36.

[268] „Eine solche Erscheinung hatten wir wenige Tage darauf bei uns. Ich weiß nicht, wie ein gewisser, allererst von der Universität zurückgekommener Herr A. die Nachricht bekommen hatte, daß ich einen Hofmeister für ein adeliges Haus in unserer Nachbarschaft suchte, kurz, er kam nach S. Er mochte sich wohl vorgenommen haben, mit allem Anstande zu erscheinen. Denn er war so steif aufgeputzt wie an einem Ehrentage. An Komplimenten ließ er es gewiß auch nicht fehlen. Sobald er mich aus der Stube ihm entgegenkommen sah, bückte er sich bis auf die Erde, warf, ohne mich anzusehen, vielerlei untertänig und gnädig durcheinander und machte mir mit seiner Höflichkeit Mühe genug, bis ich ihn in die Stube brachte. Die gute Miene und der seidene Rock des Grafen machten ihn noch ehrerbietiger. Excellenz, und was ihm sonst für Titulaturen einfielen, wurden verschwendet. Der gute Graf, der so etwas noch nicht gesehen hatte und zur Sittsamkeit gewöhnt war, wußte nicht, wie er seine Höflichkeiten genug erwidern sollte, kam selbst in Verlegenheit darüber und ging erschrokken und beschämt darüber zur Stube hinaus. Ich tat alles, was ich nur tun konnte, um diesem guten Menschen es leichter zu machen. Anfangs schien es unmöglich zu sein, und nach einer halben Stunde war es mir fast gelungen. Denn sobald er die Furcht abgelegt hatte, wurde er sogleich so vertraut, daß er ohne den geringsten Anlaß meinerseits sich erkundigte, wie stark meine Besoldung wäre, was ich und wo ich studiert hätte, ob ich Tabak rauchte. Ja, ich glaube, wenn ich noch eine halbe Stunde mit ihm allein gewesen wäre, er hätte mir Brüderschaft angetragen. – Man ging zur Tafel. Zum Unglück für A. war sie diesmal wegen einiger Fremden zahlreich. Er stutzte sehr und wußte nicht, was er machen sollte. Auf eine sehr ungeschickte Art nahm er seinen Platz ein. Aufgerichtet zu sitzen, schien seinem Körper etwas Unmögliches zu sein. Den Löffel faßte er so plump an, daß er ihn über die Hälfte mit der Hand bedeckte; viele Male ließ er Messer und Gabel fallen; seine Nachbarn waren immer in Gefahr, von ihm gestoßen oder beschmutzt, und die Gläser umgeschmissen zu werden. Selten wagte er jemand anzusehen, außer mit ziemlich freien Blicken Frauenzimmer. Man fragt ihn deutsch, ob er französisch spräche. Sogleich fing er an zu parlieren auf eine Art, davon allen, die die Sprache halb verstunden, die Ohren wehe taten. Auf die Frage, was er studiert hatte, schien er anfangs alle Kollegia, die er gehört hatte, hernennen zu wollen; man ließ ihm aber nicht so viel Zeit, und er konnte nur noch versichern, daß er außer Theologie hauptsächlich Sprachen und Philosophie vorzüglich getrieben hätte. Einige Gäste ließen sich mit ihm in eine Unterredung vom akademischen Leben ein. Anfangs wollte er ausweichen. Als er aber glaubte, daß ihnen Ernst wäre, und der Wein ihn beherzt gemacht hatte, stattete er hiervon als Kenner weitläufige Berichte ab.

Ich wollte wünschen, daß dieses Gemälde, das ich nach der Natur lieferte, nun auf ein Original passe. Aber gewiß, man muß staunen, wenn man die Subjekte nacheinander ansieht, die sich um Hofmeisterstellen bewerben, wie wenig sie die Wirkung dieses Amtes kennen und wie wenig sie sich dazu anzuschicken bedacht sind. Der größte Teil der Studierenden hält eine solche Stelle noch immer für die bequemste Gelegenheit, um die Kandidatenjahre hinzubringen. Und die meisten von diesen betrachten sie bloß aus diesem Gesichtspunkte. Und was gibt es unter diesen für Leute! ... Was für Sitten! ... Es wird meinen Lesern nicht schwer sein, Originale zu finden, wie ich sie jetzt vor mir sehe.“ (J. G. H. Feder, Der neue Emil, oder von der Erziehung nach bewährten Grundsätzen, 1. Teil, Erlangen 1774[3], S. 244.)

[269] Niemeyer, Grundsätze, S. 78.

[270] Siehe insbesondere Nietzsches Sprachkritik an David Friedrich Strauß in seinen „Unzeitgemäßen Betrachtungen“. (Werke, 1. Abt., Bd. 1, S. 177–589.)

[271] „Die festgeschlossenen Linienregimenter der öffentlichen Lehrer vom Gymnasium an bis zur Elementarschule herab wurden so mehr und mehr von pädagogischen Freischaren umschwärmt, deren Thätigkeit vorzugsweise auf die höheren Stände, auf den Geburts-, Verdienst- und Geldadel gerichtet war und ist.“ (V. Strebel, Artikel „Hofmeister“, in: K. A. Schmid [Hg.], Encyklopädie des gesamten Erziehungs- und Unterrichtswesens, Bd. 3, Gotha 1880[2], S. 534.)

[272] Ebd., S. 540.

[273] Bei der Rechtsunsicherheit und dem persönlichen, nicht juristisch fixierten Dienstverhältnis mochten sich leicht auf beiden Seiten Enttäuschungen ergeben. Sobald sich dem Intellektuellen eine Aufstiegschance bot, sprang er ab. „Warum mein Vater die Hauslehrererziehung aufgab, weiß ich nicht, vielleicht hatte ihn der Überdruß dazu bewogen, weil er sah, daß die sichern Leute nichts taugten und die Tauglichen nicht sicher waren, d. h. wenn er sie kaum im Hause hatte, ihr Glück machten und uns wieder verließen.“ (C. F. Bahrdt, Geschichte seines Lebens, seiner Meinungen und Schicksale, 4 Teile, Frankfurt a. M. 1790–91, S. 69.)

[274] „Der Lehr- und Brotherr der Kleinen handelt immer, als sei das ordentliche Leben des Kindes als Menschen gar noch nicht recht angegangen, sondern warte erst darauf, daß er selber abgegangen sei und so den Schlußstein seinem Gewölbe einsetze. Sogar der Reisehofmeister glaubt, es sei, solange er noch in der Furche gehe und säe, Grün- und Blütezeit nicht an ihrer Stelle ... Ein Ganzes des Lebens ist ... entweder nirgend oder überall ... Das Spielen und Treiben der Kinder ist so ernst und gehaltvoll an sich und in Beziehung auf ihre Zukunft, als unseres auf uns.“ (Jean Paul, Levana, S. 103.)

[275] Fichte an J. J. Wagner: „Einer Hofmeisterstelle, als des einzigen Auswegs aus ihrer Lage hatten Sie selbst in Ihrem Briefe gedacht. Den Hauptvorteil bestimmten Sie selbst sehr richtig; mit Kindern ihre Begriffe zu lernen und auch wieder einmal im Schoße einer Familie zu leben. Sie fürchten den Zeitverlust, glauben Sie mir, wer bis in die Tiefe seines Wesens sich bilden, wer sein will, und nicht bloß scheinen, dessen Hauptsache ist's, mit Gewinn Zeit zu verlieren.“ (Fichtes Briefwechsel, hg. v. H. Schulz, 2 Bde., Leipzig 1925–30, hier Bd. 1, S. 572.)

[276] J. B. Basedow, Vorstellung an Menschenfreunde und vermögende Männer über Schulen und Studien und ihren Einfluß in die öffentliche Wohlfahrt. Mit einem Plane eines Elementarbuchs der menschlichen Erkenntnis, Hamburg 1768, Neuausgabe v. Th. Fritzsch, Leipzig o. J., S. 76.

[277] „Die Kinder schließen Gesellschaften; sie wählen Vorsteher und Beamte; sie geben Worte und Handschlag usw.“ (Ebd., S. 77) – „Wo kann denn nun das Kind seine Herrscherkräfte, seinen Widerstand, sein Vergeben, sein Geben, seine Milde, kurz jede Blüte und Wurzel der Gesellschaft anders zeigen und zeitigen als im Freistaate unter seinesgleichen? – Schulet Kinder durch Kinder!“ (Jean Paul, Levana, S. 83.)

[278] In zwei Aufsätzen empfahl Kant das Dessauer Philanthropin im Tone des „Enthusiasmus", von dem er meinte, „es ist niemals ohne denselben in der Welt etwas Großes ausgerichtet worden" (Schriften, S. 72). Vor einer öffentlichen Schaustellung des Instituts schrieb er: „Die Stimme verdienstvoller und beglaubigter Deputierter der Menschheit ... müßte die Aufmerksamkeit Europas auf das, was sie so nahe angeht, notwendig rege machen und es zur tätigen Teilnehmung an einer so gemeinnützigen Anstalt bewegen." (Ebd., S. 102) „Es ist aber vergeblich, dieses Heil des menschlichen Geschlechts (die Ausbildung zu Menschen) von einer allmählichen Schulverbesserung zu erwarten. Sie müssen umgeschaffen werden, wenn etwas Gutes aus ihnen entstehen soll, weil sie in ihrer ursprünglichen Einrichtung fehlerhaft sind, und selbst die Lehrer derselben eine neue Bildung annehmen müssen. Nicht eine langsame *Reform,* sondern eine schnelle *Revolution* kann dieses bewirken." (Ebd., S. 103.)

[279] Ch. G. Salzmann, Ameisenbüchlein oder Anweisung zu einer vernünftigen Erziehung der Erzieher (1806), Stuttgart 1845, S. 98.

[280] Jean Paul, Levana, S. 113.

[281] Ebd., S. 115.

[282] Ebd., S. 114.

[283] Nach Bahrdts Zeugnis, um ein Beispiel zu geben, gab sein Vater, der Leipziger Superintendent und Professor der Theologie, dem Hauslehrer die Anweisung: „Geben Sie den Jungen so und so viel Stunden, halten Sie sie dann auf der Stube, daß sie keine Teufeleien machen und hauen Sie mit dem Ochsenziemer darunter, daß das Fell stiebt, wo sie nicht folgen wollen." (S. 37.)

[284] Wenn Schleiermacher in philosophischer Konstruktion Jugendlichkeit identifiziert mit innerem Handeln und sie verewigt, „dem Alter vermählen" will, so rechtfertigt er seine Situation, in der die Distanzierungsfähigkeit der nicht eingegliederten Intelligenz Aufstiegschancen nutzen konnte. Siehe F. D. E. Schleiermacher, Monologen, hg. v. H. Mulert, Leipzig 1914², S. 90 und S. 92 ff.

[285] Goldschmidt, S. 16 f.

[286] „Indessen hatte der Kammergerichtsrath Weisbeck ... mich näher kennengelernt. Er gab Anlaß, daß ich in dieselben [Vermögensgeschäfte] verflochten wurde; und dies nahm so zu, daß ich bald der ganzen Verwaltung der Güter und des Geldvermögens allein vorstand, und kaum mehr 50 Thaler eingenommen oder ausgegeben wurden, als durch meine Hände." (Ebd., S. 17.)

[287] Ebd., S. 20.

[288] Über die „Deutsche Union" siehe: F. Schweyer, Politische Geheimverbände, Freiburg i. B. 1925, S. 85 f.; desgl. L. J. Goldfriedrich, Geschichte des deutschen Buchhandels (von 1648–1889) (Geschichte des deutschen Buchhandels, Bde. 1–4 und Registerband), Leipzig 1886–1923, hier Bd. 3, S. 173 ff.

[289] Goldschmidt, S. 24 f.

[290] Anonym veröffentlichte J. G. Hoffmann: Das Interesse des Menschen und Bürgers bei den bestehenden Zunftverfassungen, Königsberg 1803.

[291] „Seit einiger Zeit haben einige, die den seltenen rauhen Vorsatz mitbringen, dereinst Schulleute zu werden, sich bloß auf Schulstudium gelegt, ohne sich mit der Theologie zu beschäftigen." (Michaelis, Bd. 2, S. 146) Als ideologische Motive gibt er an „die bloße Liebe zum Vaterlande oder zu den Schulwissenschaften", „bei andern die Furcht vor den symbolischen Büchern, an deren Unterschrift sich jetzt manche, die Theologie studiert haben, stoßen". (Ebd., Bd. 3, S. 164; zitiert bei Paulsen, Bd. 2, S. 160.)

[292] „F. A. Wolf war 24jährig, als er nach Halle gerufen wurde ... Als 26jähriger kam Boeckh nach Berlin und als 27jähriger gründete Thiersch das Münchener Seminar. Otfried Müller wurde mit 22 Jahren Professor in Göttingen. Lachmann war 25, Ritschl 27 Jahre alt, als jener in Königsberg, dieser Professor in Breslau wurde. Süvern

war 25 Jahre alt, als er zum Rektor in Thorn, 34, als er als Staatsrat zur Leitung des preußischen Gymnasialwesens berufen wurde. Ebenso wurde J. Schulze mit 26 Jahren als Oberschul- und Studienrat nach Hanau, mit 30 als Provinzialschulrat nach Koblenz, mit 32 als Oberregierungsrat nach Berlin ins Ministerium berufen." (Paulsen, Bd. 2, S. 315.)

III. Die öffentliche Meinung

[1] F. Tönnies, Kritik der öffentlichen Meinung, Berlin 1922. – W. Bauer, Die öffentliche Meinung in der Weltgeschichte, Potsdam 1930. – O. Groth, Die Zeitung. Ein System der Zeitungskunde, 4 Bde., Mannheim 1928, hier Bd. 3. – Goldfriedrich, Bde. 3 u. 4. – D. P. Baumert, Die Entstehung des deutschen Journalismus. Eine sozialgeschichtliche Studie, München 1928. – L. Salomon, Geschichte des deutschen Zeitungswesens von den ersten Anfängen bis zur Wiederaufrichtung des deutschen Reiches, 3 Bde., Oldenburg 1900–06.

[2] G. Forster, Geschichte der Literatur, in: J. W. v. Archenholz (Hg.), Annalen der britischen Geschichte des Jahres 1790 als eine Fortsetzung des Werkes „England und Italien" [von Archenholz], Bd. 5, Hamburg 1791, S. 184–314, hier S. 234 und S. 246; Bd. 7, ebd. 1793, S. 65–148, hier S. 133.

[3] J. W. v. Archenholz, England und Italien, 5 Bde., Leipzig 1787, hier Bd. 1, Anmerkung S. 9 f. – Über Archenholz siehe F. Ruof, Johann Wilhelm von Archenholz. Ein deutscher Schriftsteller zur Zeit der Französischen Revolution und Napoleons (1741–1812), Berlin 1915.

[4] Heeren, S. 36.

[5] Goldfriedrich, Bd. 3, S. 249.

[6] In Kreuzburg in Schlesien ließ Friedrich II. in den Jahren 1777/79 ein vierstöckiges Armen- und Arbeitshaus für 500 Personen errichten. 1783 war es mit 238 Armen besetzt, die in Arbeitsunfähige und Arbeitsfähige geschieden wurden. „Die zweite Klasse setzte sich zusammen aus aufgegriffenen Bettlern, bettelnden abgedankten Soldaten mit ihren Weibern und Kindern, fechtenden Handwerksburschen, bettelnden Studenten, Vagabunden und für türkische Gefangene, bettelnde ausländische Geistliche . . . Wer nicht fleißig genug war, wurde angefeuert, oder wenn das nicht half, durch Kostreduzierung auf Wasser und Brot, auch wohl durch mäßige Züchtigung zur Arbeit angehalten." (H. Römer, Die Baumwollspinnerei in Schlesien bis zum preußischen Zollgesetz von 1818, Breslau 1914, S. 70 f.)

[7] Goldfriedrich, Bd. 3, S. 249 f.

[8] Simons, S. 10 f.

[9] J. G. Heinzmann, Appel an meine Nation über Aufklärung und Aufklärer; über Gelehrsamkeit und Schriftsteller, Bern 1795, S. 421.

[10] A. Potthast, Die Abstammung der Familie Decker. Festschrift bei hundertjähriger Dauer des königlichen Privilegii der Geheimen Ober-Hofbuchdruckerei, Berlin 1863, S. 391; zitiert bei Goldfriedrich, Bd. 3, S. 292 f.

[11] Goldfriedrich, Bd. 4, S. 216.

[12] Ebd., Bd. 3, S. 293. – Vgl. C. Brinkmann, Die Umformung der kapitalistischen Gesellschaft in geschichtlicher Darstellung, in: Grundriß der Sozialökonomik, IX. Abt.: Das soziale System des Kapitalismus, 1. Teil: Die gesellschaftliche Schichtung im Kapitalismus, Tübingen 1926, S. 6 f.

[13] I. Kant, Über die Buchmacherei. Zwei Briefe an F. Nicolai, Königsberg 1798, S. 17.

[14] R. Voigtländer, Das Verlagsrecht im preußischen Landrecht und der Einfluß von Friedrich Nicolai darauf, in: Archiv für Geschichte des deutschen Buchhandels, Bd. 20, 1898, S. 4–67, hier S. 6.

[15] F. Schulze, Der deutsche Buchhandel und die geistigen Strömungen der letzten hundert Jahre, Leipzig 1925, S. 22. – Über Perthes siehe C. Th. Perthes.

[16] Schulze, S. 22.

[17] Goldfriedrich, Bd. 3, S. 557.

[18] Schulze, S. 11 und S. 15.

[19] J. W. v. Goethe, Deutsche Sprache und Verwandtes, in: Sämtliche Werke, Stuttgart 1840, Bd. 32, S. 220 f.

[20] Goldfriedrich, Bd. 4, S. 475. – M. Paschke u. Ph. Rath, Lehrbuch des deutschen Buchhandels, 2 Bde., Leipzig 1918, hier Bd. 1, S. 68.

[21] Vgl. zum Beispiel die Äußerungen von Benzenberg in: Der junge Benzenberg. Freundschaftsbriefe eines rheinischen Naturforschers der Goethezeit, gesammelt und hg. v. J. Heyderhoff, Düsseldorf 1927, S. 37.

[22] H. Delbrück, Das Leben des Feldmarschalls Grafen Neidhardt von Gneisenau, 2 Bde., Berlin 1920[4], hier Bd. 1, S. 34 ff.

[23] B. G. Niebuhr, Geschichte des Zeitalters der Revolution. Vorlesungen an der Universität zu Bonn im Sommer 1829 gehalten, 2 Bde., Hamburg 1845, hier Bd. 1, S. 70 f. – F. Laun, Memoiren, 3 Bde., Bunzlau 1837, hier Bd. 1, S. 1. – P. A. Nemnich, Tagebuch einer der Kultur und Industrie gewidmeten Reise, 8 Bde., Tübingen 1809–11, hier Bd. 2, S. 376.

[24] Hippel, S. 53. – Vgl. Wielands zahlreiche Aufsätze zu Gunsten der bürgerlichen Frau, zum Beispiel: Weibliche Bildung (1786); Bei der Anzeige von Schillers historischem Kalender für Damen (1791); Demoiselle oder Fraulein? (1794) in: Sämtliche Werke, Bd. 36, Leipzig 1840, S. 177–183, S. 184–191, S. 314–320.

[25] M. Weber, Gesammelte Aufsätze zur Soziologie und Sozialpolitik, Tübingen 1924, S. 485 f.

[26] Schultze, S. 23 ff. – Goldfriedrich, Bd. 3, S. 319 f.

[27] W. Schöne, Die Anfänge des Dresdner Zeitungswesens, Dresden 1912, S. 14; Ders., Die Zeitung und ihre Wissenschaft, Leipzig 1928, S. 187 ff.

[28] G. P. Gooch, Germany and the French Revolution, London 1927[2]. – A. Stern, Der Einfluß der Französischen Revolution auf das deutsche Geistesleben, Stuttgart 1928.

[29] Vgl. Zincke.

[30] Schultze, S. 29.

[31] Goldfriedrich, Bd. 3, S. 357 ff.

[32] Groth, Bd. 1, S. 211 f.

[33] H. Westerfrölke, Englische Kaffeehäuser als Sammelpunkte der literarischen Welt im Zeitalter von Dryden und Addison, Jena 1924.

[34] Zum Beispiel betrug die Auflagezahl der Vossischen Zeitung im Jahre 1776 2 000 Stück, im Jahre 1804 hatte sie 7 100 Abonnenten, die Spenersche Zeitung legte 1776 1 780 Stück auf, im Jahre 1804 hatte sie 4 000 Abonnenten (Groth, Bd. 1, S. 242 ff.)

[35] F. Schlegel, Lucinde (1799), hg. v. J. Fränkel, Jena 1907, S. 40 f.

[36] J. Rackl, Der Nürnberger Buchhändler Johann Philipp Palm, Nürnberg 1906.

[37] G. Winter (Hg.), Die Reorganisation des preußischen Staates unter Stein und Hardenberg. 1. Teil: Allgemeine Verwaltungs- und Behördenreform, 1. Bd.: Vom Beginn des Kampfes gegen die Kabinettsregierung bis zum Wiedereintritt des Ministers von Stein, Leipzig 1931, S. 312 f.

[38] B. Reiche, Die politische Literatur unter Friedrich Wilhelm II., Diss. phil. Halle 1891, S. 3.

[39] Vgl. Weidemann, Murhard; Th. Wilhelm, Die Idee des Berufsbeamtentums. Ein Beitrag zur Staatslehre des deutschen Frühkonstitutionalismus, Tübingen 1933.

IV. Die Bürokratie

[1] E. H. H. Heinrich, Der Rang des Beamten in historischer und dogmatischer Darstellung, Dresden 1931. – Hintze, Beamtenstand. – S. Isaacsohn, Geschichte des Preußischen Beamtentums vom Anfang des 15. Jahrhunderts bis auf die Gegenwart, 3 Bde., Berlin 1874–84. – Lotz, Beamtentum. – E. Kehr, Zur Genesis der preußischen Bürokratie und des Rechtsstaats. Ein Beitrag zum Diktaturproblem, in: Die Gesellschaft, Jg. 9, 1932, S. 101–121. – E. Kleinstück, Vom Wesen des deutschen Beamtentums. Ein gesellschaftswissenschaftlicher und politischer Versuch auf geschichtlicher Grundlage, Berlin 1927.

[2] F. Frank, Geschichte der mittleren Justiz- und Verwaltungsbeamten Badens. Ein Beitrag zur Geschichte der Bürokratie, Freiburg i. B. 1919, S. 33 ff. und S. 49 ff.

[3] A. Skalweit, Die Getreidehandelspolitik und Kriegsmagazinverwaltung Preußens 1756–1806, in: Acta Borussica, 3. Abt.: Getreidehandelspolitik, Bd. 4, Berlin 1931.

[4] Sombart, Kapitalismus, Bd. 2, S. 1097; Hegel, Grundlinien, § 296 und 297, S. 242 f.

[5] Isaacsohn, Bd. 3, S. 124.

[6] E. Waldecker, Entwicklungstendenzen im deutschen Beamtenrecht, in: AöR, N. F. Bd. 7, 1924, S. 129—171, hier S. 137.

[7] Isaacsohn, Bd. 2, S. 30.

[8] Lotz, S. 196.

[9] G. Simmel, Soziologie. Untersuchungen über die Formen der Vergesellschaftung, München 1923 (Exkurs über den Fremden, S. 509 ff.).

[10] Vgl. Bergengrün.

[11] Delbrück, S. 39 und S. 162.

[12] Lotz, S. 139.

[13] Isaacsohn, Bd. 3, S. 264.

[14] Weber, Wirtschaft, S. 715.

[15] Hintze, Beamtenstand, S. 33 f.

[16] Ebd., S. 35 f.

[17] E. Heilfron, Die rechtliche Behandlung der Kriegsschäden. Bd. 1,1: Die rechtliche Behandlung der Kriegsschäden in Preußen nach den Freiheitskriegen und die Kabinetts-Order vom 4. Dezember 1831, Mannheim 1916, S. 12.

[18] Vgl. Kants Begriff eines Reiches als der „systematischen Verbindung verschiedener vernünftiger Wesen durch gemeinschaftliche Gesetze“, in: Grundlegung zur Metaphysik der Sitten, hg. v. Th. Fritzsch, Leipzig 1904, S. 70.

[19] Weber, Wirtschaft, S. 488.

[20] Lotz, S. 202.

[21] F. A. L. v. d. Marwitz, Werke, hg. v. F. Meusel, Bd. 1: Lebenserinnerungen, Berlin 1908. — Vgl. Benzenberg an Brandes am 16. November 1806, in: Der junge Benzenberg, S. 57 und S. 58 ff.

[22] Knesebeck, S. 43 ff.

[23] J. G. Fichte, Der geschlossene Handelsstaat. Ein philosophischer Entwurf als Anhang zur Rechtslehre (1800), Leipzig 1917.

[24] Weber, Wirtschaft, S. 61.

[25] Zahlen finden sich bei Rudel über die soziale Zusammensetzung des Preußischen Offiziercorps nach den Freiheitskriegen, S. 169 f.; siehe auch J. F. Benzenberg, Friedrich Wilhelm III., Leipzig 1821, S. 123 f.; desgl. „Preußen vor dem Februarpatent von 1847“, in: Die Gegenwart, eine encyclopädische Darstellung der neuesten Zeitgeschichte für alle Stände, Leipzig 1849, Bd. 2, S. 30–89, hier S. 51 f.

[26] W. Baldamus, Soziologie des Frühliberalismus in Deutschland, Ms. Frankfurt 1931. – C. Brinkmann, Weltpolitik und Weltwirtschaft im 19. Jahrhundert, Bie-

lefeld 1921, S. 17 ff. – Ders., Handelspolitik. – G. Schmoller, Das preußische Handels- und Zollgesetz vom 26. Mai 1818 im Zusammenhang mit der Geschichte der Zeit, ihrer Kämpfe und Ideen, Berlin 1898.

[27] W. Huskisson, Speeches, 3 Bde., London 1831, hier Bd. 3, S. 131; vgl. Bd. 2, S. 465 (zitiert bei Goldschmidt, S. 121).

Verzeichnis der benutzten Quellen und Literatur

Allgemeine Deutsche Biographie, 56 Bde., Leipzig 1875–1912.
Archenholz, J. W. V., England und Italien, 5 Bde., Leipzig 1787.
Arndt, E. M., Katechismus für den deutschen Kriegs- und Wehrmann, worin gelehrt wird, wie ein christlicher Wehrmann sein und mit Gott in den Streit gehen soll, Breslau 1813.
Artikel „Antiquary", in: The Encyclopaedia Britannica, Bd. 2, 1910[11], S. 134.
Artikel „Sir Hans Sloane", in: The Encyclopaedia Britannica, Bd. 25, 1911[11], S. 241.
Bacon of Verulam, F., Essays (1597), hg. v. E. A. Abbott, London 1867.
Bahrdt, C. F., Geschichte seines Lebens, seiner Meinungen und Schicksale, 4 Teile, Frankfurt/M. 1790–91.
Bahrs, K., Friedrich Buchholz, ein preußischer Publizist. 1768–1843, Berlin 1907.
Baldamus, W., Soziologie des Frühkapitalismus in Deutschland, Ms. Frankfurt 1931.
Basedow, J. B., Vorstellung an Menschenfreunde und vermögende Männer über Schulen und Studien und ihren Einfluß in die öffentliche Wohlfahrt. Mit einem Plane eines Elementarbuchs der menschlichen Erkenntnis, Hamburg 1768, Neuausgabe v. Th. Fritzsch, Leipzig o. J. (1904).
Bauer, W., Die öffentliche Meinung in der Weltgeschichte, Potsdam 1930.
Baumert, D. P., Die Entstehung des deutschen Journalismus. Eine sozialgeschichtliche Studie, München 1928.
Baumgarten, H., Artikel „Karl Ludwig Sand", in: ADB, Bd. 30, 1890, S. 338 f.
Behrendt, R., Politischer Aktivismus. Ein Versuch zur Soziologie und Psychologie der Politik, Leipzig 1932.
Benjamin, W., Ursprung des deutschen Trauerspiels, Berlin 1928.
Benzenberg, J. F., Der junge Benzenberg. Freundschaftsbriefe eines rheinischen Naturforschers der Goethezeit, gesammelt und hg. v. J. Heyderhoff, Düsseldorf 1927.
–, Friedrich Wilhelm III., Leipzig 1821.
–, Die Verwaltung des Staatskanzlers Fürsten von Hardenberg, Leipzig 1821.
Bergengrün, A., David Hansemann, Berlin 1901.
Bergsträsser, L., Geschichte der politischen Parteien, Mannheim 1932[6].
Bertuch, F. J., Über die Wichtigkeit der Landes-Industrie-Institute, in: Journal des Luxus und der Moden, Bd. 8, Weimar 1793, S. 409–417, 449–462.
Bloch, E., Thomas Münzer als Theologe der Revolution, München 1922.
Bluntschli, J. K., Denkwürdiges aus meinem Leben, hg. v. R. Seyerlein, Nördlingen 1884.
Börne, L., Werke, hg. v. L. Geiger, 9 Bde., Berlin 1911–18 (hier bes. Bd. 9: Briefe an Jeanette Wohl).
Bogeng, G. A. E. (Hg.), Geschichte des Sports aller Völker und Zeiten, 2 Bde., Leipzig 1926.
Boyen, H. v., Erinnerungen aus dem Leben des Generalfeldmarschalls Hermann von Boyen, hg. v. F. Nippold, 3 Bde., Leipzig 1889–90.
Brandt, O., Geistesleben und Politik in Schleswig-Holstein um die Wende des 18. Jahrhunderts, Kiel 1927[2].
Brinkmann, C., Die preußische Handelspolitik vor dem Zollverein und der Wiederaufbau vor 100 Jahren, Berlin 1922.
–, Der Nationalismus und die deutschen Universitäten im Zeitalter der deutschen Erhebung, Heidelberg 1932.
–, Die Umformung der kapitalistischen Gesellschaft in geschichtlicher Darstellung,

in: Grundriß der Sozialökonomik, IX. Abt.: Das soziale System des Kapitalismus, I. Teil: Die gesellschaftliche Schichtung im Kapitalismus, Tübingen 1926, S. 2–21.
–, Weltpolitik und Weltwirtschaft im 19. Jahrhundert, Bielefeld 1921.
Brunner, H., Geschichte der Residenzstadt Cassel 913–1913, Cassel 1913.
Buchholz, F., Gemälde des gesellschaftlichen Zustandes im Königreiche Preußen, bis zum 14. Oktober des Jahres 1806, 2 Bde., Berlin 1808.
Büchner, G., Der Hessische Landbote (1834), in: Ders., Gesammelte Werke, hg. v. W. Hausenstein, Leipzig o. J., S. 209–225.
Büngel, W., Der Philhellenismus in Deutschland 1821–1829, Diss. phil. Marburg 1917.
Büsching, A. F., Unterricht für Informatoren und Hofmeister, Leipzig 1794.
Campe, J. H., Wörterbuch zur Erklärung und Verdeutschung der unserer Sprache aufgedrungenen fremden Ausdrücke. Ein Ergänzungsband zu Adelungs und Campes Wörterbüchern, neue Ausgabe, Braunschweig 1813.
Corti, E. C. Conte, Das Haus Rothschild. 1. Bd.: Der Aufstieg des Hauses Rothschild, 1770–1830; 2. Bd.: Das Haus Rothschild in der Zeit seiner Blüte, 1830–1871, Leipzig 1927–28.
Cruziger, M., Leipzig im Profil. Ein Taschenwörterbuch für Einheimische und Fremde, Solothurn 1799.
Delbrück, H., Das Leben des Feldmarschalls Grafen Neidhardt von Gneisenau, 2 Bde., Berlin 1920[4].
Demeter, K., Das deutsche Offizierkorps in seinen historisch-soziologischen Grundlagen, Berlin 1930.
Dieterici, C. F. W., Der Volkswohlstand im preußischen Staate, Berlin 1846.
Dietz, E., Die Teutonia und die Allgemeine Burschenschaft zu Halle, in: Quellen und Darstellungen zur Geschichte der Burschenschaft und der deutschen Einheitsbewegung, hg. v. H. Haupt, Bd. 2, Heidelberg 1911, S. 215–305.
Dinter, G. F., Leben von ihm selbst beschrieben, Neustadt a.d.O. 1830.
Dobbriner, B., Christian Jakob Kraus. Ein Beitrag zur deutschen Wirtschaftsgeschichte, Lucka 1926.
Drews, P., Der evangelische Geistliche in der deutschen Vergangenheit, Jena 1905.
–, Artikel „Pfarrer", in: RGG, Bd. 4, Tübingen 1909, S. 1424–1433.
Du Moulin-Eckart, R. Graf, Geschichte der deutschen Universitäten, Stuttgart 1929.
Eicke, H., Der ostpreußische Landtag von 1798, Göttingen 1910.
Eisenhart, Artikel „G. H. Hufeland", in: ADB, Bd. 13, 1881, S. 296–298.
Engels, F., Grundsätze des Kommunismus (1847) [programmatische Skizze, die in das Kommunistische Manifest eingegangen ist, beides in Faksimile-Druck Hannover 1966].
Eulenburg, F., Die Frequenz der deutschen Universitäten von ihrer Gründung bis zur Gegenwart, Leipzig 1904.
Ewald, J. L., Was sollte der Adel jetzt tun? Den privilegierten deutschen Landständen gewidmet, Leipzig 1793.
Feder, J. G. H., Der neue Emil, oder von der Erziehung nach bewährten Grundsätzen, 1. Teil, Erlangen 1774[3].
Feldmann, W., Friedrich Justin Bertuch. Ein Beitrag zur Geschichte der Goethezeit, Saarbrücken 1902.
Fester, R., „Der Universitäts-Bereiser" Friedrich Gedike und sein Bericht an Friedrich Wilhelm II. (AfK, Ergänzungsheft 1), Berlin 1905.
Feuerbach, L. (Hg.), Paul Johann Anselm Ritter von Feuerbachs Leben und Wirken aus seinen ungedruckten Briefen und Tagebüchern, Vorträgen und Denkschriften, Leipzig 1852.
Fichte, J. G., Briefwechsel, hg. v. H. Schulz, 2 Bde., Leipzig 1925–30.

–, Der geschlossene Handelsstaat. Ein philosophischer Entwurf als Anhang zur Rechtslehre (1800), Leipzig 1917.
–, Leben und litterarischer Briefwechsel, hg. v. I. H. Fichte, 2 Bde., Leipzig 1862².
–, Versuch einer Kritik aller Offenbarung, Königsberg 1792¹, 1793² [anoym erschienen].
Fischer, O., Bilder aus der Vergangenheit des evangelischen Pfarrhauses, in: Jb. f. Brandenburgische Kirchengeschichte, Bd. 21, 1926, S. 12–21.
Forster, G., Ansichten vom Niederrhein, von Brabant, Flandern, Holland, England und Frankreich, 1790, 3 Bde., Berlin 1791–94.
–, Geschichte der Literatur, in: J. W. v. Archenholz (Hg.), Annalen der britischen Geschichte des Jahres 1790 als eine Fortsetzung des Werkes „England und Italien" [von Archenholz], Bd. 5, Hamburg 1791, S. 184–314; Bd. 7, ebd. 1793, S. 65–148.
Frank, F., Geschichte der mittleren Justiz- und Verwaltungsbeamten Badens. Ein Beitrag zur Geschichte der Bürokratie, Freiburg i. Br. 1919.
Fries, J. F., Wissen, Glaube und Ahndung, Jena 1805; neu hg. v. L. Nelson, Göttingen 1931².
Garve, Ch., Briefe an Weisse, und einige andere Freunde, 2 Bde., Breslau 1803.
–, Über Gesellschaft und Einsamkeit, 2 Bde., Breslau 1797–1800.
Gentz, F. v., Briefe von und an Friedrich von Gentz, hg. v. F. K. Wittichen und E. Salzer, München 1909–13.
Glossy, K. (Hg.), Literarische Geheimberichte aus dem Vormärz, Wien 1912.
Goethe, J. W. v., Sämtliche Werke in 40 Bänden, Stuttgart 1840 ff.
Goldfriedrich, J., Geschichte des deutschen Buchhandels (von 1648–1889) (= Geschichte des Deutschen Buchhandels, Bde. 1–4 u. Registerbd.), Leipzig 1886–1923.
Goldschmidt, F. und P., Das Leben des Staatsrats Kunth, Berlin 1881.
Gooch, G. P., Germany and the French Revolution, London 1927².
Groth, O., Die Zeitung. Ein System der Zeitungskunde, 4 Bde., Mannheim 1928.
Günther, S., A. v. Humboldt, L. v. Buch, Berlin 1900.
Hahnzog, C. L., Patriotische Predigten oder Predigten zur Beförderung der Vaterlandsliebe für die Landleute in den preußischen Staaten, Halle 1785.
Hamann, J. G., Schriften, hg. v. F. Roth, 7 Bde., Leipzig 1821–25.
Hase, K. v., Ideale und Irrtümer [Jugenderinnerungen], Leipzig 1872¹, 1891⁴.
Hasek, C. W., The introduction of Adam Smith' doctrines into Germany, New York 1925.
Hashagen, J., Der rheinische Protestantismus und die Entwicklung der rheinischen Kultur, Essen 1924.
–, Das Rheinland und die französische Herrschaft. Beiträge zur Charakteristik ihres Gegensatzes, Bonn 1908.
Haupt, H., Karl Follen und die Giessener Schwarzen, Giessen 1907.
Heer, G., Geschichte der Deutschen Burschenschaft. Bd. 2: Die Demagogenzeit. Von den Karlsbader Beschlüssen bis zum Frankfurter Wachensturm (1820–33), Heidelberg 1927.
Heeren, A. H. L., Chr. G. Heyne, Göttingen 1813; wiederabgedruckt in: Ders., Historische Werke, 6. Teil: Biographische und literarische Denkschriften, Göttingen 1823, S. 1–430.
–, A. L. v. Schlözer; in: ebd., S. 498–514.
Hegel, G. W. F., Grundlinien der Philosophie des Rechts, hg. v. G. Lasson, Leipzig 1921².
Heilfron, E., Die rechtliche Behandlung der Kriegsschäden. Bd. 1,1: Die rechtliche Behandlung der Kriegsschäden in Preußen nach den Freiheitskriegen und die Kabinetts-Order vom 4. Dezember 1831, Mannheim 1916.
Heinrich, E. H. H., Der Rang des Beamten in historischer und dogmatischer Darstellung, Dresden 1931.

Heinse, W., Hildegard von Hohenthal, 3 Bde., Berlin 1795–96.
Heinzmann, J. G., Appel an meine Nation über Aufklärung und Aufklärer; über Gelehrsamkeit und Schriftsteller, Bern 1795.
Herbst, W., J. H. Voss, 2 Bde., Leipzig 1872–76.
Hermelink, H. u. Kähler, S. A., Die Philipps-Universität zu Marburg 1527–1927, Marburg 1927.
Hintze, O., Der Beamtenstand, Dresden 1911 [jetzt in: Ders., Soziologie und Geschichte. Ges. Abhh. zur Soziologie, Politik und Theorie der Geschichte, hg. v. G. Oestreich, Göttingen 1964², S. 66–125].
–, Preußische Reformbestrebungen vor 1806, in: HZ, Bd. 76, 1896, S. 413–443 [jetzt in: Ders., Regierung und Verwaltung. Ges. Abhh. zur Staats-, Rechts- und Sozialgeschichte Preußens, hg. v. G. Oestreich, Göttingen 1967², S. 504–529].
Hippel, Th. G. v., Über die Ehe (1774), mit einer Einleitung hg. v. G. Moldenhauer, Leipzig o. J.
Hoffmann, J. G., Das Interesse des Menschen und Bürgers bei den bestehenden Zunftverfassungen, Königsberg 1803 (anonym erschienen).
Holstein, G., Die Staatsphilosophie Schleiermachers, Bonn 1923.
Houben, H. H., Hier Zensur – wer dort? Antworten von gestern auf Fragen von heute, Leipzig 1918.
Huskisson, W., Speeches, 3 Bde., London 1831.
Jansen, K., Artikel „Uwe Jens Lornsen“, in: ADB, Bd. 19, 1884, S. 200–202.
–, Uwe Jens Lornsen. Ein Beitrag zur Geschichte der Wiedergeburt des deutschen Volkes, Kiel 1872.
Jean Paul (Friedrich Richter), Levana oder Erziehlehre (1807), hg. v. K. Lange, Langensalza 1886.
–, Werke, hg. v. K. Freye, Berlin 1910.
Iffland, A. W., Über meine theatralische Laufbahn, Leipzig 1915.
Immermann, K., Die Epigonen (Werke, hg. v. W. Deetjen, Bd. 3/4), Berlin 1911, neue Ausgabe 1923.
Joel, K., Antibarbarus, Vorträge und Aufsätze, Jena 1914.
Isaacsohn, S., Geschichte des Preußischen Beamtentums vom Anfang des 15. Jahrhunderts bis auf die Gegenwart, 3 Bde., Berlin 1874–84.
Kant, I., Grundlegung zur Metaphysik der Sitten, hg. v. Th. Fritzsch, Leipzig 1904.
–, Über die Buchmacherei. Zwei Briefe an F. Nicolai, Königsberg 1798.
–, Vermischte Schriften, hg. v. K. Vorländer, Leipzig 1922.
Kehr, E., Zur Genesis der preußischen Bürokratie und des Rechtsstaats. Ein Beitrag zum Diktaturproblem, in: Die Gesellschaft, Jg. 9, 1932, S. 101–121 [wiederabgedruckt in: Ders., Der Primat der Innenpolitik. Ges. Aufsätze, hg. v. H. U. Wehler, Berlin 1965, S. 31–52.
Kekulé, R., Das Leben F. G. Welckers, nach seinen eigenen Aufzeichnungen und Briefen, Leipzig 1880.
Klein-Hattingen, O., Geschichte des deutschen Liberalismus, 2 Bde., Berlin 1911/12.
Kleinstück, E., Vom Wesen des deutschen Beamtentums. Ein gesellschaftswissenschaftlicher und politischer Versuch auf geschichtlicher Grundlage, Berlin 1927.
Klüver, W., Franz Hermann Hegewisch, ein Vertreter des älteren Liberalismus in Schleswig-Holstein, in: Nordelbingen. Beiträge zur Heimatforschung in Schleswig-Holstein, Bd. 4, 1925, S. 368–466.
Knapp, G. F., Die Bauernbefreiung und der Ursprung der Landarbeiter in den älteren Teilen Preußens, 2 Bde., Leipzig 1887.
Knesebeck, L. G. v. d., Das Leben des Obersten C. L. A. Reichsfreiherrn von und zu Massenbach, Leipzig 1925.
Knigge, A. Frhr. v., Über den Umgang mit Menschen, Leipzig 1927.

Körner, R., Die Wirkung der Reden Fichtes, in: Forschungen zur Brandenburgischen und Preußischen Geschichte, Bd. 40, 1927, S. 65–87.

Kraus, Ch. J., Die Staatswissenschaft, hg. v. H. v. Auerswald, 5 Bde., Königsberg 1808–11.

–, Vermischte Schriften über staatswirtschaftliche, philosophische und andere wissenschaftliche Gegenstände, hg. v. H. v. Auerswald, 5 Bde., Königsberg 1808–12.

Kriegk, G. L., Die Brüder Senckenberg. Nebst einem Anhang über Goethes Jugendzeit in Frankfurt, Frankfurt 1869.

Kügelgen, W. v., Lebenserinnerungen eines alten Mannes, München 1922.

Kulischer, J., Allgemeine Wirtschaftsgeschichte des Mittelalters und der Neuzeit (= Handbuch der mittelalterlichen und neueren Geschichte, Bd. 3,1), 2 Bde., München 1928–29.

Lamprecht, K., Deutsche Geschichte, Berlin 1921–22 (hier: Bd. 7 [= Bd. 3[4] von:] Neuere Zeit, Zeitalter des subjektiven Seelenlebens, Bde. 8–10 [= Bde. 1–3[4] von:] Neueste Zeit, Zeitalter des subjektiven Seelenlebens).

–, Deutsche Geschichte, Ergänzungsbände 1 und 2: Zur jüngsten deutschen Vergangenheit, Freiburg 1905–06[2].

Laun, F., Memoiren, 3 Bde., Bunzlau 1837.

Leser, Artikel „August Ferdinand Lüder“, in: ADB, Bd. 19, 1884, S. 377 f.

Lessing, G. E., Gesammelte Werke, 10 Bde., Leipzig 1841.

Lichtner, A., Landesherr und Stände in Hessen-Cassel 1797–1821, Göttingen 1913.

Losch, Ph., Kurfürst Wilhelm I., Landgraf von Hessen. Ein Fürstenbild aus der Zopfzeit, Marburg 1923.

Lotz, A., Geschichte des deutschen Beamtentums, Berlin 1909.

Lüder, A. F., Kritische Geschichte der Statistik, Göttingen 1817.

–, Über Nationalindustrie und Staatswirtschaft. Nach Adam Smith bearbeitet, 3 Bde., Berlin 1800–04.

Lütgert, W., Die Religion des deutschen Idealismus und ihr Ende, Gütersloh 1923.

Mannheim, K., Artikel „Wissenssoziologie“, in: A. Vierkandt (Hg.), Handwörterbuch der Soziologie, Stuttgart 1931, S. 659–680.

–, Das konservative Denken. Soziologische Beiträge zum Werden des politisch-historischen Denkens in Deutschland, in: ASS, Bd. 57, 1927, S. 68–142, 470–495.
[Beide Abhandlungen sind wiederabgedruckt in: Ders., Wissenssoziologie, hg. v. K. H. Wolff, Neuwied 1970[2]].

–, Ideologie und Utopie, Bonn 1929.

Martin, A. v., Der Humanismus als soziologisches Phänomen. Ein Beitrag zum Problem des Verhältnisses zwischen Besitzschicht und Bildungsschicht, in: ASS, Bd. 65, 1931, S. 441–474.

Marwitz, F. A. L. v. d., Werke, hg. v. F. Meusel, 1. Bd.: Lebenserinnerungen, Berlin 1908.

May, J. F., Die Kunst einer vernünftigen Kinderzucht, 2 Bde., Helmstedt 1752.

Mayer, G., Die Freihandelslehre in Deutschland. Ein Beitrag zur Gesellschaftslehre des wirtschaftlichen Liberalismus, Jena 1927.

Medicus, F., Fichtes Leben, Leipzig 1914.

Meinecke, F., Fichte als nationaler Prophet, in: Ders., Preußen und Deutschland im 19. und 20. Jahrhundert. Historisch-politische Aufsätze, München 1918, S. 134–149.

–, Weltbürgertum und Nationalstaat, München 1928[7].

Meiners, Ch., Über die Verfassung und Verwaltung deutscher Universitäten, 2 Bde., Göttingen 1801–02.

Mercy, J. A., Reise einer französischen Emigrantin durch die Rheingegend im Jahr 1793, hg. v. E. J. Koch, Berlin 1793.

Meusel, A., Das Kompromiß, in: JbSoz, Bd. 2, 1926, S. 212–246.

Meyer, W. (Hg.), Die Briefe F. L. Jahns, Dresden o. J. (1930).
Michaelis, J. D., Raisonnement über die protestantischen Universitäten in Deutschland, 4 Bde., Frankfurt 1768–76.
Mill, J. S., On liberty (1859), benutzt in der dt. Ausg.: Die Freiheit, übers. u. eingeleitet von E. Wentscher, Leipzig 1928.
Misch, C., Varnhagen von Ense in Beruf und Politik, Gotha 1925.
Mitgau, J. H., Familienschicksal und soziale Rangordnung. Untersuchungen über den sozialen Aufstieg und Abstieg, Leipzig 1928.
Müllensiefen, P. E., Ein deutsches Bürgerleben vor 100 Jahren. Selbstbiographie des P. E. Müllensiefen, hg. v. F. v. Oppeln-Bronikowski, Berlin 1931.
Müller, K. A. v., Karl Ludwig Sand, München 1925.
Müller, P., Christian Garves Moralphilosophie und seine Stellungnahme zu Kants Ethik, Borna 1905.
Münch, F., Das Leben von Paul Follenius, in: Ders., Gesammelte Schriften, St. Louis 1902, S. 92–106.
Murhard, F. W. A., Was gebieten in einem konstitutionellen Staate Recht und Politik hinsichtlich der Behandlung der Fremden? Eine publizistische Diatribe, mit besonderer Anwendung auf Kurhessen, Cassel 1831.
Naudé, W. u. a., Die Getreidehandelspolitik der europäischen Staaten vom 13. bis zum 18. Jahrhundert, in: Acta Borussica, 3. Abt.: Getreidehandelspolitik, 4 Bde., Berlin 1896–1931.
Nemnich, P. A., Tagebuch einer der Kultur und Industrie gewidmeten Reise, 8 Bde., Tübingen 1809–11.
Neumann, F., Der Hofmeister, ein Beitrag zur Geschichte der Erziehung im 18. Jahrhundert, Halle 1930.
Niebuhr, B. G., Briefe, hg. v. D. Gerhard und W. Norvin, Bd. 1, Berlin 1926.
–, Briefe und Schriften, ausgewählt und eingeleitet von L. Lorenz, Berlin o. J.
–, Carsten Niebuhrs Leben, in: Ders., Briefe und Schriften, ausgewählt und eingeleitet von L. Lorenz, Berlin o. J., S. 223–275.
–, Geschichte des Zeitalters der Revolution. Vorlesungen an der Universität zu Bonn im Sommer 1829 gehalten, 2 Bde., Hamburg 1845.
Niemeyer, A. H., Ansichten der deutschen Pädagogik und ihrer Geschichte im 18. Jahrhundert, Halle 1801.
–, Grundsätze der Erziehung und des Unterrichts für Eltern, Hauslehrer und Erzieher (1796), Reutlingen 1835[9].
Nietzsche, F., Werke, Leipzig 1899 ff. (1. Abt., 1. Bd.: Unzeitgemäße Betrachtungen, S. 177–589; 2. Abt., 9. Bd.: Über die Zukunft unserer Bildungsanstalten, S. 295–438).
Paschke, M. u. Rath, Ph., Lehrbuch des deutschen Buchhandels, 2 Bde., Leipzig 1918.
Paulsen, F., Geschichte des gelehrten Unterrichts auf den deutschen Schulen und Universitäten vom Ausgang des Mittelalters bis zur Gegenwart, hg. v. R. Lehmann, 2 Bde., Leipzig 1919–21[3] [Nachdruck Berlin 1965].
Perthes, C. Th., Friedrich Perthes Leben, 3 Bde., Gotha 1872[6] [Nachdruck Stuttgart 1951].
Pertz, G. H., Das Leben des Ministers Freiherrn vom Stein, 5 Bde., Berlin 1849–54.
Potthast, A., Die Abstammung der Familie Decker. Festschrift bei hundertjähriger Dauer des königlichen Privilegii der Geheimen Ober-Hofbuchdruckerei, Berlin 1863.
Prantl, C. v., Artikel „Christian Jakob Kraus“, in: ADB, Bd. 17, 1883, S. 66–68.
–, Artikel „Ludwig Heinrich von Jakob“, in: ADB, Bd. 13, 1881, S. 689 f.
Preussen vor dem Februarpatent von 1847. In: Die Gegenwart. Eine encyklopädische Darstellung der neusten Zeitgeschichte für alle Stände [aktuelle Ergänzung zur Brockhaus-Encyklopädie], Bd. 2, Leipzig 1849, S. 30–89.

Pütter, J. S., Selbstbiographie, 2 Bde., Göttingen 1798.

Rabener, G. W., Satiren, 4 Bde., neueste Ausgabe Leipzig 1764.

Rackl, J., Der Nürnberger Buchhändler Johann Philipp Palm, Nürnberg 1906.

Rawitscher, G., Die Erb- und Zeitpächter auf den adligen Gütern der Ostküste Schleswig-Holsteins, in: Zeitschr. d. Gesellsch. f. Schleswig-Holstein. Geschichte, Bd. 42, 1912, S. 1–165.

Rehberg, A. W., Über den deutschen Adel, Göttingen 1803.

Reichard, H. A. O., Seine Selbstbiographie, hg. v. H. Uhde, Stuttgart 1877.

Reiche, B., Die politische Literatur unter Friedrich Wilhelm II., Diss. phil. Halle 1891.

Rethwisch, C., Der Staatsminister Freiherr von Zedlitz und Preußens höheres Schulwesen im Zeitalter Friedrichs des Großen, Berlin 1886^{2}.

Riemer, S., Sozialer Aufstieg und Klassenschichtung, in: ASS, Bd. 67, 1932, S. 531–560.

Risbeck, J. K., Reisen eines Kurländers durch Schwaben, o. O. 1784.

Römer, H., Die Baumwollspinnerei in Schlesien bis zum preußischen Zollgesetz von 1818, Breslau 1914.

Roscher, W., Die Ein- und Durchführung des Adam Smith'schen Systems in Deutschland, in: Berichte über die Verhandlung der Kgl. Sächsischen Gesellschaft der Wissenschaften zu Leipzig, philol.-histor. Kl., Bd. 19, Leipzig 1867, S. 1–74.

–, Geschichte der Nationalökonomie in Deutschland, München 1874.

Rotteck, C. v., Gesammelte und nachgelassene Schriften mit Biographie und Briefwechsel, hg. v. H. v. Rotteck, 5 Bde., Pforzheim 1841–43.

Rudel, R., Geschichte des Liberalismus und der deutschen Reichsverfassung, Guben 1891.

Ruggiero, G. de, Geschichte des Liberalismus in Europa, München 1930.

Ruof, F., Johann Wilhelm von Archenholtz. Ein deutscher Schriftsteller zur Zeit der Französischen Revolution und Napoleons (1741–1812), Berlin 1915.

Saint-Simon, Cl. H. de, Catéchisme des industriels, 2 Hefte, Paris 1823–24.

Salin, E., Artikel „Germany", in: Encyclopaedia of the Social Sciences, hg. v. E. R. A. Seligman und A. Johnson, Bd. 1: The Social Sciences as Disciplines, III, London 1930, S. 258–265.

Salomon, L., Geschichte des deutschen Zeitungswesens von den ersten Anfängen bis zur Wiederaufrichtung den Deutschen Reiches, 3 Bde., Oldenburg 1900–1906.

Salzmann, Chr. G., Ameisenbüchlein oder Anweisung zu einer vernünftigen Erziehung der Erzieher (1806), Stuttgart 1845.

Sartorius von Waltershausen, G. F. Ch., Handbuch der Staatswirtschaft zum Gebrauch bei akademischen Vorlesungen, nach Adam Smith's Grundsätzen ausgearbeitet, Berlin 1796.

Schian, Artikel „Pfarrer", in: RGG, Bd. 4, Tübingen 1931^{2}, Spp. 1121–1131.

–, Artikel „Pfarrereinkommen", in: RGG, Bd. 4, Tübingen 1931^{2}, Spp. 1129 f.

Schlegel, F., Lucinde (1799), hg. v. J. Fränkel, Jena 1907.

Schleiermacher, F. D. E., Gelegentliche Gedanken über Universitäten im deutschen Sinn (1808), in: Ders., Sämtliche Werke, 3. Abt., Bd. 1, Berlin 1846, S. 535–644.

–, Monologen, hg. v. H. Mulert, Leipzig 1914^{2}.

Schmidt, Artikel „Georg Friedrich Sartorius", in: Handwörterbuch der Staatswissenschaften, hg. v. J. Conrad u. a., Bd. 6, Jena 1901^{2}, S. 498–500.

Schmitt, F., Das Mainzer Zunftwesen und die französische Herrschaft. Ein Beitrag zur Charakteristik ihres Gegensatzes, Darmstadt 1929.

Schmoller, G., Das preußische Handels- und Zollgesetz vom 26. Mai 1818 im Zusammenhang mit der Geschichte der Zeit, ihrer Kämpfe und Ideen, Berlin 1898.

–, Umrisse und Untersuchungen zur Verfassungs-, Verwaltungs- und Wirtschaftsgeschichte, besonders des preußischen Staates im 17. und 18. Jahrhundert, Leipzig 1898.

Schnabel, F., Deutsche Geschichte im 19. Jahrhundert, 4 Bde., Freiburg i. Br. 1929 ff.
Schöffler, H., Protestantismus und Literatur. Neue Wege zur englischen Literatur des 18. Jahrhunderts, Leipzig 1922.
Schöne, W., Die Anfänge des Dresdner Zeitungswesens, Dresden 1912.
–, Die Zeitung und ihre Wissenschaft, Leipzig 1928.
Schücking, L. L., Die Familie im Puritanismus. Studien über Familie und Literatur in England im 16., 17. und 18. Jahrhundert, Leipzig 1929.
Schulte, J. F. v., Herkunft und Alter von deutschen Gelehrten aller Art, in: Ders., Lebenserinnerungen, 3. Bd.: Geschichtliche, soziale, politische und biographische Essays, Gießen 1909[3], S. 271–279.
Schultz, A., Das häusliche Leben der europäischen Kulturvölker vom Mittelalter bis zur Hälfte des 18. Jahrhunderts (Handbuch der mittelalterlichen und neueren Geschichte, hg. v. Below und F. Meinecke, Abt. 4), München 1903.
Schultze, J., Die Auseinandersetzung zwischen Adel und Bürgertum in den deutschen Zeitschriften der letzten drei Jahrzehnte des 18. Jahrhunderts (1773–1806), Berlin 1925 [Nachdruck Vaduz 1965].
Schulze, F., Der deutsche Buchhandel und die geistigen Strömungen der letzten hundert Jahre, Leipzig 1925.
Schweyer, F., Politische Geheimverbände, Freiburg i. Br. 1925.
Sieveking, H., Grundzüge der neueren Wirtschaftsgeschichte vom 17. Jahrhundert bis zur Gegenwart, Leipzig 1928[5].
Simmel, G., Soziologie. Untersuchungen über die Formen der Vergesellschaftung, München 1923[3] [Nachdruck in Simmels Gesammelten Werken, Bd. 2, Berlin 1958].
Simons, W., Albrecht Thaer. Gedenkschrift der Gesellschaft für Geschichte und Literatur der Landwirtschaft zum 100. Todestage Thaers, Berlin 1929.
Skalweit, A., Die Getreidehandelspolitik und Kriegsmagazinverwaltung Preußens 1756–1806, in: Acta Borussica, 3. Abt.: Getreidehandelspolitik, Bd. 4, Berlin 1931.
–, Höhe und Verfall der Fridericianischen Getreidehandelspolitik und Getreidehandelsverfassung, Kiel 1931.
Sombart, W., Der moderne Kapitalismus. Historisch-systematische Darstellung des Gesamt-europäischen Wirtschaftslebens von seinen Anfängen bis zur Gegenwart, 2 Bde., München 1919[3].
–, Die deutsche Volkswirtschaft im 19. Jahrhundert, Berlin 1903.
Sorokin, P. A., Social Mobility, New York 1927 [Neudruck u. d. T.: Social and Cultural Mobility, Glencoe, Ill. 1959].
Steiger, A., Hans Christoph Ernst von Gagern. Ein deutscher Staatsmann und Publizist. Diss. phil. Frankfurt 1924.
Stephen, L., History of English Thought in the 18th Century, 2 Bde., London 1927[3].
Stern, A., Der Einfluß der Französischen Revolution auf das deutsche Geistesleben, Stuttgart 1928[1,2].
Stieda, W., Die Nationalökonomie als Universitätswissenschaft, Leipzig 1906.
–, Zur Sächsischen Gelehrtengeschichte, in: Berichte über die Verhandlungen der Kgl. Sächsischen Gesellschaft der Wissenschaften zu Leipzig, philol.-histor. Kl., Bd. 62, Leipzig 1910, S. 27–59.
Stok, W., Geheimnis, Lüge und Mißverständnis. Eine beziehungswissenschaftliche Untersuchung, München 1929.
–, Isoliertheit und Verbundenheit, in: Kölner Vierteljahrshefte für Soziologie, Jg. 11, 1932/33, S. 169–181, 350–365.
Strebel, V., Artikel „Hofmeister“, in: K. A. Schmid (Hg.), Encyklopädie des gesamten Erziehungs- und Unterrichtswesens, Bd. 3, Gotha 1880[2], S. 534–542.
Tawney, R. H., Religion and the Rise of Capitalism, London 1926.
Tiedemann, C. v., Aus sieben Jahrzehnten. Erinnerungen, 2 Bde., Leipzig 1905–09.
Tönnies, F., Kritik der öffentlichen Meinung, Berlin 1922.

Troeltsch, W., Die Calwer Zeughandlungskompanie und ihre Arbeiter, Jena 1897.

Varnhagen von Ense, K. A., Fürst Leopold von Anhalt-Dessau, in: Ders., Biographische Denkmale, 1. Teil (auch u. d. T.: Preußische biographische Denkmale), Berlin 1825, S. 121–418.

–, Hans von Held, in: Ders., Biographische Denkmale, 7. Teil, Leipzig 1873³, S. 169–325.

Varrentrapp, C., Johannes Schulze und das höhere preußische Unterrichtswesen in seiner Zeit, Leipzig 1889.

Villers, Ch. F. D. de, Coup-d'oeil sur les universités et le monde d'instruction publique de l'Allemagne protestante, en particulier du Royaume de Westphalie, Cassel 1808.

Vogel, E. F., Wilhelm Traugott Krug, in drei vertraulichen Briefen an einen Freund im Auslande biographisch-literarisch geschildert, Neustadt a. d. O. 1844.

Voght, C. v., Lebensgeschichte, Hamburg 1917.

Voigt, A., Handwerk und Handel in der späteren Zunftzeit. Versuch einer quellenmäßig-systematischen Darstellung der Wirtschaftsanschauungen des Gewerbes und Handels in ihrem Wandel vom Beginn des 16. bis zum Ende des 18. Jahrhunderts nach Quellen zur Wirtschaftsgeschichte der Stadt Trier, Stuttgart 1929.

Voigt, J., Das Leben des Professors Chr. Jak. Kraus, aus den Mitteilungen seiner Freunde und seinen Briefen dargestellt, Königsberg 1819.

Voigtländer, R., Das Verlagsrecht im preußischen Landrecht und der Einfluß von Friedrich Nicolai darauf, in: Archiv für Geschichte des deutschen Buchhandels, Bd. 20, 1898, S. 4–67.

Wagner, A., Finanzwissenschaft (Lehr- und Handbuch der politischen Ökonomie, 4. Hauptabt., Bde. 3,1 und 3,2), 2 Bde., Leipzig 1910–12².

Wahl, A., Beiträge zur deutschen Parteigeschichte im 19. Jahrhundert, in: HZ, Bd. 104, 1910, S. 537–594.

Waldecker, E., Entwicklungstendenzen im deutschen Beamtenrecht, in: AöR, N. F. Bd. 7, 1924, S. 129–171.

Weber, M., Gesammelte Aufsätze zur Religionssoziologie, 3 Bde., Tübingen 1920–21 (hier Bd. 1) [zuletzt Tübingen 1972].

–, Gesammelte Aufsätze zur Soziologie und Sozialpolitik, Tübingen 1924.

–, Gesammelte politische Schriften, München 1921 [zuletzt Tübingen 1971³].

–, Wirtschaftsgeschichte. Abriß der Sozial- und Wirtschaftsgeschichte, aus den nachgelassenen Vorlesungen hg. v. S. Hellmann und M. Palyi, München 1923 [zuletzt Berlin 1958³].

–, Wirtschaft und Gesellschaft (Grundriß der Sozialökonomik, Bde. 3,1 und 3,2), 2 Bde., Tübingen 1925² [zuletzt Tübingen 1972⁵].

Weidemann, W., Friedrich Wilhelm August Murhard (1778–1853). Ein Publizist des Altliberalismus, Diss. phil. Frankfurt a. M. 1924.

–, F. Murhard (1778–1853) und der Altliberalismus, in: Zeitschr. des Vereins für hessische Geschichte und Landeskunde, Bd. 55 (= N. F. 45), 1926, S. 229–267.

Weil, H., Die Entstehung des deutschen Bildungsprinzips, Bonn 1930 [Nachdruck Darmstadt 1967].

Weisse, Ch. F., Selbstbiographie, hg. v. Ch. E. Weisse und S. G. Frisch, Leipzig 1806.

Weitzel, J., Hat Deutschland eine Revolution zu fürchten? Wiesbaden 1819.

Wendeborn, G. F. A., Erinnerungen aus seinem Leben. Von ihm selbst geschrieben, hg. v. C. D. Ebeling, 2 Bde., Hamburg 1813.

–, Beiträge zur Kenntnis Großbritanniens vom Jahre 1779, hg. v. G. Forster, Lemgo 1780.

Wentzke, P., Geschichte der deutschen Burschenschaft, Bd. 1: Vor- und Frühzeit bis zu den Karlsbader Beschlüssen, Heidelberg 1919.

Werdermann, H., Der evangelische Pfarrer in Geschichte und Gegenwart. Ein Rückblick auf 400 Jahre evangelisches Pfarrhaus, Leipzig 1925.

–, Artikel „Pfarrfrau“, in: RGG, Bd. 4, Tübingen 1930², Spp. 1143–1145.
Westerfrölke, H., Englische Kaffeehäuser als Sammelpunkte der literarischen Welt im Zeitalter von Dryden und Addison, Jena 1924.
Weyermann, M., Zur Geschichte des Immobiliarkreditwesens in Preußen mit besonderer Nutzanwendung auf die Theorie der Bodenverschuldung, Karlsruhe 1910.
Wieland, Ch. M., Sämtliche Werke, Bd. 36, Leipzig 1840.
Wilhelm, Th., Die Idee des Berufsbeamtentums. Ein Beitrag zur Staatslehre des deutschen Frühkonstitutionalismus, Tübingen 1933.
Winter, G. (Hg.), Die Reorganisation des preußischen Staates unter Stein und Hardenberg. 1. Teil: Allgemeine Verwaltungs- und Behördenreform, Bd. 1: Vom Beginn des Kampfes gegen die Kabinettsregierung bis zum Wiedereintritt des Ministers vom Stein, Leipzig 1931.
Wittich, W., Der soziale Gehalt von Goethes Roman „Wilhelm Meisters Lehrjahre“, in: Hauptprobleme der Soziologie. Erinnerungsgabe für Max Weber, hg. v. G. v. Schulze-Gaevernitz und M. Palyi, Bd. 2, München 1923, S. 279–306.
Zedler, G., Der nassauische Publizist Johannes Weitzel, in: Annalen des Vereins für Nassauische Altertumskunde und Geschichtsforschung, Bd. 33, 1899, S. 143–192.
Zeim, E. C., Die rheinische Literatur der Aufklärung [Köln und Bonn], Jena 1932.
Zielenziger, K., Artikel „Johann Georg Büsch“, in: Encyclopaedia of the Social Sciences, hg. v. E. R. A. Seligman und A. Johnson, Bd. 3, London 1930, S. 79 f.
Zincke, P., Georg Forsters Bildnis im Wandel der Zeiten. Ein Beitrag zur Geschichte des öffentlichen Geistes in Deutschland, Freiburg i. Br. 1925.

Ergänzende Bibliographie

von Ulrich Herrmann

Vorbemerkung

Für die vorliegende Ausgabe wurde die Untersuchung von Hans Gerth zur bürgerlichen Intelligenz um 1800 in ihren Quellen- und Literaturnachweisen nicht über den Stand der Forschung und Diskussion zu Anfang der 1930er Jahre hinausgeführt. Daher ist es geraten, ihr eine ergänzende Bibliographie anzufügen, die einige Hinweise auf den derzeitigen Forschungs- und Diskussionsstand gibt und weitere Untersuchungen anregen mag.

Die ergänzende bibliographischen Nachweise orientieren sich an denjenigen inhaltlichen Schwerpunkten, die die Arbeit von Gerth charakterisieren. Vollständig ist dabei weder auf dem hier zur Verfügung stehenden Raum möglich noch angestrebt. Kriterium für die Aufnahme der Titel und Nachweise ist vielmehr, daß durch sie vor allem weiterführende Bibliographien, neuere Forschungsliteratur, differenzierende Textsammlungen, diskutierende Monographien zu einzelnen Methodenproblemen und wichtige zusammenfassende Lexikonartikel verfügbar gemacht werden.

1. Bibliographien zur Zeit um 1800 – Schwerpunkt: Soziale Bewegungen – Sozialgeschichte der Ideen

J. Schlumbohm, Freiheit. Die Anfänge der bürgerlichen Emanzipationsbewegung in Deutschland im Spiegel ihres Leitwortes (ca. 1760–ca. 1800), Düsseldorf 1975, Quellen- u. Literaturverzeichnis S. 242–292.

W. Barner u. a., Lessing. Epoche-Werk-Wirkung, München 1975, Bibliographie zu Lessings Epoche in ihren verschiedenen geistes- u. realgeschichtlichen Perspektiven S. 98–102, 405–409.

Leichten Zugang zu Literaturnachweisen bietet

„Dahlmann-Waitz" (zitiert DW mit Abschnitt- und Titel-Nummern): Quellenkunde der deutschen Geschichte. Bibliographie der Quellen u. der Literatur zur deutschen Geschichte. 10. Auflage, hg. v. H. Heimpel u. H. Geuss, Stuttgart 1969 ff.

Sozialgeschichte (Nr. 35/237 ff.): Das Verhältnis von Soziologie, Sozialgeschichte u. Geschichtswissenschaft (35/274 ff.). – Feudalismus (35/324 ff.), Industrielle Gesellschaft (einschl. Kapitalismus) (35/388 ff.), Kultur – Zivilisationsprozeß (35/431 ff., 446 ff.), Stadt-Land-Beziehungen (35/781 ff.).

Soziale Gruppen (Nr. 35/546 ff.): Familie (35/546 ff.), Geschichte der Familie und Ehe (35/558 ff.), Altersgruppen (35/578 ff.).

Soziale Schichten (Nr. 35/898 ff.): Allgemeines: Stände (35/913 ff.), Klassen (35/926 ff.), Eliten (35/951 ff.), Mobilität (Auf- und Abstieg) (35/955 ff.). Einzelne Schichten und Gruppen: Adel (35/961 ff.), Bauern (35/1025 ff.), Bürger (35/1088 ff.), Kaufleute (35/1104 ff.), Handwerker (35/1111 ff.), Unterschichten (35/1158 ff.), Unternehmer (35/1168 ff.), Arbeiter (35/1174 ff.), Angestellte und Techniker (35/1192 ff.), Intellektuelle (35/1206 ff.), Beamte (35/1211 ff.).

Geschichtliche Grundbegriffe. Historisches Lexikon zur politisch-sozialen Sprache in

Deutschland, hg. v. O. Brunner, W. Conze, R. Koselleck, Bd. 1 u. 2, Stuttgart 1972/1975; darin die Artikel:
Adel, Aristokratie, v. W. Conze, S. 1–48;
Aufklärung, v. H. Stuke, S. 243–342;
Bauer, Bauernstand, Bauerntum, v. W. Conze, S. 407–439;
Bildung, v. R. Vierhaus, S. 508–551;
Bürger, Staatsbürger, Bürgertum, v. M. Riedel, S. 672–725;
Demokratie, v. W. Conze, S. 821–899.

Handwörterbuch der Sozialwissenschaften (zitiert HDSW), hg. v. E. v. Beckerath u. a., 12 Bde. u. Register, Göttingen 1956–1969, darin u. a. die Artikel:
Sozialgeschichte, von H. Proesler, Bd. 9, 1956, S. 447–455 (Bibliographie S. 453–455);
Bürgertum, von H. Freyer, Bd. 2, 1959, S. 452–456;
Intelligenz, von Th. Geiger, Bd. 5, 1956, S. 302–304;
Liberalismus, I. Politischer Liberalismus, von F. A. v. Hayek, Bd. 6, 1959, S. 591–596 (Bibl. S. 595 f.); II. Wirtschaftlicher Liberalismus, von L. v. Mises, ebd., S. 596–603 (Bibl. S. 603);
Proletariat, v. H. Maus, Bd. 8, 1964, S. 620–623 (Bibl.);
Unternehmer, v. F. Redlich, Bd. 10, 1959, S. 486–498 (umfangr. Bibliographie S. 496–498).

Entsprechend ist auszuwerten:

International Encyclopedia of the Social Sciences, 17 Bde., New York 1968.

Historisches Wörterbuch der Philosophie, hg. v. J. Ritter, Bd. 1 ff., Basel 1971 ff.

2. *Zur Diskussion des Verhältnisses von Geschichts- und Sozialwissenschaften* (DW 35/274 ff.)

P. Bollhagen, Soziologie u. Geschichte, Berlin 1966; s' Gravenhage 1973.

D. Fischer, Die deutsche Geschichtswissenschaft von J. G. Droysen bis O. Hintze in ihrem Verhältnis zur Soziologie. Grundzüge eines Methodenproblems, phil. Diss. Köln 1966 (ms. vervielf.).

H. Fleischer, Marxismus u. Geschichte, Frankfurt 1972[4].

I. Geiss u. R. Tamchina (Hg.), Ansichten einer künftigen Geschichtswissenschaft, 2 Bde., München 1974.

P. Ch. Ludz (Hg.), Soziologie und Sozialgeschichte, Opladen 1972.

A. Schmidt, Geschichte u. Struktur. Fragen einer marxistischen Historik, München 1972[2].

W. Schulze, Soziologie u. Geschichtswissenschaft. Einführung in die Probleme der Kooperation beider Wissenschaften, München 1974 (mit umfangr. Bibliographie).

R. Vierhaus, Geschichtswissenschaft u. Soziologie, in: G. Schulz (Hg.), Geschichte heute, Göttingen 1973, S. 69–83.

Ders., Die Krise des historischen Bewußtseins u. die Funktionskrise in den geschichtlichen Wissenschaften, in: W. Müller-Seidel (Hg.), Historizität in Sprach- und Literaturwissenschaft, München 1974, S. 15–29.

H.-U. Wehler (Hg.), Moderne deutsche Sozialgeschichte, (NWB) Köln 1975[5] (Bibliographie S. 565–643).

Ders. (Hg.), Geschichte u. Soziologie, (NWB) Köln 1972 (Bibliographie S. 355–361).

Ders. (Hg.), Geschichte und Ökonomie, (NWB) Köln 1973 (Bibliographie S. 385–391).

Geschichte u. Gesellschaft. Zeitschrift für Historische Sozialwissenschaft; vgl. das Vorwort der Herausgeber im 1. Heft des 1. Jahrgangs, 1975, S. 5–7.

3. *Sozialer Wandel* (DW 35/417 ff.)

Die Literatur ist unübersehbar geworden, es sei hier auf zwei thematisch einschlägige Werke (Dreitzel, Ogburn), eine Gesamtdarstellung, den Reader von Zapf (Bibliographie) und eine begriffsgeschichtliche Untersuchung (Tjaden) verwiesen:

H. P. Dreitzel (Hg.), Sozialer Wandel. Zivilisation u. Fortschritt als Kategorien der soziologischen Theorie, Neuwied 1972[2] (Bibliographie S. 469–502).

W. F. Ogburn, Kultur u. sozialer Wandel. Ausgewählte Schriften, Neuwied 1969.

W. E. Moore, Strukturwandel der Gesellschaft, München 1973[3].

W. Zapf (Hg.), Theorien des sozialen Wandels, (NWB) Köln 1970[2] (Bibliographie S. 513–526).

K. H. Tjaden, Soziales System u. sozialer Wandel. Untersuchungen zu Geschichte und Bedeutung zweier Begriffe. Stuttgart 1969[1], 1972[2] (gekürzt).

4. *Die Zeit um 1800*

Zu den Nachweisen in der vorstehenden Bibliographie von Hans Gerth seien zwei Werke nachgetragen, die aufgrund ihres Materialreichtums auch heute noch unentbehrlich sind:

K. Biedermann, Deutschland im 18. Jahrhundert, 1. Bd.: Deutschlands politische, materielle u. sociale Zustände; 2. Bd., 2 Teile: Geistige, sittliche u. gesellige Zustände; Register; Leipzig 1854–1880.

W. Wenck, Deutschland vor 100 Jahren, Bd. 1: Politische Meinungen u. Stimmungen bei Ausbruch der Revolutionszeit, Bd. 2: Politische Meinungen u. Stimmungen in der Revolutionszeit. Eintritt in das letzte Jahrzehnt des vorigen Jahrhunderts; Leipzig 1887–90.

Aus der Fülle der *Gesamtdarstellungen* seien hervorgehoben:

Aufklärung u. Revolution (Historia Mundi, Bd. 9), Bern 1960. Das 19. u. 20. Jahrhundert (Historia Mundi, Bd. 10), Bern 1961.

L. Bergeron u. a., Das Zeitalter der europäischen Revolutionen, 1780–1848 (Fischer-Weltgeschichte, Bd. 26), Frankfurt 1969.

B. Gebhardt, Handbuch der Deutschen Geschichte, Bd. 3, Stuttgart 1970[9].

R. Koselleck, Kritik u. Krise. Ein Beitrag zur Pathogenese der bürgerlichen Welt. Freiburg 1959[2].

R. R. Palmer, Das Zeitalter der demokratischen Revolution. Eine vergleichende Geschichte Europas u. Amerikas von 1760 bis zur Französischen Revolution, Frankfurt 1970.

K. v. Raumer, Deutschland um 1800 (Handbuch der Deutschen Geschichte, hg. v. O. Brandt u. a., Bd. 3, Abt. 1), Konstanz 1959.

Zur Epoche der *Aufklärung* und ihren Übergang in das Zeitalter der *Revolutionen* ist jetzt u. a. heranzuziehen:

K. Griewank, Der neuzeitliche Revolutionsbegriff, hg. v. I. Horn-Steiger, Frankfurt 1973[2].

W. Krauss, Zur Konstellation der deutschen Aufklärung, zuletzt in: Ders., Perspektiven u. Probleme. Zur französischen u. deutschen Aufklärung u. andere Aufsätze, Neuwied 1965, S. 143–265.

F. Valjavec, Die Entstehung der politischen Strömungen in Deutschland, 1770–1815, München 1951.

Neben den älteren Werken von Stern, Droz usw. zur Wirkung und Rezeption der Französischen Revolution von 1789 in Deutschland stehen heute Forschungen über *jakobinische* und *radikal-demokratische Strömungen* im Vordergrund, vgl. dazu vor allem:

K. G. Faber, Johann Andreas Georg Friedrich Rebmann, in: Pfälzer Lebensbilder, Bd. 1, Speyer 1964, S. 191–217.

W. Grab, Demokratische Strömungen in Hamburg u. Schleswig-Holstein zur Zeit der ersten französischen Revolution, Hamburg 1966.

Ders., Norddeutsche Jakobiner. Demokratische Bestrebungen zur Zeit der Französischen Revolution, Frankfurt 1967.

Ders., Eroberung oder Befreiung? Deutsche Jakobiner und Franzosenherrschaft im Rheinland 1792–1799, in: AfSG 10, 1970, S. 7–94.

Ders., Leben u. Werke norddeutscher Jakobiner, Stuttgart 1973.

H. Scheel, Süddeutsche Jakobiner. Klassenkämpfe u. republikanische Bestrebungen im deutschen Süden Ende des 18. Jahrhunderts, Berlin 1971².

H. Segeberg, Literarischer Jakobinismus in Deutschland. Theoretische u. methodische Überlegungen zur Erforschung der radikalen Spätaufklärung, in: Literaturwissenschaft u. Sozialwissenschaften 3, hg. v. B. Lutz, Stuttgart 1974, S. 509–568.

D. Silagi, Jakobiner in der Habsburger-Monarchie. Ein Beitrag zur Geschichte des aufgeklärten Absolutismus in Österreich, Wien 1962.

E. Stamm, J.A.G.F. Rebmann u. die Ausbildung des bürgerlichen Geistes im Umbruch vom 18. zum 19. Jahrhundert, phil. Diss. Erlangen 1955 (ms.).

H. Voegt, Die deutsche jakobinische Literatur u. Publizistik 1789–1800, Berlin 1955.

E. Wangermann, Von Joseph II. zu den Jakobinerprozessen, Wien 1966.

Zur Literatur über die „*Preußische Reformzeit*" vgl. die Bibliographie bei:

R. Koselleck, Preußen zwischen Reform u. Revolution. Allgemeines Landrecht, Verwaltung und soziale Bewegung von 1791 bis 1848, Stuttgart 1967.

Literatur zur Heraufkunft des modernen *Rechtsstaates, des Beamtenstandes* und der *Verwaltung* findet sich außer bei Koselleck auch bei:

Bernd Wunder, Die Entstehung des modernen Staates u. des Berufsbeamtentums in Deutschland im frühen 19. Jahrhundert, in: Leviathan 2, 1974, S. 459–78.

Ergänzend sei verwiesen auf:

H. Conrad, Das Allgemeine Landrecht von 1794 als Grundgesetz des friderizianischen Staates, Berlin 1965.

Ders., Die geistigen Grundlagen des Allgemeinen Landrechts für die preußischen Staaten von 1794, Köln 1958.

Ders., Rechtsstaatliche Bestrebungen im Absolutismus Preußens u. Österreichs am Ende des 18. Jahrhunderts, Köln 1961.

H. Haussherr, Verwaltungseinheit u. Ressorttrennung vom Ende des 17. bis zum Beginn des 19. Jahrhunderts, Berlin 1953.

H. Rosenberg, Bureaucracy, Aristocracy and Autocracy. The Prussian Experience 1660–1815, Cambridge/Mass. 1958; daraus „Die Überwindung der monarchischen Autokratie (Preußen)", in: K. O. Frhr. v. Aretin (Hg.), Der aufgeklärte Absolutismus, (NWB) Köln 1974, S. 182–204.

5. Bürgerliche Gesellschaft um 1800

Zur Orientierung

O. Brunner, „Feudalismus". Ein Beitrag zur Begriffsgeschichte, zuletzt in: Ders., Neue Wege der Verfassungs- u. Sozialgeschichte, Göttingen 1968², S. 128–159.

Ders., „Bürgertum" u. „Feudalwelt" in der europäischen Sozialgeschichte, in: GWU 7, 1956, S. 599–614.

Ders., Die Freiheitsrechts in der altständischen Gesellschaft, zuletzt in: Ders., Neue Wege der Verfassungs- und Sozialgeschichte, Göttingen 1968², S. 187–198.

W. Conze, Artikel „Adel, Aristokratie" u. Artikel „Demokratie", in: Geschichtliche Grundbegriffe. Histor. Lexikon zur politisch-sozialen Sprache in Deutschland, hg. v. O. Brunner u. a., Bd. 1, Stuttgart 1972, S. 1–48 u. S. 821–899.

K. G. Faber, Das bürgerliche Zeitalter, in: Die Weltgeschichte, Freiburg 1971, S. 537–602.

O. Hintze, Feudalismus – Kapitalismus, hg. v. G. Oestreich, Göttingen 1970.

M. Riedel, Artikel „Bürger, Staatsbürger, Bürgertum", in: Geschichtliche Grundbegriffe. Histor. Lexikon zur politisch-sozialen Sprache in Deutschland, hg. v. O. Brunner u. a., Bd. 1, Stuttgart 1972, S. 672–725.

R. Vierhaus, Politisches Bewußtsein in Deutschland vor 1789, in: Der Staat 6, 1967, S. 175–196.

H. A. Winkler, Artikel „Bürgertum", in: Sowjetsystem und Demokratische Gesellschaft, hg. v. C. D. Kernig, Bd. 1, Freiburg 1966, Sp. 934–953.

Die geschichtliche Herkunft

F. Borkenau, Der Übergang vom feudalen zum bürgerlichen Weltbild. Studien zur Geschichte der Philosophie der Manufakturperiode, Paris 1934, Nachdruck Darmstadt 1971.

B. Groethuysen, Die Entstehung der bürgerlichen Welt- und Lebensanschauung in Frankreich, 2 Bde., Halle 1927–30.

J. Habermas, Strukturwandel der Öffentlichkeit. Untersuchungen zu einer Kategorie der bürgerlichen Gesellschaft, Neuwied 1965².

H. Henning, Das westdeutsche Bürgertum in der Epoche der Hochindustrialisierung 1860–1914. Soziales Verhalten und soziale Strukturen, Bd. 1, Wiesbaden 1972.

L. Kofler, Zur Geschichte der bürgerlichen Gesellschaft. Versuch einer verstehenden Deutung der Neuzeit, Halle 1948, Neuwied 1971⁴.

H. Medick, Naturzustand u. Naturgeschichte der bürgerlichen Gesellschaft. Die Ursprünge der bürgerlichen Sozialtheorie als Geschichtsphilosophie und Sozialwissenschaft bei S. Pufendorf, J. Locke u. A. Smith, Göttingen 1973.

J. Schlumbohm, Freiheit. Die Anfänge der bürgerlichen Emanzipationsbewegung in Deutschland im Spiegel ihres Leitwortes (ca. 1760–ca. 1800), Düsseldorf 1975.

G. Schulz, Die Entstehung der bürgerlichen Gesellschaft, in: Ders., Das Zeitalter der Gesellschaft, München 1969, S. 13–111.

Die Adelsfrage

G. Birtsch, Zur sozialen u. politischen Rolle des deutschen, vornehmlich preußischen Adels am Ende des 18. Jahrhunderts, in: Der Adel vor der Revolution. Zur sozialen und politischen Funktion des Adels im vorrevolutionären Europa, hg. v. R. Vierhaus, Göttingen 1971, S. 77–95.

A. Bues, Adelskritik – Adelsreform. Ein Versuch zur Kritik der öffentlichen Meinung in den letzten beiden Jahrzehnten des 18. Jahrhunderts an Hand der politischen Journale u. der Äußerungen des Freiherrn vom Stein, phil. Diss. Göttingen 1948 (ms.).

H. H. Hofmann, Adelige Herrschaft u. souveräner Staat, München 1962.
F. Martiny, Die Adelsfrage in Preußen vor 1806 als politisches und soziales Problem, Stuttgart 1938.

Eigentum und Verfassung

Eigentum u. Verfassung. Zur Eigentumsdiskussion im ausgehenden 18. Jahrhundert, hg. v. R. Vierhaus, Göttingen 1972, darin vor allem:
G. Birtsch, Freiheit u. Eigentum. Zur Erörterung von Verfassungsfragen in der deutschen Publizistik im Zeichen der Französischen Revolution, S. 179–192;
R. Freiin v. Oer, Der Eigentumsbegriff in der Säkularisationsdiskussion am Ende des alten Reiches, S. 193–228.
H. Rittstieg, Eigentum als Verfassungsproblem. Zu Geschichte u. Gegenwart des bürgerlichen Verfassungsstaates, Darmstadt 1975.

Geistig-politischen Strömungen

H. Brunschwig, La crise de l'état Prussien à la fin du XVIIIe siècle et la genèse de la mentalité romantique, Paris 1947, engl. Chicago 1974.
J. Droz, Le romantisme allemand et l'état. Résistance et collaboration dans l'Allemagne napoléonienne, Paris 1966.
K. Epstein, Die Ursprünge des Konservatismus in Deutschland. Der Ausgangspunkt: Die Herausforderung durch die französische Revolution 1770–1806, Berlin 1973.
E. Winter, Frühliberalismus in der Donaumonarchie. Religiöse, nationale u. wissenschaftliche Strömungen von 1790–1868, Berlin 1968.

Neue Formen der Selbstorganisation und der Geselligkeit:

K. Gerteis, Bildung u. Revolution. Die deutschen Lesegesellschaften am Ende des 18. Jahrhunderts, in: AfK 53, 1971, S. 127–139.
J. Habermas, Strukturwandel der Öffentlichkeit. Untersuchungen zu einer Kategorie der bürgerlichen Gesellschaft, Neuwied 1965[2].
H. Hubrig, Die patriotischen Gesellschaften des 18. Jahrhunderts, Weinheim 1957.
Th. Nipperdey, Verein als soziale Struktur in Deutschland im späten 18. und frühen 19. Jahrhundert, in: Geschichtswissenschaft und Vereinswesen im 19. Jahrhundert, Göttingen 1972, S. 1–44.
M. Prüsener, Lesegesellschaften im 18. Jahrhundert. Ein Beitrag zur Lesergeschichte, in: AfGB 13, 1972, Sp. 369–594 (Bibliographie Sp. 592–594).

Soziale Strukturen des 18. Jahrhunderts

W. Baur, Das deutsche evangelische Pfarrhaus, Bremen 1878[2].
K. W. Dahm, Artikel „Pfarrer, geschichtlich", in: RGG, Bd. V, Tübingen 1961[3], Sp. 283–289.
J. Hoffmann, Die „Hausväterliteratur" u. die „Predigten über den christlichen Hausstand" – Lehre vom Hause u. Bildung für das häusliche Leben im 16., 17. u. 18. Jahrhundert, Berlin 1959.
H. Holborn, Der deutsche Idealismus in sozialgeschichtlicher Beleuchtung, in: HZ 174, 1952, S. 359–384.
G. Holtz, Artikel „Pfarrer, geschichtlich", in: RGG, Bd. V, Tübingen 1961[3], Sp. 273–280.
L. Rösch, Der Einfluß des evangelischen Pfarrhauses auf die Literatur des 18. Jahrhunderts, phil. Diss. Tübingen 1932.
R. v. Thadden, Die brandenburgisch-preußischen Hofprediger im 17. u. 18. Jahrhun-

dert. Ein Beitrag zur Geschichte der absolutistischen Staatsgesellschaft in Brandenburg-Preußen, Berlin 1959.
H. Werdermann, Die deutsche evangelische Pfarrfrau, Witten 1936².
W. Rasch, Freundschaftskult u. Freundschaftsdichtung im deutschen Schrifttum des 18. Jahrhunderts vom Ausgang des Barock bis zu Klopstock, Halle 1936.
F. H. Tenbruck, Freundschaft. Ein Beitrag zu einer Soziologie der persönlichen Beziehungen, in: KZfSS 16, 1964, S. 431–456.

6. Öffentliche Meinung und literarisches Leben

Zu *Zeitung* und *Zeitungswissenschaft* (DW 36) vgl. außer den dort genannten Arbeiten vor allem von Groth und Schöne:

O. Groth, Die Geschichte der deutschen Zeitungswissenschaft. Probleme und Methoden, München 1948.
Ders., Die unerkannte Kulturmacht. Grundlegung der Zeitungswissenschaft, 7 Bde., Berlin 1960–72.
H. A. Münster, Zeitung u. Politik. Einführung in die Zeitungswissenschaft, Leipzig 1935.

Über *öffentliche Meinung* (DW 36/304–333) vgl. neben den Arbeiten von Tönnies und Bauer:

E. Grathoff, Deutsche Bauern- u. Dorfzeitungen des 18. Jahrhunderts. Ein Beitrag zur Geschichte des Bauerntums, der öffentlichen Meinung und des Zeitungswesens, phil. Diss. Heidelberg 1937.
I. Jentsch, Zur Geschichte des Zeitungslesens in Deutschland am Ende des 18. Jahrhunderts. Mit besonderer Berücksichtigung der gesellschaftlichen Formen des Zeitungslesens, phil. Diss. Leipzig 1937 (Bibliographie).
M. Lindemann, Deutsche Presse bis 1815, Berlin 1969.
E. Manheim, Die Träger der öffentlichen Meinung. Studien zur Soziologie der Öffentlichkeit, Brünn 1933.

Buchwesen, „Freie Schriftsteller“ und Leser.

Archiv für Geschichte des deutschen Buchhandels 1–20, 1878–98 (mit Gesamtregister im 20. Jg.).
Archiv für Geschichte des Buchwesens 1, 1956/58 ff. (Register 1–10 in Jg. 10, Gesamtinhaltsübersicht separat 1970).
K. Bulling, Die Rezensenten der Jenaischen Allgemeinen Literatur-Zeitung im 1. Jahrzehnt ihres Bestehens 1804–13, Weimar 1962.
U. Dzwonek u. a., Bürgerliche Oppositionsliteratur zwischen Revolution u. Reformismus. F. G. Klopstocks ‚Deutsche Gelehrtenrepublik‘ u. Emanzipationsbewegung in der 2. Hälfte des 18. Jahrhunderts, in: Literaturwissenschaft u. Sozialwissenschaften 3, hg. v. B. Lutz, Stuttgart 1974, S. 277–328.
R. Engelsing, Der Bürger als Leser. Lesergeschichte in Deutschland 1500–1800, Stuttgart 1974.
Ders., Analphabetentum u. Lektüre. Zur Sozialgeschichte des Lesens in Deutschland zwischen feudaler u. industrieller Gesellschaft, Stuttgart 1973.
H. J. Haferkorn, Der freie Schriftsteller. Eine literatursoziologische Studie über seine Entstehung und Lage in Deutschland zwischen 1750 und 1800, in: AfGB 5, 1962–64, Sp. 523–712. Überarbeitete Fassung u. d. T.: Zur Entstehung der bürgerlich-literarischen Intelligenz und des Schriftstellers in Deutschland zwischen 1750 und 1800, in: Literaturwissenschaft u. Sozialwissenschaften 3, hg. v. B. Lutz, Stuttgart 1974, S. 113–275.

W. Krieg, Materialien zu einer Entwicklungsgeschichte der Bücherpreise und des Autorenhonorars vom 15. bis zum 20. Jahrhundert, Wien 1953.
G. Witkowski, Geschichte des literarischen Lebens in Leipzig, 2 Bde., Berlin 1908.
W. Wittmann, Beruf u. Buch im 18. Jahrhundert, ein Beitrag zur Erfassung u. Gliederung der Leserschaft im 18. Jahrhundert, insbesondere unter Berücksichtigung des Einflusses auf die Buchproduktion, phil. Diss. Frankfurt 1934.

Zensur und Pressefreiheit (DW 36, 378 ff.)

E. Consentius, Friedrich d. G. u. die Zeitungszensur, in: Preuß. Jbb. 115, 1904, S. 220–249.
H. H. Houben, Verbotene Literatur von der klassischen Zeit bis zur Gegenwart. Ein krit.-histor. Lexikon über verbotene Bücher, Zeitschriften, Theaterstücke, Schriftsteller u. Verleger, 2 Bde., 1923/28, Nachdruck Hildesheim 1965.
P. Köster, Die Entwicklung der Pressefreiheit in Deutschland u. ihre Stellung in der modernen Demokratie, iur. Diss. Heidelberg 1954 (ms.).
H. Kolmar, Geschichte der Pressefreiheit, iur. Diss. München 1956 (ms.).
O. Krempel, Das Zensurrecht in Deutschland zu Ausgang des 18. und Beginn des 19. Jahrhunderts, iur. Diss. Würzburg 1921 (ms.).
G. Mälzer, Bücherzensur u. Verlagswesen im 18. Jahrhundert, in: AfGB XIII/XIV, 1973, S. 289–316.
R. Schenda, Volk ohne Buch. Studien zur Sozialgeschichte der populären Lesestoffe 1770–1910, Frankfurt 1970 (über Zensur S. 91 ff., vgl. dort auch umfassende Bibliographie S. 495–560).

Sozialgeschichte der „bürgerlichen Literatur" um 1800

R. Bäsken, Die Dichter des Göttinger Hains u. die Bürgerlichkeit. Eine literatursoziologische Studie, Königsberg 1937.
W. Balet u. E. Gerhard, Die Verbürgerlichung der deutschen Kunst. Literatur u. Musik im 18. Jahrhundert, Straßburg 1936, Frankfurt 1973[2].
I. M. Barth, „Literarisches Weimar" – Kultur, Literatur, Sozialstruktur im 16.-20. Jahrhundert, Stuttgart 1971.
F. Brüggemann, Der Kampf um die bürgerliche Welt- und Lebensanschauung in der deutschen Literatur des 18. Jahrhunderts, in: DVjS 3, 1925, S. 94–127.
W. H. Bruford, Germany in the 18th century: The social background of the literary revival, Cambridge 1935, Nachdruck 1965.
Ders., Die gesellschaftlichen Grundlagen der Goethezeit, Weimar 1936.
Ders., Kultur u. Gesellschaft im klassischen Weimar 1775–1806, Göttingen 1966.
H. Eberhardt, Goethes Umwelt. Forschungen zur gesellschaftlichen Struktur Thüringens, Weimar 1951.
H. Ide u. B. Lecke (Hg.), Ökonomie u. Literatur. Lesebuch zur Sozialgeschichte u. Literatursoziologie der Aufklärung und Klassik, Frankfurt 1973.
G. Kraft, Historische Studien zu Schillers Schauspiel „Die Räuber", Weimar 1959.
G. Mattenklott u. K. R. Scherpe (Hg.), Literatur der bürgerlichen Emanzipation im 18. Jahrhundert. Ansätze materialistischer Literaturwissenschaft, Kronberg/Taunus 1973.

„Politische Sprache"

W. Bahner, Zum Charakter des Schlagworts in Sprache und Gesellschaft, in: Wiss. Zeitschrift der Karl-Marx-Universität Leipzig, B. Gesellschafts- u. sprachwiss. Reihe 10, 1961, S. 397–401.
W. Bauer, Das Schlagwort als sozialpsychische u. geistesgeschichtliche Erscheinung, in: HZ 122, 1920, S. 189–240.
W. Dieckmann, Information oder Überredung. Zum Wortgebrauch der politischen Werbung in Deutschland seit der Französischen Revolution, Marburg 1964.

H.-W. Jäger, Politische Kategorien in Poetik u. Rhetorik der 2. Hälfte des 18. Jahrhunderts, Stuttgart 1970.
Ders., Politische Metaphorik im Jakobinismus u. im Vormärz, Stuttgart 1971.
W. Stammler, Politische Schlagworte in der Zeit der Aufklärung, in: Ders., Kleine Schriften zur Sprachgeschichte, Berlin 1954, S. 48–100.
Th. D. Weldon, Kritik der politischen Sprache. Vom Sinn politischer Begriffe, Neuwied 1962.

7. Sozialgeschichte der Bildung und des Unterrichtswesens

Zur Sozialpsychologie siehe DW 35/179 ff. zu Gesellschaft und Persönlichkeit DW 35/197 ff.
Zu Bildung und Erziehung siehe DW 44; die i. e. S. Sozialgeschichte der Bildung und des Unterrichtswesens fehlt dort.
R. Alt u. a., Zur Geschichte der Arbeitserziehung in Deutschland, Teil 1: Von den Anfängen bis 1900, Berlin 1970.
F. Eulen, Vom Gewerbefleiß zur Industrie. Ein Beitrag zur Wirtschaftsgeschichte des 18. Jahrhunderts, Berlin 1967.
H.-G. Herrlitz, Studium als Standesprivileg. Die Entstehung des Maturitätsproblems im 18. Jahrhundert, Frankfurt 1973.
A. Heubaum, Geschichte des deutschen Bildungswesens seit der Mitte des 17. Jahrhunderts, Bd. 1: Das Zeitalter der Standes- und Berufserziehung, Berlin 1905.
H.-J. Heydorn, Über den Widerspruch von Bildung und Herrschaft, Frankfurt 1970 (bes. S. 92 ff.).
W. Hornstein, Vom „jungen Herrn" zum „hoffnungsvollen Jüngling". Wandlungen des Jugendlebens im 18. Jahrhundert, Heidelberg 1965.
K.-E. Jeismann, Das preußische Gymnasium in Staat und Gesellschaft. Die Entstehung des Gymnaiums als Schule des Staates und der Gebildeten, 1787–1817, Stuttgart 1974.
H. König, Zur Geschichte der Nationalerziehung in Deutschland im letzten Drittel des 18. Jahrhunderts, Berlin 1960.
P. Lundgreen, Schulbildung und Frühindustrialisierung in Berlin-Preußen. Eine Einführung in den historischen und systematischen Zusammenhang von Schule und Wirtschaft, in: Untersuchungen zur Geschichte der frühen Industrialisierung vornehmlich im Wirtschaftsraum Berlin/Brandenburg, hg. v. O. Büsch, Berlin 1971, S. 562–610.
H. Neumann, Der Bücherbesitz der Tübinger Bürger von 1750 bis 1850. Ein Beitrag zur Bildungsgeschichte des Kleinbürgertums, phil. Diss. Tübingen 1955 (ms.).
A. H. Niemeyer, Grundsätze der Erziehung und des Unterrichts (1796), hg. v. H.-H. Groothoff u. U. Herrmann, Paderborn 1970, S. 348 f. (Materialien zum Thema „Hofmeister" bzw. „Hauslehrer").
P.-M. Roeder, Erziehung u. Gesellschaft. Ein Beitrag zur Problemgeschichte unter besonderer Berücksichtigung des Werkes von Lorenz von Stein, Weinheim 1968.
W. Roessler, Die Entstehung des modernen Erziehungswesens in Deutschland, Stuttgart 1961.
R. Stadelmann u. W. Fischer, Die Bildungswelt des deutschen Handwerkers um 1800. Studien zur Soziologie des Kleinbürgers im Zeitalter Goethes, Berlin 1955.
K. Stratmann, Die Krise der Berufserziehung im 18. Jahrhundert als Ursprungsfeld pädagogischen Denkens, Ratingen 1967.
M. Vaughan u. M. S. Archer, Social Conflict and Educational Change in England and France 1789–1848, Cambridge 1971.
R. Vierhaus, Artikel „Bildung", in: Geschichtliche Grundbegriffe. Historisches Lexikon zur politisch-sozialen Sprache in Deutschland, hg. v. O. Brunner u. a., Bd. 1, Stuttgart 1972, S. 508–551.

8. *Wirtschaftsgeschichte* (DW 37/326 ff.)

Zur Orientierung

H. Aubin u. W. Zorn (Hg.), Handbuch der deutschen Wirtschafts- und Sozialgeschichte, 2 Bde., Stuttgart 1971/75.
K. E. Born (Hg.), Moderne deutsche Wirtschaftsgeschichte, (NWB) Köln 1966.
E. Klein, Geschichte der öffentlichen Finanzen in Deutschland (1500–1870), Wiesbaden 1974.
H. Mottek, Wirtschaftsgeschichte Deutschlands, Bd. 2: Von der Französischen Revolution bis zur Bismarckschen Reichsgründung, Berlin 1969[2].

Unterschichten (DW 35/1174 ff.)

W. Conze, Vom „Pöbel" zum „Proletariat". Sozialgeschichtliche Voraussetzungen für den Sozialismus in Deutschland, zuletzt in: H.-U. Wehler (Hg.), Moderne deutsche Sozialgeschichte, (NWB) Köln 1975[5], S. 111–136.
R. Engelsing, Zur Sozialgeschichte deutscher Mittel- u. Unterschichten, Göttingen 1972.
W. Fischer, Wirtschaft u. Gesellschaft im Zeitalter der Industrialisierung, Göttingen 1972 (darin bes.: Soziale Unterschichten im Zeitalter der Frühindustrialisierung, S. 242–257; Innerbetrieblicher u. sozialer Status der frühen Fabrikarbeiterschaft, S. 258–284).
J. Kuczynski, Die Geschichte der Lage der Arbeiter unter dem Kapitalismus, 38 Bde., Berlin 1961 ff.
H. Maus: Artikel „Proletariat", in: HDSW, Bd. 8, 1964, S. 620–623.
S. u. Jantke/Hilger, S. 147.

Landwirtschaft (Agrarwesen: DW 37/686 ff.; Agrargeschichte: DW 37/752 ff.)

W. Abel, Die Lage der deutschen Land- und Ernährungswirtschaft um 1800, in: Die wirtschaftliche Situation in Deutschland und Österreich um die Wende vom 18. zum 19. Jahrhundert, hg. v. F. Lütge, Stuttgart 1964, S. 238–254.
Ders., Massenarmut u. Hungerkrisen im vorindustriellen Deutschland, Göttingen 1972.
F.-W. Henning, Bauernwirtschaft u. Bauerneinkommen in Ostpreußen im 18. Jahrhundert, Würzburg 1969.
F. Lütge, Geschichte der deutschen Agrarverfassung vom frühen Mittelalter bis zum 19. Jahrhundert, Stuttgart 1967[2].

Handwerk (DW 37/844 ff.; 35/1111 ff.)

W. Abel u. a., Handwerksgeschichte in neuer Sicht, Göttingen 1970.
J. Bergmann, Das „Alte Handwerk" im Übergang. Zum Wandel von Struktur und Funktion des Handwerks im Berliner Wirtschaftsraum in vor- und frühindustrieller Zeit, in: Untersuchungen zur Geschichte der frühen Industrialisierung zur Geschichte der frühen Industrialisierung vornehmlich im Wirtschaftsraum Berlin/Brandenburg, hg. v. O. Büsch, Berlin 1971, S. 225–269.
W. Fischer, Handwerksrecht u. Handwerkswirtschaft um 1800, Berlin 1955.
Ders., Wirtschaft u. Gesellschaft im Zeitalter der Industrialisierung, Göttingen 1972 (darin bes. IV: Das deutsche Handwerk im Zeitalter der Industrialisierung).

Industrialisierung (DW 37/1037 ff.)

R. Braun u. a. (Hg.), Industrielle Revolution. Wirtschaftliche Aspekte, (NWB) Köln 1972.
Ders. u. a. (Hg.), Gesellschaft in der industriellen Revolution, (NWB) Köln 1973.
O. Büsch, Industrialisierung u. Geschichtswissenschaft. Ein Beitrag zur Thematik und Methodologie der historischen Industrialisierungsforschung, Berlin 1969.

W. O. Henderson, The State and the Industrial Revolution in Prussia 1740–1870, Liverpool 1958.
F.-W. Henning, Die Wirtschaftsstruktur mitteleuropäischer Gebiete an der Wende zum 19. Jahrhundert unter besonderer Berücksichtigung des gewerblichen Bereichs, in: Beiträge zu Wirtschaftswachstum und Wirtschaftsstruktur im 18. und 19. Jahrhundert, hg. v. W. Fischer, Berlin 1971, S. 101–167.
C. Jantke/D. Hilger (Hg.), Die Eigentumslosen. Der deutsche Pauperismus u. die Emanzipationskrise in Darstellungen u. Deutungen der zeitgenössischen Literatur, Freiburg i. Br. 1965.
S. Poolard/C. Holmes (Hg.), Documents of European Economic History, Bd. 1: The Process of Industrialization 1750–1870, London 1968.

Unternehmer (DW 37/1151 ff.)

L. Beutin, Die märkische Unternehmerschaft in der frühindustriellen Zeit, in: Westfälische Forschungen 10, 1967, S. 64–74.
I. Rarisch, Der frühindustrielle Unternehmer in den „Epigonen“ von Karl Immermann (1846). Eine Vorstudie zum Wandel des Unternehmerbildes in der deutschen Erzählliteratur des 19. Jahrhunderts, in: Untersuchungen zur Geschichte der frühen Industrialisierung vornehmlich im Wirtschaftsraum Berlin/Brandenburg, hg. v. O. Büsch, Berlin 1971, S. 515–561.
F. Redlich, Artikel „Unternehmer“, in: HDSW, Bd. 10, 1959, S. 486–498.
Ders., Das Unternehmertum in den Anfangsstadien der Industrialisierung (unter besonderer Berücksichtigung von Deutschland), in: Ders., Der Unternehmer, Wirtschafts- u. sozialgeschichtliche Studien, Göttingen 1964, S. 299–349.
Ders., Frühindustrielle Unternehmer und ihre Probleme im Lichte ihrer Selbstzeugnisse, in: Wirtschafts- und Sozialgeschichtliche Probleme der frühen Industrialisierung, hg. v. W. Fischer, Berlin 1968, S. 339–412.
W. Treue, Das Verhältnis von Fürst, Staat u. Unternehmer in der Zeit des Merkantilismus, in: VSWG 44, 1957, S. 26–56.

Rezeption des schottischen Wirtschaftsliberalismus von A. Smith

W. Treue, Adam Smith in Deutschland. Zum Problem des „Politischen Professors“ zwischen 1776 und 1810, in: Festschrift für Hans Rothfels, Düsseldorf 1951, S. 101–133.

9. *Wissenssoziologie* (DW 35/477 ff.)

Auf das Verhältnis von Sozialgeschichte und Wissenssoziologie geht Hans Proesler in seinem Artikel „Sozialgeschichte“ ein, in: HDSW, Bd. 9, 1956, S. 450.

Weitere Literatur, besonders auch zu den zeitgenössischen Auseinandersetzungen über Mannheims Konzeption der Wissenssoziologie, im DW 35/477 ff. u. 491 ff. zu den Abschnitten „Wissen“ und „Ideologie“.

N. Elias, Über den Prozeß der Zivilisation. Soziogenetische und psychogenetische Untersuchungen, 2 Bde., Basel 1939, Nachdruck München 1969.
E. Lewalter, Wissenssoziologie u. Marxismus. Eine Auseinandersetzung mit Karl Mannheim „Ideologie und Utopie“ von marxistischer Position aus, in: ASS 64, 1930, S. 63–121.
H.-J. Lieber u. P. Fuhrt, Artikel „Wissenssoziologie“, in: HDSW, Bd. 12, 1965, S. 337–346 (umfangreiche Bibliographie S. 345 f.).
K. Mannheim, Wissenssoziologie. Auswahl aus dem Werk, hg. v. K. H. Wolff, Neuwied 1970².
H. Proesler, Zur Genesis der wissenssoziologischen Problemstellung, in: KZfSS 12, 1960, S. 41–52.

D. Rüschemeyer, Probleme der Wissenssoziologie, wirtschafts- und soz.wiss. Diss., Köln 1958.
M. Scheler, Die Formen des Wissens u. die Bildung, Bonn 1925.
Ders., Die Wissensformen u. die Gesellschaft, Leipzig 1926; zuletzt: Gesammelte Werke, Bd. 8, Bern 1960.
A. v. Schelting, Zum Streit um die Wissenssoziologie, in: ASS 62, 1929, S. 1–66.
G. Stern, Über die sog. „Seinsverbundenheit“ des Bewußtseins. Anläßlich Karl Mannheims „Ideologie und Utopie“, in: ASS 64, 1930, S. 492–509.
K. H. Wolff, Versuch zu einer Wissenssoziologie, Neuwied 1968.

Namenregister

KRITISCHE STUDIEN ZUR GESCHICHTSWISSENSCHAFT

1. **Wolfram Fischer · Wirtschaft und Gesellschaft im Zeitalter der Industrialisierung.** Aufsätze — Studien — Vorträge
2. **Wolfgang Kreutzberger · Studenten und Politik 1918—1933.** Der Fall Freiburg im Breisgau
3. **Hans Rosenberg · Politische Denkströmungen im deutschen Vormärz**
4. **Rolf Engelsing · Zur Sozialgeschichte deutscher Mittel- u. Unterschichten**
5. **Hans Medick · Naturzustand und Naturgeschichte der bürgerlichen Gesellschaft.** Die Ursprünge der bürgerlichen Sozialtheorie als Geschichtsphilosophie und Sozialwissenschaft bei Samuel Pufendorf, John Locke und Adam Smith.
6. **Die große Krise in Amerika.** Vergleichende Studien zur politischen Sozialgeschichte 1929—1939. Mit Beiträgen von Willi Paul Adams, Ellis W. Hawley, Jürgen Kocka, Peter Lösche, Hans-Jürgen Puhle, Heinrich August Winkler, Hellmut Wollmann. Herausgegeben von H. A. Winkler
7. **Helmut Berding · Napoleonische Herrschafts- und Gesellschaftspolitik im Königreich Westfalen 1807—1813**
8. **Jürgen Kocka · Klassengesellschaft im Krieg.** Deutsche Sozialgeschichte 1914—1918
9. **Organisierter Kapitalismus.** Voraussetzungen und Anfänge. Mit Beiträgen von Gerald D. Feldman, Gerd Hardach, Jürgen Kocka, Charles S. Maier, Hans Medick, Hans-Jürgen Puhle, Volker Sellin, Hans-Ulrich Wehler, Bernd-Jürgen Wendt, Heinrich August Winkler. Herausgegeben von Heinrich August Winkler
10. **Hans-Ulrich Wehler · Der Aufstieg des amerikanischen Imperialismus.** Studien zur Entwicklung des Imperium Americanum 1865—1900.
11. **Sozialgeschichte Heute.** Festschrift für Hans Rosenberg zum 70. Geburtstag. 36 Beiträge. Hrsg. von Hans-Ulrich Wehler
12. **Wolfgang Köllmann · Bevölkerung in der industriellen Revolution.** Studien zur Bevölkerungsgeschichte Deutschlands im 19. Jahrhundert
13. **Elisabeth Fehrenbach · Traditionale Gesellschaft und revolutionäres Recht.** Die Einführung des Code Napoléon in den Rheinbundstaaten
14. **Ulrich Kluge · Soldatenräte und Revolution.** Studien zur Militärpolitik in Deutschland 1918/19
15. **Reinhard Rürup · Emanzipation und Antisemitismus.** Studien zur ‚Judenfrage' der bürgerlichen Gesellschaft
16. **Hans-Jürgen Puhle · Politische Agrarbewegungen in kapitalistischen Industriegesellschaften.** Deutschland, USA und Frankreich im 20. Jhdt.
17. **Siegfried Mielke · Der Hansa-Bund für Gewerbe, Handel und Industrie 1909—1914.** Der gescheiterte Versuch einer antifeudalen Sammlungspolitik
18. **Thomas Nipperdey · Gesellschaft, Kultur, Theorie.** Gesammelte Aufsätze zur neueren Geschichte
19. **Hans Gerth · Bürgerliche Intelligenz um 1800.** Zur Soziologie des deutschen Frühliberalismus

VANDENHOECK & RUPRECHT IN GÖTTINGEN UND ZÜRICH